講談社文庫

本のエンドロール

安藤祐介

JN018243

講談社

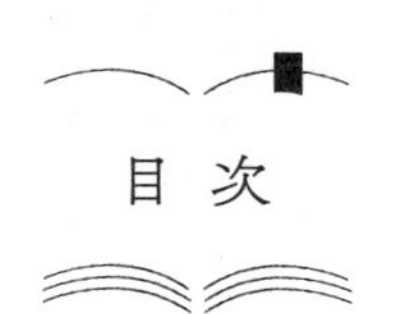

目次

プロローグ 7

第一章『スロウスタート』 13

第二章『長篠の風』 85

第三章『ペーパーバック・ライター』 192

第四章『サイバー・ドラッグ』 267

第五章『本の宝箱』 372

エピローグ 485

文庫版特別掌編『本は必需品』 503

本のエンドロール

プロローグ

「夢をお聞かせいただきたいのですが」

質問に立った女子学生は、両手でマイクを握り締め、緊張した面持ちで訊ねた。

豊澄印刷株式会社営業第二部のトップセールス・仲井戸光二は座ったままマイクを手に取った。

「夢は、目の前の仕事を毎日、手違いなく終わらせることです」

真新しいスーツに身を包んだ学生たちに、戸惑いの表情が浮かぶ。

仲井戸の隣で、浦本学は膝の上に載せた拳を握り締めた。

間もなく社会へ出ようとする就活生たちを前に、この回答はあんまりだ。夢も希望もない。

「そういった日々の心構えの他に、将来の夢などをお聞かせいただけたら……」

質問者の女子学生がマイクを通して食い下がった。

「私たちの仕事は印刷業です。注文された仕様を忠実に再現する仕事。夢は何かと訊かれて、強いて言うなら今お答えしたとおり、目の前の仕事を毎日、手違いなく終わらせることです」

仲井戸はそう答えて、マイクを浦本に差し出した。

会社説明会の司会を務める人事部の広野麻衣と目が合った。採用担当のベテランだが、仲井戸の回答に困惑の色を隠せない。

この気まずい雰囲気を払拭しなければならない。

「仲井戸と同じ営業第二部で主に文芸書を担当しております、浦本と申します」

浦本は頭をフル回転させ、挽回のコメントを考えた。

「私の夢は……印刷がものづくりとして認められる日が来ることです」

話しながら、就活生たちに少しでも夢を感じてもらえそうな言葉を、頭の中で模索する。

「本を刷るのではなく、本を造るのが私たちの仕事です」

言葉につられて、気持ちが熱を帯びる。

「印刷会社は……豊澄印刷は、メーカーなんです」

思ってもみなかった言葉が口を衝いて出た。何人かの学生がペンを走らせる。

「作家さんが原稿を書き、編集者さんが出版の企画を立て、デザイナーさんと相談されて本の仕様が決まります。それを弊社のような印刷会社が製品化します。物語が完成しただけでは、本はできない。印刷会社や製本会社が本を造るのです」

印刷会社はメーカーだ。

日頃から漠然と抱いていた使命感のようなものが、初めて言語化された。

「精魂込めて書かれた物語を本というカタチにするのが私たちの使命です。仲井戸も申し上げましたとおり、手違いは絶対に許されない、夢と責任のある仕事です」

司会席の広野と目が合った。彼女はにっこり笑いながら大きく頷いた。

「はい、それでは、他にご質問のある方」

男子学生が手を上げた。自信ありげな立ち居振る舞い。サークルでリーダーを張っていそうなタイプだ。

「浦本さんの『印刷会社はメーカーだ』というお話にすごく共感しました。これに対して仲井戸さんは、どのようにお考えですか」

男子学生は挑戦的な眼差しで仲井戸に問いかけた。

仲井戸は眉ひとつ動かさずマイクを手にとる。

「私は違うと思います」

ざわめいた。

「印刷会社はあくまで印刷会社です。メーカーではありません」

浦本は硬直した。シャツの下に脂汗が滲む。

「では『印刷はものづくりではない』という理解でよろしいでしょうか」

「はい。文芸作品の中身を作っているのは作家や編集者です。私たちは、それを書籍という大量生産可能な形式に落とし込み、世の中へ供給するための作業工程を請け負っています。その作業工程におけるプロとしての立場に徹するべきです」

他にご質問は？　広野が促しても、もう学生たちからの質問は出なかった。

学生たちが退出し、会議室には社員だけが残った。戻り支度をする仲井戸に広野が詰め寄った。

「仲井戸さん、どういう意図であのようなコメントを」

豊澄印刷は今年、新卒採用にいつになく力を入れている。三人は採用する予定だと聞いた。

今回の採用から解禁月の三月にいち早く会社説明会を開催、内容も大幅に刷新したのだった。文京区音羽の本社を見学した後、バスで埼玉のふじみ野工場へ移動。最後に工場の会議室で各部署の先輩社員が日頃の業務について語り、学生からの質問に答える。手間もコストもかかるが、これも就活生に会社のことを知ってもらうための努力だ。

「せっかく説明会に参加してくれた学生さんたちに対して、不誠実じゃないですか」

「本心を言ったまでです。実情にそぐわないことを思い付きで述べるほうが不誠実でしょう」

仲井戸は浦本に目を遣りながら言った。

「思い付きではありません」

「浦本君から『印刷会社はメーカーだ』なんて矜持は聞いたことがなかったけど」

「確かに言ったことはありませんでしたし、頭の中でも言語化されていませんでしたよ。でも、咄嗟に口に出して、これが自分の思っていたことだと分かったんです」

印刷会社は決められたものを刷って複製するだけではない。

物語に〝本〟という身体を授け、お似合いの服を着せて世に送り出すのだ。

「仲井戸さんのおっしゃることは、間違っていません。ただ夢とは言わないまでも、学生さんたちに使命のようなものは伝えられるのではないでしょうか」

「印刷機の稼働率を上げることが、営業の使命だろう。受注を切らさないこと、社員約二百人が食べていくために何をすべきかを考えるのが最優先ではないのか」

逐一正論だ。だがすんなり受け入れられない。

「それにもっとシビアな話、この先本が売れなくなるのは火を見るより明らかで、印刷業界は客観的に見れば斜陽産業、沈みかけた船だ」

広野麻衣が「言い過ぎではないですか」と諫めるが、仲井戸は淡々と続ける。

「下手な希望を持って入ってくる新規採用者は、長続きしませんよ。止めておいたほうがいい」

本が売れなくなっていることなど分かっている。それでも、浦本は本造りに携わりたくて豊澄印刷を選んだ。

「じゃあ仲井戸さんは、なぜ沈みかけた船に乗っているんですか」

「沈ませないためだよ」

トップセールスである仲井戸の言葉には、説得力がある。

でも夢は目の前の仕事を手違いなく終わらせることだと言い切ってしまったら、寂しすぎはしないか。本のため、あるいは本を読む人や本造りに携わる人のために印刷会社ができることは、まだまだあるのではないか。

証明する手段はひとつ。仕事で仲井戸を超えるしかない。

第一章　『スロウスタート』

「手一杯なのは承知の上で、頼む。お願いします」

　浦本は携帯電話を耳に当てたまま頭を下げた。電話の相手はふじみ野工場の印刷製造部係長、野末正義（のずえまさよし）。

　野末は入社十一年目、堅実な仕事ぶりで昨年から実作業の統括を任せられている。

〈生産管理部を通して作業依頼してくれ〉

「もちろん、生産管理部には話を通す。追ってそちらへ電話が入ると思う。ただ、営業からも重ねて思いを伝えておきたくて……」

〈到底無理だな〉

　浦本が頼み込んでいるのは特色印刷の割り込み作業だ。

　通常、色はプロセスインキと呼ばれるＣ（シアン）、Ｍ（マゼンタ）、Ｙ（イエロー）、Ｋ（ブラック）の四色を刷り重ねて表現される。

　一方で、ＣＭＹＫの刷り重ねで表現しきれない色は特色と呼ばれ、職人の手によってインキや金・銀・パールの金属粉などを混ぜ合わせて作られる。

「お願いします、同期のよしみで」

中途入社の浦本は社歴三年目だが、年齢は同じ三十二歳。勝手に同期ということにしてある。

〈得意先のよしみで調子よく無理難題を引き受けてくる営業に、付き合う義理はない〉

野末の語尾に冷笑が混じる。

営業が仕事を取ってくるから印刷機が稼働するのではないか。憤る気持ちをぐっと抑える。

こちらは昼夜を問わず、顧客との打合せや電話に追いまくられている。

今回の件も顧客の東都書房となんとか調整した結果の、ギリギリのラインなのだ。

東都書房から刊行されるビジネス書『自分探し病を克服する八つの方法』の印刷を控え、先方が急遽カバーの題字に特色を使いたいと言い出した。

〈もう下版済みだぞ。印刷機は明後日の午後一時で押さえてある。待ったなしだ〉

手書きやワープロで書かれた原稿は、編集者から印刷会社へ送られ、本のレイアウトに組み替えられる。印刷会社がゲラ刷りと呼ばれる校正紙を出し、出版社の校閲部や著者による校正を経て校了となる。校了したデータを印刷工場へ送ってアルミ製の板に焼き付けて刷版を作製した上で印刷にかける。

　下版済みということは刷版を作り終え、印刷を待つばかりの状態。割り込みの追加作業を入れるのは危険だ。

「分かってる。分かった上で、なんとかしてもらえないか」

〈取次への搬入をずらせば済む話だ〉

「申し訳ない。取次への搬入は既に発売日の一日前に延ばしてある……」

　印刷・製本された書籍や雑誌は一度、出版取次会社の物流倉庫に搬入され、全国の書店へと散ってゆく。取次は文字通り出版社と書店の間を取り次ぐ、いわば本の卸売問屋の役割を果たす。

　通常、取次には発売日の五日前を目処に搬入される。この五日間をスケジュールの調整弁にすればよいという訳だ。

　だが今回、既にその手は使ってしまっている。カバーに使うアート紙が国内の代理店には在庫僅少のため海外から取り寄せなければならず、その上発送時のトラブルも重なり納品に時間がかかったのだ。発売日の五日前に印刷、二日前に製本、一日前に取次搬入という最短スケジュールを組んであった。

〈発売日を一日、二日ずらすよう交渉するのが先だろう〉

「散々交渉したよ。でもダメだからお願いしているんだ。先方の担当さんも、お偉いさんたちから色々口出しされて、板挟みになってるから、うちがなんとかしてあげないと」

〈八方塞がりか。どうしようもないな〉

野末は忌々しげに吐き捨てた。

「そうカリカリせずに、今度晩飯でも奢るよ」

〈晩飯で手なずけられるような安い仕事なら、なおさらお断りだ〉

電話の向こうから正午のチャイムの音が聞こえてきた。

〈昼休みだ、切るぞ〉

電話は一方的に切れた。

おそらく弁当を持って休憩室へ向かったのだろう。昼休みをとるのは当然の権利とはいえ、こんなにも一方的に電話を切られたら釈然としない。

「どうしたものか……」

浦本は携帯電話をスーツの内ポケットにしまいながら溜息をついた。明日の夕方には先方の編集者に色校正を出し、確認を受けなければ間に合わない。

「困ったな……」

八方塞がりな状況に思わずまた独り言がこぼれた刹那、背後に人の気配を感じた。

「浦本さん、本当に困ります」

振り返ると生産管理部のリーダー、古関義弘がにこやかな表情で立っていた。

「今の電話、ふじみ野工場に直接作業依頼の話をしていましたね」

コミック、文芸、雑誌などの各営業担当がばらばらに工場へ作業を依頼すると、進捗管理に混乱をきたす。そのため生産管理部が管制塔となってスケジュール調整し、正式に作業指示を出す。

「お客様の思い、営業の思いを先に野末君に伝えた上で、古関さんを通して正式にお願いしようと思いまして……」

「なるほど。作業依頼ではなく、浦本さんの思いを伝えたということですね」

仏の古関という異名をとるこの男、怒ったところをほとんど見たことがない。

「そうです。古関さんからも工場に、対応してくれるよう営業の思いを伝えていただけませんか」

「思いは分かりました。ただ、思い通りにならないのが印刷工程です」

各部署からの主張に耳を傾け、しかしきっぱりと物を言う。営業と制作部門の間に立ってコントロールするのは生産管理部の仕事だ。

「午後一番で至急、ふじみ野工場に私から相談しますので」

通常の作業依頼であればむしろ、古関の力を頼ることが多い。しかし、一日を争う飛び込みの作業の場合はどうしても、正式ルートを通していては間に合わないという焦りが出てくる。営業としては居ても立ってもいられない。

情に訴えてでも、どうにかしてふじみ野工場で対応してもらわねばならない。

午後から埼玉でクライアントとの打合せが入っている。営業第二部は文芸書の他にチラシやポスターの案件も担当しており、埼玉のスーパーやタウン誌などとも取引がある。今日は和光(わこう)市の地元大手スーパーで、キャンペーンポスターの打合せだ。

この打合せの前後で野末に直接会って話をしてみよう。

和光市のスーパーでの打合せを済ませた浦本は、社用車でふじみ野工場へと向かった。

ふじみ野の市街地を離れると程なく水田地帯へと入る。あまり運転が得意でない浦本は、車の少ないこの辺りに差し掛かるといつもほっとする。

降り注ぐ春の陽射しで、運転席には熱がこもっていた。窓を開けると、汗ばんだ身体に心地よい風が吹いた。

アスファルト舗装(ほそう)の長い畦道(あぜみち)を抜けた向こうにふじみ野工場がある。

受注した刊行物の八割以上を担う、豊澄印刷の心臓部だ。この心臓を止めぬように血液、すなわち仕事を送り込み、絶やさぬようにするのが営業部隊の使命だ。

「オーライ、オーライ」

用紙を積んだ四トントラックが敷地内の駐車場を旋回し、ゆっくりと搬入口へ向かってゆく。

印刷作業を行う工場棟のすぐ脇に、事務所の入った管理棟が建っている。管理棟の引き戸を開けると、中に残っていたのは年配のオペレーター一人だけだった。

「おつかれさまです。野末君は作業中ですか」

「ああ、さっき出て行ったところだよ」

工場の建屋に入り、野末の姿を探す。カーキ色の作業着に身を包んだオペレーターたちが印刷機の前で次の印刷の準備を進めている。今日も印刷機は五台ともフル稼働。工場の慌ただしさを目にする度、本が売れなくなっているという現実を忘れそうになる。

印刷機は高さ二メートル強、給紙部（フィーダー部）から印刷部を経て排紙部まで、全長五メートルほどもある。誰がどこにいるのか探すのにもひと苦労だ。

一号機の傍(かたわ)らで、若い大柄なオペレーターが四六判(しろくばん)の紙の束を抱えて持ち上げようと、四苦八苦していた。

「おい、無理するなって言ってるだろう！　腰がいかれちまうぞ！」

一号機の機長を務める柴田(しばた)が、若いオペレーターを叱責(しっせき)する。

「おつかれさまです」

浦本が声を掛けると、柴田は「おつかれ」と気の無い返事をした。

「彼、新人さんですか。頑張ってますね」

「あいつ、なんでか分からんが、無茶ばっかりするんだよ、まったく」

どうやら、一度に多くの紙を積もうと苦心しているようだ。

無茶をしたくなる気持ち、今の浦本には分かる。

無力感にさいなまれ、なんとかしようともがく時、つい無茶をしてしまう。寝食の時間をむやみに削って仕事したり、彼のように一枚でも多くの紙を持ち上げようと躍起（やっき）になったり。

紙と言っても、コピー用紙などとは訳が違う。

文芸書で主に使われる四六判の紙は事務用机と同じぐらいの大きさがある。

一連（千枚）だけでも腰が抜けるほどの重さになる。その紙がフォークリフト用のパレットの上にうずたかく積まれ、まるで紙の柱が直立しているように見える。用紙を印刷機の給紙部にセットする手積みの作業は、印刷オペレーターの誰もが通る基本作業だ。

「おい高野（たかの）、早くしろ。日が暮れるぞ」

高野と呼ばれた新人オペレーターはもう一度紙の柱の前に立って両端をつかみ「よっ！」と力を入れた。紙が持ち上がった。だが次の瞬間、高野の手元で紙の束が命を得たように踊った。ぐにゃりと下へ谷形にたわみ、逆らう高野の手をあざ笑うかのように、今度は山なりにたわむ。反動で紙が雪崩(なだれ)をうって滑り、床に散乱した。

「すみません！」

「だから言ったろう！」

高野は床に散らばった紙を慌てて拾い集め、二つに折り畳んでカゴに突っ込んだ。使えなくなった紙はヤレ紙と呼ばれ、廃棄の後リサイクルされる。

高さが大人の胸元ほどもある大きなステンレス製の網カゴは、たちまちヤレ紙で一杯になった。

その時、印刷機の陰から、高野よりも一回り小柄な男が出てきた。

野末正義だ。

作業帽を少し斜(しゃ)に被り、蟹股(がにまた)気味に歩くその姿からは、ふじみ野工場の実務を指揮する者の貫禄(かんろく)が滲み出ている。

「力任せに持ち上げようとしたって上手くいかない。見てろ」

野末は紙の両端をつかみ、パラパラと一枚ずつ親指で弾いて紙と紙の間に空気を入れてゆく。

紙の成分の約八％は水だ。そのため湿度や温度によって微妙に伸縮し、変質する。

春から夏にかけては湿度が上がるため、紙と紙が張り付きやすい。空気入れの作業が不十分なまま紙を給紙部に入れると、紙詰まりや、複数枚が張り付いて送られる重送（ダブリ）が起こりやすくなる。

野末はことも無げに紙の両端を持ち上げ、給紙部にセットした。力のかけ方や紙の持ち方、腰の入れ方など、長年の経験で培ったコツがあるのだ。

「初めのうちは一度に多く持とうとするな」

「すみません」

高野が恐縮しながら悔しそうに顔をしかめる。

紙の手積みは重労働だ。腰をやられるオペレーターも少なくないと聞く。過去に手積みを自動化する機械も開発されたが精度が低く、普及していない。

「俺もコツが分かるまで三年はかかった。簡単な作業じゃない。焦らず丁寧に覚えてみろ」

営業マンには冷たい野末だが、部下の面倒見はよい。

「野末君」

自分の持ち場へ戻ってゆく野末を呼び止めようと、浦本は声を掛けた。聞こえていないのか、野末はさっさと歩いて行ってしまう。

無視しているというそぶりでもない。おそらく場内の機械音で、聞こえにくいのだろう。

今日の工場は全機フル稼働。

野末は五号機の次の印刷に向けて、刷版をセットしている。

隣の四号機が印刷を開始した。片面三十二ページ、両面六十四ページ分の紙が次々と給紙部から送り出され、印刷部を通って排紙部へ吐き出される。

排紙部には空気のシャワーが絶えず流れ、印刷済みの紙面に、目に見えないパウダーを吹き付けている。とうもろこしなどの粉を原料とした微細なパウダーで重なり合う紙と紙の間に物理的な隙間を作り、インキのこすれや裏写りを防ぐ。

印刷機の稼働音の中、浦本は野末に近づいて「おつかれさま」と声をかけた。

「もうジロさんにお願いしてある」

野末は、五号機近くの壁際の作業台を指差して言った。そこには特色作製の職人・ジロさんこと吉崎次郎（よしざきじろう）の姿があった。

ジロさんはヘラを両手に一本ずつ持ち、ステンレス製の箱の中で二色のインキを練り合わせている。左手に持っていたヘラを作業台の脇に置くと、さらにもう一色のインキを追加した。

それから一本のヘラを両手で握って腰を落とし、力強くかき混ぜる。

ジロさんは勤続四十年、五十八歳の大ベテラン。ひたすらインキをかき混ぜるその背中から気迫が迸（ほとばし）る。

「生産管理部から午後のチャイムと同時に電話が来たよ」

古関と野末で相談して各印刷機のスケジュールを組み替え、作業を割り込ませたという。

「野末君、ありがとう」

「感謝されても困る。別にあんたを助けるためにやってる訳じゃない」

野末はオフセット枚葉印刷機と向き合ったまま作業の手を止めない。

「営業が請けてしまったら、どんな無茶な作業でもやるしかない。飯が食えなくなるからな」

浦本は「いつも感謝してますよ」とおどけた調子を滲ませながら返す。

「伝書鳩だな」

野末は浦本には一瞥もくれず、大声で言った。

確かに「伝書鳩」と聞こえた。野末のすぐ側まで近づいて訊き返す。

「伝書鳩？」

「そうだよ。今のあんたの仕事なら、鳩でもできる」

「ちょっと待ってくれ。さすがにそれは言い過ぎじゃないか」

普段から野末は浦本に対して素っ気ないが、今日はいつにも増して攻撃的だ。

「控えめに言って伝書鳩だ。あんたは無理な要求でも、お客様のお言葉をそのまま現場に伝えるだけ。いや、お客様の代弁者みたいな顔して押し付けてくる分、もっと性質が悪い。仲井戸さんなら、他の進行スケジュールを調整するなり、前捌きをしてから話を持ってくるぞ。あんたは生産管理部に泣きついただけだ」

仲井戸と比較されると、何も言い返せない。野末の言う通りだった。

仕事で仲井戸を超えたい。説明会での一件以来、浦本は強く意識するようになった。だがその背中はまだ遥か先にある。

「申し訳ない」

ここは作業を進めてもらうためにも、下手に出るほかない。

「印刷会社はメーカーだとか、会社説明会でうそぶいたらしいな」

先日の説明会の内容は、社内向けの掲示板に掲載されている。そこで浦本の発言を知り、癇に障ったらしい。

「うそぶいたつもりなんてない。本心から出た言葉だよ」

「本心ならば、改めてもらいたい」

頭ごなしに言われ、かっとなる気持ちを抑える。

それから「なぜ」と訊き返した。

「その理想にほだされたような浮ついた気持ちが、仕事ぶりにそのまんま表れてるからだよ」

「じゃあ、いいものを作りたいと思うことは、間違っていると？」

印刷機の稼働音に負けじと声を張るにつけ、気持ちも昂ぶってくる。

「俺たちの仕事は、お客さんの注文どおりに〝ブツ〟としての本を仕上げることだ」

野末はパレットに棒積みされた印刷済の紙を指差しながら言った。大人の身長ほどはある紙の柱だ。『駅前喫茶物語』一折目〜八折目」と記されている。

「営業がどこまでもお客さんの仕様変更に付き合うと、現場が振り回される。お客さんの立場になって考えるのと、わがままを言いなりで引き受けるのとは違う」

痛い所を突かれた。熱心な顧客ほど造本設計にこだわり、急な変更を言い出すこともある。無茶な場合は交渉して譲歩を引き出すのも営業の役目だが、浦本は顧客に肩入れする余り多くを引き受けてしまう節がある。

「あんたはお客さんの一員のようになって、現場に無理を押し付けてばかりだろう」

「現場、現場と言うけれど、営業だってお客さんと直に向き合っている。現場のひとつだ。現場と現場の間で右往左往してるんだ。少し協力してもらえないだろうか」

「十分協力してる。俺たちは、毎日の作業を事故なく済ませるだけで手一杯だ。一営業マンの個人的な情熱に振り回されている余裕はない」

〈目の前の仕事を毎日、手違いなく終わらせること〉

仲井戸が説明会で語った夢の話を思い出す。ひとつひとつの刊行物を無事に納品するのがどれだけ大変なことか。野末の言葉を聞くと、尚更思い知らされる。

「あんたも会社から給料もらって飯食ってるんだ。地に足つけて仕事したらどうだ」

その給料の元になる仕事は、営業が顧客との信頼を繋いで受注している。反論しようとしたその時、印刷機の陰から「野末さん」と呼ぶ声がした。

「五号機、『駅前喫茶物語』九折から十六折、セットＯＫです」

「了解。五号機、セットＯＫ、稼働してください」

オフセット印刷機が唸りを上げる。

「さっき話したとおり、割り込みの作業にはなんとか対応できている。どうかご安心くださいと、あんたの上司に報告しておいてくれ」

野末は、さも伝書鳩に伝言を託すといった体で言った。

浦本は言いたいことを飲み込み、ふじみ野工場を後にした。

※

十六時、早番を終えた野末正義は作業着からジーンズとパーカーに着替え、更衣室を出た。

「お先」

遅番の佐藤に声を掛け、後を託す。佐藤は二十五歳の四年目社員。紙の手積みなどの基本作業から教え、最近ようやく現場を回せるようになってきた。今日は遅番の作業主任を初めて務める。

「野末さん、お疲れ様です。後は任せてください。刷版もブランケット胴も交換済み、インキも充塡済みです。紙も場内に搬入してありますので、あとは……」

佐藤は「任せてください」と言いつつ、矢継ぎ早に準備の状況や後の段取りを説明してくる。暗に助言を請うているのだろう。

「了解、任せた」

突き放す気持ちと、信頼する気持ちを両方込めた。

今日の遅番は売り出し中のミステリー作家・須崎譲の『黙秘という名の自白』二万部の本文印刷だ。四百十六ページの重厚な作品で、作業量も増える。

だが後進の育成のためにも、具体的な指示や助言は出さずに任せることとした。

「おい、ムツゴロウ」

むっつりしているからムツゴロウ。この呼び方をするのは一人しかいない。

外階段下の喫煙スペースで、ジロさんが煙草を吹かしていた。流行らないあだ名を付けさせたらこの人の右に出るものはいない。

「相変わらずむっつりした顔してんなあ。眉間に皺が寄ってるぞ」

「今日は、ありがとうございました。急な仕事をねじ込んですみません」

「気にすんな」

ジロさんはいつもの板ガムをポケットから取り出し「ほい」と野末に投げてよこした。反射的にキャッチする。

ブルーベリーのチューインガム。これでも嚙んで、少し喋っていけという合図だ。色を見極める印刷職人にとって、目は命。ジロさんは目に良いと言われるブルーベリーのガムを、願掛けのように常用している。

「営業のにいちゃん、だいぶ参ってたみたいだな」

「あれぐらい言わないと、彼は現場に甘えてなんでも安請け合いしてくるので」

野末はチューインガムの封を開け、口にねじ込んだ。

「でもなあ、あいつらが仕事を持ってきてくれなきゃ、俺たちだって飯が食えない」

「それは確かにそうですが……ここのところ、割を食うような仕事があまりに多い」

ジロさんと話すと、時々愚痴っぽくなってしまう。

「ところでよ、またワールドからお誘いの電話が来たよ」

印刷会社最大手・ワールド印刷が特色作製の職人を引き抜こうとしている。業界内では珍しい話ではないが、ジロさんのように明け透け（あけすけ）に話す者はなかなかいない。

「お誘いに乗れば、給料は今の三割増だとよ。買い被られたもんだ」

そう言ってジロさんは煙草を吸い、煙を吐き出した。値上がりとともに煙草を止める者が多い中、ジロさんは「衣食住を削ってでも煙草だけは止めらんねえ」と公言している。

「で、ジロさんはどうするんですか？」

「美味い話は、信じねえ。あいつらが欲しがってるのは、機械のお手伝いさんだ」

ワールド印刷は特色の調合機を導入し、一定の機械化に成功した。だが機械では表現しきれない微妙な色調もあり、どうしても職人の技術が必要となってくる。

「機械の精度が上がった途端、俺は捨てられるさ」

「そんなことはないと思いますが」

「いや、信じねえ」

ジロさんは頑なな表情で首を振り、煙草の火をスタンドの灰皿の上で揉み消した。

「それに、四十年もここで働いてきて、今更他に移るのも面倒だ。お前だったらどうするよ」

「給料が上がるなら、迷わず移りますね。無茶な営業に振り回されることもなくなります」

野末は即答した。半ば冗談ではあったが、口に出してみると気持ちが揺らいだ。

「まあ、年々無茶な仕事が増えてるのは事実だがよ、時代は変われど、俺たち職人は来た球をきっちりと打ち返すだけよ」

俺たち職人。ジロさんの口癖だ。野末は職人という言葉に気後れしてしまう。野末が身につけたのは印刷機を適切に設定・操作し、色や濃度を確認し、仕様通りに印刷する技術だ。

一方のジロさんは、まさに職人と呼ぶにふさわしい。紙の材質、温度や湿度に応じてインキの成分や粘着性を見極め、特色を作り出す。印刷機を扱う責任者である野末も、インキや紙のイロハの多くをジロさんから学んだ。

「たまには酒でも飲んで、憂さを晴らそうや」

「ありがとうございます。でも今日はお先に失礼します」

ジロさんの誘いを断り、家路を辿る。

酒は嫌いではないが、ここ二、三年でとんと飲まなくなった。

今日も会社から徒歩二十分の自宅へまっすぐ帰り、夕飯を食べる。

印刷機の急なトラブルがあっても自宅から急行できるよう、五年前にさいたま市内からふじみ野市のアパートに移った。

「おかえり！」

ドアを開けると、瓜二つの男の子が二人、居間から声を上げた。幸太と陽太。双子の男の子だ。

「パパが造った本、ママに買ってもらったよ」

弟の陽太が嬉しそうに開いて見せたのは小学生向けの歴史漫画『織田信長』。豊澄印刷で印刷されている慶談社の学習漫画だ。初版は一九八四年で現在三十五刷。長きにわたり版を重ねている。

「ほら、パパが造った本、でしょ？」

幸太が奥付の文字を指差してみせてくる。

「ああ、よかったな」

書店や図書館が大好きな双子の兄弟。彼らには、本を開くとまず最後のページの奥付からチェックする奇妙な習慣がある。

妻の沙織が、本の奥付に「豊澄印刷」という文字の記された本を指し「パパの会社で造った本なのよ」と教えたのがきっかけだ。

「ママ、もう食べていいの？」

早番の日は家族そろって夕飯を食べる。

「もう少し待って」

沙織は炊飯器を開けて野末の茶碗に白飯を盛った。

幸太と陽太の茶碗には既に山盛りの白飯が盛られている。食べ盛りの男の子二人を抱える野末家では毎日、五合炊きの炊飯器いっぱいに飯を炊く。

野末は醤油さしを取って、目玉焼きと千切りのキャベツにかけた。幸太と陽太は目玉焼きに中濃ソースをかけ、飯の上に載せて食べる。

「マー君、俊明から連絡があって、くれぐれもお礼を伝えて欲しいって」

沙織が携帯電話を操作しながら言った。

「俊明おじさんからメール来たの？　見せて見せて」

せがむ子供たちを手で制し、沙織は携帯電話の画面を野末の目の前に差し出した。

無事に退院したとの連絡だった。

礼とともに、許しを請うような言葉が長々と書かれている。きちんと読む気にもなれないが、何かコメントしなければ、沙織は携帯を取り下げないだろう。

沙織の横顔をチラリと見ると、また少し痩せたように感じた。弟の病による心痛からか、耳に掛けた髪に白髪が混じっている。

野末は「退院おめでとうと伝えといて」と一言だけ返した。

沙織の弟・俊明は二年前に腎臓がんを宣告され、入退院を繰り返している。役者を夢見て演劇活動に勤しんでいた俊明は、定職に就かず貯蓄も皆無だった。俊明の両親、すなわち野末の義父母は既に他界。近い親族は姉の沙織だけだ。そのため、義兄である野末が医療費の一部を出している。

ただでさえ暮らしは楽ではない。そこへ義弟の医療費がのしかかる。先月まで沙織

も スーパーのレジのパートに出て家計の足しにしていた。だが元々丈夫ではない上、立ち仕事で腰を痛めて今は仕事に出られない。

「パパが造った、違う、違う、パパが造った」

幸太が、本棚に並べてある本の背表紙をひとつずつ指差してゆく。豊澄印刷が手がける本の多くは、関連会社である慶談社刊行のものだ。だから二人とも、慶談社の本は「パパが造った」本、他社の本は「違う」と識別している。

野末は、箸でつまんだひじきの煮物を取り皿の上に置いた。

「静かにしろ」

聞こえていないのか、子供たちは本棚に並ぶ背表紙を楽しげに指差し確認している。

「パパが造った、パパが造った、パパが造った」

造っていない、造っていない、造っていない。

「静かにしろ！」

自分でも驚くほど激しい語気だった。子供たち二人は金縛り（かなしば）りにあったかのように、本棚の前で立ったまま硬直している。居間が静まりかえった。

「俺は、本を造ってなどいない」

気持ちを鎮（しず）めながら、二人に言い聞かせる。

「俺の仕事は、この、紙に、決められた色のインキを、乗せて、ただ、印刷する、だけだ」

歴史漫画『織田信長』のページをめくりながら言葉を区切り、噛んで含めるように言った。

「この飯を食べるため、俊明おじさんの病気を治すため、お金が要る。給料をもらわないといけない。だから仕事してるだけだ。分かるか」

当てつけのような口調になった。

幸太は目に涙をためて、とぼとぼと子供部屋へ入り、陽太もおびえた表情で後を追ってゆく。座卓の上の二人の茶碗には白飯が、目玉焼きの黄身とソースにまみれて残っていた。

隣で沙織が自責の念に駆られて息を殺しているのが分かる。

パパが造った本だ。

いつもこそばゆくて素っ気なく流していたが、内心は嬉しかった。

それが今日は、嫌で仕方がない。

苛立ちの原因は分かっている。〈印刷会社はメーカーだ〉。浦本が会社説明会で発したという言葉だ。

薄利多売で仕事量は増える一方、工場の人員は年々減っている。しかも野末の前の世代で極端に採用を絞ったため、現在は中堅の社員がほとんどいない。結果、工場では三十代前半の社員に中間管理業務や現場の実作業の管理など、諸々の負担が集中している。

そんな中、浦本は平気で顧客からの無理な要求を安請け合いしてくる。

係長の野末は、大小の案件を進行管理しながら、部下の育成も担う。責任と重圧のためか、静かな場所に入ると印刷機の稼働音に似た耳鳴りがする。夜は印刷機が真っ白な紙を吐き出し続ける夢を何度も見る。

それでもなんとか、納期どおりに作業を進行させているのだ。

浮ついたスローガンなど無くとも、野末は現場を守っている。

夢で病人が救えるか。

夢で飯が食えるか。

箸で乱暴に白米を掻きこんだその時、社用の携帯電話が鳴った。

遅番の作業主任・佐藤からだ。紙詰まりでも起こしたか。白米を飲み込み、通話ボタンを押す。

パニック状態の佐藤の声が耳に飛び込んできた。

〈五号機が止まりました。原因を調べているところですが、どうにもなりません……〉

機械停止。想像を遥かに超えた事態だ。

思い当たる節があった。退勤前、五号機の稼働音にほんのわずかな違和感を抱いたのだが、誤差の範囲と割り切り、来週の定期点検で確認すればよいと判断した。臨時で点検や清掃作業をしておくべきだった。

過密スケジュールをこなすため、〇・一％の不安要素に目をつぶってしまった。

少し前までの野末なら、執拗に点検を行ったはずだ。

〈給紙部、印刷部、排紙部、くまなく確認していますが異常は見当たりません。電気系統も問題無し、異物混入も無く、インキ壺の状態も見ました。どこに問題があるのか……〉

電話の向こう側から、佐藤が早口で状況を報告してくる。

「分かった、今からそっちへ行く」

野末は電話を切ると、大きく溜息をついた。子供部屋の戸口から、陽太が心配そうにこちらを見ていた。沙織が「お仕事の電話」と陽太に伝えた。

「工場に行ってくる」

野末は食べかけの夕飯をそのままにして玄関へと向かった。

※

地下鉄有楽町線の上り電車は朝の通勤ラッシュで満員。浦本は吊革につかまり、肩をすぼめて私用のスマートフォンで不動産情報サイトを眺めていた。

〈ガクちゃん、戸建てには興味ある？〉

婚約者の柿崎由香利は浦本の名の「学」を音読みして「ガクちゃん」と呼ぶ。由香利からのメッセージに添えられていたのは、借家の物件情報だった。

北区の木造二階建て築三十年、王子駅から徒歩十分で家賃十三万五千円。都内かつ駅から近いことを考えれば、優良物件だ。共働きだから家賃もなんとかなる。

〈いいね。アパートやマンションだけじゃなくて、借家も探してみよう〉

返信の文面を入力し、ふと手を止めた。

周りを見る限り、満員の車内で本を開いている人はたったの一人。浦本自身も含めて多くの人がスマートフォンに見入っている。

〈この先本が売れなくなるのは火を見るより明らかで、印刷業界は客観的に見れば斜陽産業、沈みかけた船だ〉

仲井戸の言葉が頭をよぎり、最悪の事態を想像する。もしも、仕事が無くなったらどうなる。十三万五千円の家賃を「共働きだからなんとかなる」と楽観する気持ちが急にしぼんでゆく。

家族を持つ責任がふいに重みを増す。

車内に護国寺(ごこくじ)駅到着のアナウンスが流れた。浦本は由香利への返信メッセージを送り、スマートフォンを鞄の中にしまった。

朝八時四十分、出社すると三階のフロアでは既に半数ぐらいの社員が始業の準備をしていた。

豊澄印刷は老舗(しにせ)出版社・慶談社の関連会社として戦後間もなく創設され、文京区音羽の地に本社を置く。五階建てビルの二階と三階にオフィスを構え、二階には製版、下版に携わる制作系の部署、三階には総務部、生産管理部、営業部が入っている。

浦本の所属する営業第二部は主に文芸書を担当し、部長以下四名。隣の島はコミックを担当する営業第一部。コミックは刊行点数が多いため、部長以下八名を擁(よう)する。

浦本の机の上には封筒の束が置いてある。

「ガクちゃん、机に色々どさっと置いちゃったけど、大丈夫？」

由香利以外でこの呼び方をするのは、アルバイトの君代(きみよ)さん。丸顔でよく笑う彼女はもうすぐ六十歳。サバサバした性格で、豊澄印刷のおふくろさん的存在だ。

「ありがとうございます。助かりますよ」

慶談社と豊澄印刷本社を結ぶ定期便により一時間に一度、入稿物や校正後のゲラなどが届く。

入稿時は原稿のデータと併せてその出力紙と、指定紙が三点セットで送られてくる。出力紙にはルビ（ふりがな）や字下げなど体裁の指定が書き込まれ、指定紙には文字組みやフォントなどが指定されている。

これらの入稿物は営業が目を通した後、生産管理部を通してデータ制作部に引き渡される。

また色校正と色見本とを並べて突き合わせ、色調が合っているかをチェックして出版社に渡すのも、営業担当の仕事だ。

向かいの席では仲井戸が原稿整理の作業を始めている。

ページの抜けがないか、レイアウトが編集者からの指示通りになっているか、目を走らせる。原稿整理の作業からも、仲井戸と自分の差が感じ取れる。過去に対応困難な特殊フォントの指定があったとき、仲井戸はそれを目ざとく見つけて編集者に予め相談し、類似する別のフォントに変更してもらったこともある。原稿整理の段階から先を見通し、トラブルの芽をソツなく摘み取る。

〈伝書鳩だな〉

心のどこかで感じていた自分の仕事に対する負い目を、野末にズバリと言い当てられた。A氏の言葉をB氏へ伝え、仕事を右から左へ流すだけの連絡調整役になってしまっている。

相手の要望を鵜呑みにするな、疑いの目を持て、時には断る勇気も必要。仲井戸の仕事ぶりから学ぶことは多々あり、印刷営業として必要な心得だと頭では分かっている。

だが上手く自分の仕事を制御できない。熱心なお客様と一緒になって熱くなり、後からまずかったと気付くこともしばしばだ。「いいものを造りたい」という思いばかりが空回りしている。

仲井戸と違って、自分なりのフィルターが機能していない。足りないのは思いを仕事に変換するためのフィルターなのだ。

入稿物の封を開けながら、パソコンを起動させる。受信ボックスには数十通の未読メールが溜まっていた。

営業担当には出版各社などの得意先のみならず、製本所や取次などからもメールが届く。

〈五月第二週　印刷機の空き状況〉

生産管理部の古関から全社員向けメーリングリスト宛てに気が重くなるメールが送られている。要するに、仕事が不足しているということだ。

顧客の納品期日によって仕事が集中する時期もあれば、仕事が少なくなって印刷機が空いてしまう時期もある。そんな時は、各営業担当が得意先を訪ねたり、前倒しできる仕事を調整したりして、空いた印刷機に仕事を送り込む。

既に営業第一部からコミック『少年探偵ソロリ』の印刷を前倒しできるよう調整するとの返信が入っていた。

営業第一部に先を越された。セクショナリズムではないが、やはり部署間の競争意識はある。

画面をスクロールさせ、メールの件名を確認していると、肝が冷える文字が飛び込んできた。

〈【ふじみ野工場】五号機停止に関する経過報告〉

全社員向けのメーリングリストにレポートが送られている。

送信時間は深夜の零時十五分。差出人は、野末正義。

昨夜『黙秘という名の自白』二万部の印刷中に破損したナットの金属片が飛散、印刷部へ混入したことにより五号機が稼働停止。帰宅していた野末が現場に急行して原因を突き止め、別の印刷機に振り替えて作業を終えた。

この『黙秘という名の自白』の営業担当は浦本だ。野末はなぜ、担当の浦本に連絡をよこさなかったのか。

浦本は慌ててふじみ野工場へ電話をかけた。

「『黙秘という名の自白』の納品、大丈夫だったか」

〈そんな用件で電話してきたのか。仮に大丈夫じゃなかったとして、何かしてくれるのか〉

深夜の緊急対応のせいか、野末の声色からは憔悴（しょうすい）した様子が窺えた。

「申し訳ない」

〈仲井戸さんに電話して、三号機で印刷予定だった『幕末疾風伝（ばくまつしっぷうでん）』の製本所への搬入を一日ずらしてもらった。おかげでやりくりできた〉

野末は浦本ではなく仲井戸に相談したほうが早いと判断したのだ。

〈人のせいにはしたくないが、臨時で機械を休ませて点検する時間さえあれば、起こらなかったトラブルだ〉

激しい音とともに電話は切れた。

無理な進行で割り込み作業を依頼することもしばしばあった。印刷業も不況のご時世、多少の無理も引き受けなければ仕事が減ってしまうという事情はある。

だが、今日の件ひとつとってみても、工場への負担増は明らかだ。トラブルが続けば、今度は品質や信頼の問題に関わってくる。

また、深夜の追加作業には人件費二五％増の割増コストものしかかる。機械トラブルが原因であるため相手方に追加料金を請求することもできず、豊澄印刷としても大きな損失となる。

向かいの席では仲井戸が、粛々（しゅくしゅく）と原稿整理を進めていた。

「仲井戸さん、昨日はお手数をおかけしてしまったようで、申し訳ありません」

「なんで謝るの」

仲井戸は原稿整理の手を止めずに言った。

「先程、野末君から聞きました。私の担当案件なのに、仲井戸さんにご迷惑をおかけしたと」

「トータルで上手くいけば結果オーライだろう。いちいち謝っていたら、本当に謝らなければならない時に困るぞ」

印刷営業は外に対して謝罪しなければならない場面が多々ある。謝りどころもきちんと心得よということだ。視野の広さ、判断力、臨機応変の調整力。どれも仲井戸には遠く及ばない。

苦々しい思いを胸に、一日が始まった。

十時、まずは慶談社の関係部署を回る。音羽通りを護国寺方面に歩いて二、三分。慶談社新館ビルのエントランスで受付を済ませ、エレベーターで二十二階へ。来月刊行作品の色校と再校ゲラを手渡すため、編集部に立ち寄った。

「ねえバイトさん、手が空いてるならこっち来てよ」

編集部のフロアに入るなり、険のある声が飛び込んできた。慶談社の若手編集者、奥平翔だ。

「そこに積んであるサイン本、宛名が間違ってないかリストで確認して、午前中のうちに発送しといて」

奥平は学生らしきアルバイトの男に指示を出していた。言葉の端々に横柄さが滲み出ている。豊澄印刷の社内では奥平のことを密かに『オウヘイ』と呼ぶ。

ラフな服装の多い編集者としては珍しく、いつも襟付きのシャツの上に紺のジャケットを羽織っている。気難しい担当作家からの急な呼び出しに備えて、ラフな服装は控えているらしい。

「奥平さん、こちら、色校と再校ゲラが出ましたのでお持ちしました」

奥平は寝不足なのか、充血した目を上げた。

「お、浦本さん、ありがとう。そこに置いといてもらっていいですよ」

浦本に対しては横柄な口調の中にも、タメ口とですます調が入り混じる。つい先日、浦本のほうが二歳上だと知ってから、こんな調子だ。

「よっこらせ、と」

奥平は足元にあった段ボール箱を机の上に載せた。箱の側面に黒マジックで『青春文学賞応募原稿』と書かれている。

「バイトさん、こっちも下読みの人に送っといて。発送先とか書いてあるから」

雑務で取り込み中のようだ。辞去しようとすると「あ、浦本さん！」と呼び止められた。

「前にちょっと話した、例の新刊の件だけど……」

例の新刊とは、どれのことだろうか。複数の案件を同時に進行管理しているため、どの件を指しているのか咄嗟に思い浮かばない。

「そろそろ原稿が上がってくるんですが」

「ああ、承知しました。お待ちしています」

調子を合わせて二言三言交わしながら、どの作品のことを話しているのか探る。

「次のはとにかく、淵田(ふちた)さんの出世作になるから、装幀も帯も、気合入れてやりたいんですよ」

作家名を聞いてようやくピンときた。

淵田シゲルのデビュー十周年記念作『スロウスタート』のことだ。一ヵ月前に編集部の部数決定会議で一万部と決定、半月ほど前、業務部に概算の見積を出したところだった。

「で、折り入って相談なんですが……」

いる。

奥平が「折り入って相談」を持ちかけてくるときは九割方、無理難題が待ち受けている。

「五月刊行でお願いできないかな」

「え!?　奥平さん、七月初旬っておっしゃってましたよね」

「そうだったんだけど、淵田さんが『やっぱり五月でなければダメだ』って」

「『五月でなければ』とのことですが……今もう四月ですよ。なぜ五月にこだわるんですか」

淵田の『スロウスタート』は不器用な中年男性の恋物語。季節にこだわる理由が想像しにくい。

「詳しい理由は教えてくれないんだよなあ……とにかく、どうしても五月刊行だって譲らないんだ。まだ四月四日だし、間に合うでしょう?」

「ゴールデンウィーク進行があるので、かなり厳しいです……」

淵田の心変わりが原因とはいえ、刊行スケジュールを著者とよく詰めていない編集者の落ち度でもある。この突貫(とっかん)スケジュールでは、どこの印刷会社も請けたがらないだろう。

「そこをなんとか。この後、十一時から急遽装幀会議を開くことになってます」

「待ったなしの状況ですね……」

出版社内で編集部、業務部、資材部、販売部、宣伝部などの担当者が集まり、本の造りや定価を決定する装幀会議。通常は部数決定会議の約二ヵ月後に開かれる。奥平はそれを一ヵ月前倒しにして、刊行を五月末に間に合わせるつもりだ。

「慶談社を挙げて売り出す予定の作品だから、淵田さんにも気持ち良く本を送り出していただきたい。とにかくここは、豊澄さんにお願いしたいんです」

ふんぞり返っていた奥平が、椅子から身を乗り出して頭を下げた。

「とにかく淵田さんからは今日の午前中に原稿が上がってくる。届いたらすぐにルビを振って浦本さんに渡すので。初校了でやるし、分量もそんなに多くない。それなら間に合うでしょう?」

「再校をとらなくてよろしいのですか」

「はい。淵田さんにも確認済みです」

ほとんどの場合、初校、再校と二回の校正を経て校了となる。だが奥平は初校の一回だけで校了にするという。校正を一回減らすリスクを冒してでも五月刊行に間に合わせる覚悟だ。

横柄な奥平が身を乗り出し「お願いします」と頭を下げている。奥平は淵田シゲルにブレイクする可能性を感じているのだろう。慶談社を挙げて売り出すという言葉は、きっと嘘ではない。

出版社が注力する本に対し、全力で支援するのが印刷会社の役目ではないか。それに重版がかかれば、仕事が増える。売上で仲井戸との差を詰められるかもしれない。

「分かりました。ぜひ、お手伝いさせてください」

「さすが浦本さん！　よろしくね」

ああ、また無理難題を引き受けてしまった。覚悟を決め、具体的なスケジュールや想定されるページ数、ルビの量などを奥平に確認した。

「急で申し訳ないけど、浦本さんからもうちの業務部とよく話をしといてください」

「承知しました。でも業務部は今はきっと、お忙しいですよね」

「そうですね。しかもぼくが急なスケジュール変更を突っ込んだから、めちゃくちゃ怒ってますよ」

奥平は悪びれた様子もなく笑う。

業務部は紙の選定や価格決定、外注管理や品質管理を担っている。装幀会議を主催するのも業務部だ。印刷会社の営業は主に編集部と業務部に出入りする。

慶談社本館三階の業務部に立ち寄ると、文芸担当の米村律子(よねむらりつこ)がちょうど入口近くのプリンターへ向かって走ってくる。状況は推(お)して知るべしだ。

プリンターの排紙トレーから出力された紙を、米村は引(ひ)っ手繰(たく)るようにして取り出した。

「米村さん、おつかれさまです、淵田シゲルさんの……」

「いま準備の真っ最中です」

米村が作っているのは『スロウスタート』の計算表。用紙の種類や数量、印刷の色数、製本の仕様などから原価率や損益分岐点を算出するもので、装幀会議の基礎資料となる。

米村はプリントアウトした計算表に目を落とし「まったく」と溜息を吐いた。それから受話器をむんずと摑むと目にも留まらぬ速さでボタンを押した。

「業務部の米村ですが、奥平君いますか」

電話が取り次がれる時間も惜しいのか、忙しなく赤ボールペンの先で机の天板を叩いている。

「もしもし、試算しました。ていうかこの前、見返しは無しって言ったわよね。入れたら原価率が二・五%も上がるわよ」

本の原価は印刷・製本代、紙代、デザイン代などの直接原価と、広告宣伝費や人件費などの間接原価を足して算出される。

「初版一万部の原価率は四五・五%、分岐点は七八・〇%です」

原価率が上がると利益率は下がり、損益分岐点が上がる。初版一万部のうち七千八百部以上売れなければ、赤字になるという試算だ。

米村の手元にある計算表には、試算された原価率と損益分岐点が記されている。

「これでいくならば装幀会議で販売部と定価を上げる相談をすることになるけど、どうしますか」

米村の詰問に、さすがのオウヘイもたじたじになっているだろう。

「いいから、すぐに決めてください。ええ、はい、はい。三十分？　だめです。装幀会議を今日に割り込ませたのはそっちでしょう。五分で決めてちょうだい」

米村は受話器を置くと口をへの字に結んだ。本の装幀や定価を決定する大事な会議を前に、ピリピリしている。

浦本は「一分だけ、お時間よろしいですか」と恐る恐る話し掛ける。

「ゲラ出しは、今日にでも着手してよろしいのでしょうか。発注書をいただければ、すぐにでも」

「午後イチに用紙編成表をＦＡＸで送るので、すぐにチェックして返送してください。夕方には発注書を送ります。よろしくお願いします」

用紙編成表はカバー、表紙、本文といった各パーツに使う用紙の種類や数量、印刷方法などを指定するもの。米村は作成中の用紙編成表を示しながら、概算見積段階からの変更点を手短に説明してくれた。それから、またパソコンに向かって作業を再開した。

浦本は本社へ続く坂道を上りながら、作業の工程を頭の中に思い描く。スタートダッシュをかけるためには原稿を受け取った後、翌日にはゲラを出す必要がある。明日の夕方には慶談社の校閲部にゲラを渡さなければならない。

帰社してすぐ、生産管理部の古関に『スロウスタート』の刊行前倒しを伝えた。

「浦本さん、エイプリルフールは三日前に終わりましたよ」

古関はダンディな顎髭をなでながら、穏やかな声で言った。

「残念ながら、嘘ではありません」

「困りましたねえ」

古関は定番の言葉を口にすると自席の電話の受話器を上げ、データ制作部に割り込み作業の相談を持ちかけた。データ制作部の作業状況を聴き取り、飛び込んできた作業の分量を丁寧に伝え、粘り強く作業の余地を探る。浦本は肩身の狭い思いで古関の電話を聞いていた。

「午後イチでオペレーターのスケジュールを調整するから、少し待って欲しいとのことです」

頼みの綱は、あの人しかいない。二階フロアのデータ制作部を覗いてみたが、彼女はあいにく席を外しているようだ。

書籍チームのリーダー・白岡絵里子に恐る恐る声をかける。

「すみません、突貫作業のお願いが……」

「たった今、古関さんから聞きました」

感情を押し殺したような声が返ってきた。先週も割り込み作業を入れたばかりだ。内心は相当怒っているに違いない。

「すみません」

データ制作部には過去に何百回も「すみません」を言っている。

「個人的には、福原さんにお願いできればと思っているのですが……」

白岡はホワイトボードでオペレーターのスケジュールを確認した。「福原」というピンクのマグネットを指差し「今日は夕方以降至急の作業は入ってないけど……」とつぶやいた。

「あとは本人の都合を聞いてみないとなんとも……」

「いや、あの、私からもお願いしたいので。もうすぐ戻られますか」

「笑美りん、たぶん、休憩室にいますよ」

先輩のオペレーターが疲れの滲む目を右手でこすりながら、左手で休憩室のほうを指差す。

なるほど。休憩室に入ると、彼女はやっぱり本を読んでいた。

黒無地のロングTシャツに、白の綿パンが彼女の定番スタイル。背筋をピンと伸ばし、つむじから腰まで軸でも通っているかのようにまっすぐな姿勢で本と向き合っている。

「営業部の浦本です。あの、折り入ってお願いが……」

入口から恐る恐る声をかける。ゲラ出しを今日中にお願いしたい。すなわち、相当の時間、残業をお願いすることとなる。

「読書中すみません……。ちょっとだけ話しかけてもいいですか」

声を潜めながら彼女の隣の席に腰掛ける。

「印刷会社はメーカーだ」

温度の低い声が返ってきた。

彼女も知っていたのか。社内掲示板の周知力、恐るべしだ。

「浦本さん、本気でそう考えていますか？」

甘いことを言うな、夢とか希望とか興味ないんです。などなど、どんなことを言われるか。浦本は身構える。

「私も、ある意味同感です」

そう言った彼女の口元にほんの少しだけ笑みが浮かんでいた。

※

〈絶対に話しかけないでください〉

音羽本社のデータ制作部フロアの末席、福原笑美はモニター画面の上に、立て札を掲げた。

福原は至急の割り込み作業を任されると、意気に感じていつも集中力が増す。誕生を待つ本のために一役買っているという実感が、心を奮い立たせるのだ。

背筋をまっすぐに伸ばし、机上にワイヤレスマウスを滑らせる。

ワープロで書かれた原稿を、編集者からの指定通りの四十三文字×十九行に組み直し、見開き二ページのレイアウトに流し込む。

昔は活版印刷の組版職人がひとつずつ活字を拾ってゲラ箱と呼ばれる木箱に敷き詰め、版を作っていた。「ゲラ」の語源はその木箱がガレー船に似ていたことに由来する。技術の進歩とともに、ＤＴＰ（デスクトップパブリッシング）が主流となり、パソコン上で版を組めるようになった。

福原の仕事はＤＴＰオペレーター。データ上で印刷の版を組む仕事だ。

インデザインというＤＴＰソフトを駆使して、組版データを作ってゆく。

ページの余白部分に記載する章タイトルは〝柱(はしら)〟と呼ばれる。柱の位置も、編集者によって指定されている。

淵田の本は、指定に従い奇数ページ下の小口(こぐち)寄りに横書きで柱を入れる。ノンブルと呼ばれるページ番号も振る。ノンブルはフランス語であり、英語の「ナンバー」にあたる。

これらの作業はインデザインによって自動化されている部分が多いが、この後、奥平が赤字で入れた指定に従って、難読漢字などの右側にルビを振る。

作業開始から一時間半、時刻は十九時四十五分。全てのルビを振り終えた。

「『スロウスタート』の初校ゲラ、できました」

データ制作部書籍チームのリーダー・白岡絵里子に報告する。

「え！　もう終わったの？」

白岡がオーバーアクションでのけぞる。

福原は早速インデザインのデータをPDFファイルに書き出し、プリンターからゲラを出力して隣の校正チームに渡した。予定より一時間前倒しできた。

「校正チーム、あと一、二時間残れる人いるかな」

白岡が校正チームに訊ねると、三人が手を挙げた。今夜中に済ませておけば明日の午前中に営業担当の浦本から慶談社の社内校閲に回せる。前倒しできた分、明日の作業に余裕が生まれる。

「お、もう話しかけていいか。笑美りん、早いね」

先輩オペレーターたちも舌を巻く。チームに貢献できた実感で、じわりと心が満たされる。

「後の工程を少しでも楽にしたいので」

校正チームは早速三人でゲラを分割し、一斉作業で出力紙のルビや指定紙との正誤を確認し始めている。ルビには漏らさず蛍光ペンでチェックを入れ、要確認箇所をつぶしてゆく。

「『スロウスタート』ってどんな話なの。オウヘイが売り出そうとしてるんでしょう」

福原はレイアウト作業をしながら内容を速読するという特殊技能を持っている。目でページをスキャンし、頭の中に画像として保存するイメージだ。入社当初は白岡から「読むとストーリーに注意が取られるからダメ」と叱られた。

この『スロウスタート』は、冴えない中年男の恋を描いた物語。恋愛の描写に臭みがなく、不器用な主人公の思い悩む様がコミカルに描かれている。

「これは売れると思います」

迷わず言い切った。

「笑美りんが言うと本当に売れそうな気がするね。編集者とかにも向いてるんじゃないの」

「いえ、この仕事が私の天職ですから」

小さな頃から、起きている時間の大半を読書に費やしてきた。

引っ込み思案で人と上手く話せなかった。ある日を境に、クラスメイトから無視と陰口の標的にされた。そんな毎日の中、現実世界との関わりを一切絶ち、フィクションの世界に没入できる時間は、福原にとって何物にも代え難いものだった。

本と向き合うことで人との関わりから逃れていた自分が、二十三歳になった今、本を介して人と繋がっている。

「笑美りん、お疲れ。遅いから無理しないでね」

体を気遣ってくれる上司や仲間がいる。数年前までは考えられなかったことだ。今、この場所で、一目置かれているのも本のおかげだ。

「ありがとうございます」

帰る前に別の作業をもうひと区切りのところまで済ませたい。休憩室に入り、自販機でペットボトルのミルクティを買い、カウンター席に腰掛けた。

「福原さん、お疲れ様。よかったら夜食にでも」

営業部の浦本がコンビニの袋を提げて入ってきた。

袋の中のおにぎりやサンドイッチを見た途端、お腹が空いていることを急に思い出した。

「いただきます」

差し出されたレジ袋から、たまごサンドを取り出した。

封を開けてかぶりつく。

「お、福原さん、豪快な食べっぷりだねえ」

「育ちが悪いもので、あしからず」

浦本は「またまた」と笑いながら、福原の隣の席に腰を下ろした。

「淵田シゲルさんは、なぜ本の刊行を急いでらっしゃるのでしょうか」

福原は、作業中疑問に思っていたことを訊ねた。

「それが、分からないんだ……。奥平さんによると『とにかく、どうしても五月に出したい』の一点張りらしい。奥平さんも分からないみたいだね」

「私は、譲れない理由があるのではないかと思います。もしかすると、秘密にしたい理由なのかもしれません」

原稿を速読しながら、五月刊行へのこだわりには、相当な理由があるはずだと直感した。

「何はともあれ今回も、福原さんに助けられました。いつもすみません」

「いいえ、当たり前のことをしたまでです」

「すごいよなあ。『これが私の天職です』って言い切れるなんて」

聞いていたのか。福原は咎める気持ちを視線に込める。

「あ……さっき差し入れを持ってお邪魔しようとしたところ、皆さんとお話し中だったから。ふぅ、冷や汗かいたら俺も腹減ってきちゃったな」

浦本はごまかし笑いを浮かべながらハムサンドの封を開けた。彼は営業としては不器用なタイプだ。データ制作部の中には彼の段取りの甘さを批判する声もある。

だが福原は、彼が持ってくる多少無茶な案件が嫌いではなかった。

浦本は言葉に裏表のない人間だ。良い本を造りたいという思いは信用できる。

「印刷会社は本の助産師みたいな仕事だと思っています。物語は本という身体を得て世に生まれてきます。生まれてくる時のお手伝いをする私たちは、本の助産師じゃないかと。だから、数え切れないほど多くの出産に立ち会える」

一冊でも多くの本の誕生を助けたい。

物語を書く小説家でもなく、本を企画する編集者でもなく、印刷会社の社員として本造りに関わることが福原にとって天職なのだ。

「人間って、この世に生まれてきたからには、誰かに影響を与えたり、与えられたり、そういう関連性から逃れられないですよね」

「難しい話だけど、まあ、そうだね」

「本も、同じだと思います」

人の出会いに縁があるように、本と人との出会いもまた縁だ。

本と人とは一対一で対峙(たいじ)する。

読者はたとえ「つまらなかった」と読み捨てた本からも、何かを受け取る。時には一冊の本が読者の心を突き動かし、人生を変えることもある。

本とはそういうものだ。

自分たちが造っているものは、そういう大切なものなのだ。

「物語はソフトで、本はハード。魂と肉体のようなものです。私たちの仕事は、物語という魂に、本という肉体を授ける仕事でもあるのではないかと思い至りました」

「なるほど。魂と肉体が一体にならないと『スロウスタート』はこの世に生まれないということだね」

「だから印刷会社はある意味で助産師であり、またある意味でメーカーでもあるということです」

つまりは浦本の考えに共感しているということを言いたかったのだが、つい比喩を使って回りくどく話してしまう。

だがこうすることで福原は人と話せるようになった。

たとえ話の数々は、たくさんの本が福原にくれた贈り物なのだ。

※

浦本は普段より早く、八時に出社した。

世間は土曜日。来週からはゴールデンウィークだ。

工場も連休中は動かない。連休前に仕上げなければならない仕事が山ほどある。

そんな中『スロウスタート』の刊行日は五月三十日に決まった。

二階フロアに入ると、社内に設けられたデザイン部門『トゥモローゲート・デザイン』の一画から、地鳴りのようないびきが聞こえてくる。

よかった、彼は仕事をしてくれていたようだ。

装幀を向こう三日間で確定させなければならない。カバー画は原稿の完成前にイラストレーターから上がってきており、帯のコピーなども奥平から既に届いている。あとはデザインするだけだ。

背もたれの後ろからソファを覗き込み、声を掛ける。

「臼田(うすた)さん、おはようございます」

トゥモローゲート・デザインのブックデザイナー・臼田日向(ひなた)が、仮の寝床で重そうな瞼(まぶた)を開いた。作業が順調ならば、明け方頃に奥平へラフデザイン案を出し終えているはずだ。

「どうですか、調子は」

　人の好い臼田は眠りを妨げられたことに憤る様子もなく「ぼちぼちです」と応え、ソファから身体を起こす。それから自席のマッキントッシュのモニターを起動させ、デザイン案を浦本に見せた。フリー素材の図案などを組み合わせてラフのイメージを作り、装幀の方向性を編集者と詰めてゆく作業だ。

「たくさん作ってみました。奥平さんからは怒濤のダメ出しが来てますけどねー」

　間延びするようなゆっくりとした喋り方をするこの男、実は極めて多忙なのだ。臼田は数多くのラフデザインを作り、編集者の意図を探る手法をとる。器用なやり方ではないが、ダメ出しを受けながら着実に完成度を高める。その仕事ぶりを信頼する編集者は多い。

「題字のデザイン、色々作ってみました。どれがいいでしょうかね」

　見ると『スロウスタート』という文字の図案が何十パターンも並んでいた。

「臼田さんって、いつも題字に凄くこだわりますよね」

「それは当然、題字は大事だからですよ」

　臼田は飄々と応えた。駄洒落になっていることに本人は気づいていないのだろう。

「赤ちゃんが生まれるとよく、名前をかっこいい筆文字とかで書くでしょう。〝命名太郎〞みたいに。あれと同じですよ。あ、また奥平さんからメールが届いてるみたいです」

臼田は受信メールを開くと「ふぅ」と溜息をついた。またダメだったのか。

「五番の案で進めましょう、って言ってます」

「やりましたね。ラフはＯＫ、次に進めますね」

ベンチに腰掛けて夕暮れの海を眺める男女の後ろ姿をカバー中央に配置する構図となっている。

「いい天気ですねー」

臼田は窓の外をまぶしそうに見ながら言った。いやな予感がする。

「すみません、三十分くらい散歩してきます」

一度散歩に出ると、半日近く戻ってこないこともある。天気のいい日は特に要注意で、社内では〝日向のひなたぼっこ〞と恐れられている。

「臼田さん、戻ってきてくださいね！」

祈るような気持ちで臼田の背中に声を掛けた。臼田は「了解です」と片手を上げ、エレベーターホールへと向かっていった。

臼田たちデザイナーが社内にいるおかげで、浦本はこうしてデザインの過程にも触れられる。

五年前、トゥモローゲート・デザインは、独立採算制のデザイン部門として豊澄印刷社内の一画に設置された。臼田をはじめ七人のデザイナーが在籍している。組織名に込められた意味は文字通り、明日への門。これからの印刷会社の在り方を問う意味で、社長が名付けたものだ。

社内にデザイン部門を持つことで、豊澄印刷は製版・印刷の前段階の造本設計により深く関われる。進行管理の面でも、外部のデザイナーより社内に常駐しているトゥモローゲートのデザイナーのほうが遥かに相談しやすい。

臼田たち社内のデザイナーは、営業にとって心強い存在だ。

ゴールデンウィークをまたいで十日後『スロウスタート』のデザインは確定し、下版された。

※

高さが大人の胸元ほどあるステンレス製の網カゴに突っ込まれた大量のヤレ紙に目を遣りながら、野末正義は額の汗をタオルで拭った。

ジロさんこと吉崎次郎が新たに発生したヤレ紙を折り畳みながら呟く。

「ヤレヤレだ」

試し刷りなどで出た損紙は〝ヤレ紙〟と呼ばれる。

〈失敗しちまって「ヤレヤレ」だから「ヤレ紙」って言うんだ〉

入社初日にジロさんから教わった。本当の語源は破れた紙だと知ったのはその少し後のことだ。

「ムツゴロウ、ひと息入れるか」

ジロさんに促され、フォークリフト用のパレットの上に腰を下ろす。

朝のふじみ野工場は『スロウスタート』一万部の印刷を控え、普段とは違った緊張感に包まれていた。営業部の浦本に連れられ、編集者が訪ねてきたのだ。

少し離れた校正台の前で、慶談社の奥平が『スロウスタート』のカバーの試し刷りを確認している。印刷に入る前に、実際の印刷機で刷ってイメージ通りの色味が出るか、自らの目で確かめたいのだという。

〈今回の作品は勝負作です。よろしくお願いします〉

奥平は工場の面々を前に、居丈高(いたけだか)に言った。

作品に対する出版社の期待度や力の入れ具合を示す客観的指標はいくつかある。

最も分かりやすい指標は「部数」だ。予めヒットが見込まれている作品は、初版で数万部、あるいは十万部を超える大量印刷をかける。

もうひとつの指標はプロモーション。新人や中堅作家の本を初版で多く刷るのは難しいが、期待の大きな作品はプロモーションに力を入れて重版へと繋げる。たとえば発売日前にプルーフと呼ばれる見本冊子を全国の書店員に配り、推薦してもらう。

一方で、部数やプロモーション活動などの数的な指標とは異なる、質的な指標もある。

それは、本の仕様だ。

編集者は予算の範囲内で、本の仕様を考える。紙の素材、カバー画、装幀など、作品への期待の大きさは、本の仕様にも表れる。

箔押し、型抜き、UV（紫外線による瞬間乾燥）などの特殊加工を施したり、あるいは半透明紙、和紙、革などの特別な用紙を使ったりするなど、期待の大きな作品には自ずと熱が入る。

そして特色印刷もまた、期待と熱量の証である。

今回の『スロウスタート』のカバーには、沈みかけた夕陽に通常の橙色よりもくすんだ特色を使い、同時に斜陽の光沢を強調する仕様となっている。

「慶談社の奴ら、こりゃ相当熱を入れてら」

「そのようですね」

印刷工程全体を見渡す野末にも『スロウスタート』に対する期待の大きさは肌感覚で分かる。

編集者が工場まで乗り込んできて刷り出しをチェックするなど、稀なケースだ。

「紙に出してみると、光沢が弱い気がするんですよね。インキはどうやって作ったんですか？」

奥平が居丈高な口調で訊いてくる。

「メジュームを混ぜて、スミを少々足しましたが」

ジロさんはパレットに腰掛けたまま大声で答えた。

「はあ……この光沢はメジューム？　ワニスじゃだめなんですか」

「ワニスだと色調が変わっちまうんですよ」

「なるほど。でもメジュームとスミって普通、同時に使いますかね」

「今回のは普通ではありませんから。くすんだオレンジに光沢を出して欲しいっていうご注文でしょう」

くすみと光沢という相反する要素を同時に表すため、ジロさんが出した答えだ。メジュームは色調を変えずに濃度を調整し、かつ光沢を出すニスの役割も果たす。

期待の大きさは結構だが、編集者による際限の無いダメ出しに、野末はうんざりしていた。奥平の隣に突っ立って愛想笑いを浮かべている浦本には、怒りすら覚える。

「あまりにひど過ぎる。自己満足だ」

野末は校正台に目を遣り、吐き捨てた。

調整台の設定パネルで濃度を調整し、七度出しなおした。その都度、野末が濃度計で数値を確認し、ジロさんは目視確認している。

もはやひと目見ただけでは色の違いが分からない、誤差の領域だ。

「自己満足かどうかは、お客さんが決めることだ」

「お客さんって、あいつが決めるということですか」

野末は奥平のほうへ向けて、顎をしゃくった。

「バカ言うな。俺が言ってるお客さんっていうのは、本屋で手に取る人たちだよ」

野末はますます納得がいかない。印刷工場の人間にも区別がつかないほどかすかな色味の違いに、読者が気づくだろうか。仮に気づいたとしても、その違いが読者の購買意欲にどれほど影響するだろうか。

「こだわりなんて、見方によってはばかばかしいものだ。だが、こだわりを捨てたら、俺たち職人は職人じゃなくなる。飯食うためだけに仕事してんなら、こだわりなんて邪魔かもしれないがね」

ジロさんは『DICカラーガイド』をめくっている。試験勉強に使う単語カードのような短冊形のアート紙に、CMYKでは表せない特色の見本を示したものだ。今回の慶談社からの色指定は『DIC－TM15』。この色に、くすみと光沢という感覚的な注文が上乗せされている。

ジロさんが調合した特色インキを、野末が印刷機で紙に再現する。ただインキを紙に刷るだけでは要求どおりの色を出せない。インキの粘度や速乾性、紙の表面の性質などにより、発色の具合は大きく変わるからだ。

光度が弱い。緑が強すぎる。ベタの質感が重い。

奥平からの感覚的なダメ出しが延々と続く。

「疲れたな。食うか」

ジロさんがブルーベリーの板ガムを一枚差し出してくれた。野末は「いただきます」と礼を言って、包み紙をはずして口にねじ込んだ。

「全くあの編集者、知った風なクチききやがる。コケにされたままじゃ、立つ瀬がねえぞ」

ジロさんは特色を練り終えた後も、印刷機で色が出るまで自らの目で見届ける。最近は印刷機の数値設定にも詳しくなり、野末に助言をくれることもある。

ブルーベリーガムの酸味と甘みの中、ジロさんの言葉が蘇ってきた。

〈こだわりを捨てたら、俺たち職人は職人じゃなくなる〉

前から疑問に感じていたことを、訊ねてみる。

「ジロさん、このブルーベリーガム、本当に目に効いてますか」

「ああ、効いてるよ」

ジロさんは即答してから「お守りみたいなもんだ。お守りってのは、そのものに力があるわけじゃねえだろう」と付け加えた。

「そうなんですか」お守りを持つ習慣のない野末には、分からない。

「間違いねえ。子供の頃、中身をこじ開けてみたことがある。紙切れが入ってただけだったよ」

「バチ当たりな子供ですね」

「そんなことはない。ますますお守りのご利益ってやつを信じるようになった」

「どういうことですか？」

「お守りを信じる心こそが、お守りになると知ったわけよ。つまりそれがご利益ってわけだ」

「ジロさんらしい理屈ですね」

この人は口は悪いが、ただの跳ねっ返りではない。跳ねっ返ってきてから、自分なりの答えに着地できる。そういう人だ。

「こだわりも同じようなもんだ。役に立つと信じることだ。信じるその心が職人を強くする」

校正台の前で奥平が浦本に何かを告げている。

「オウヘイがまた能書き垂れてるようですね。浦本も例のごとく言いなり」

「受けて立とうや。ぐうの音も出ねえ、文句なしのもんを造ってやれば、それで仕舞いだ」

〈飯食うためだけに仕事してんなら、こだわりなんて邪魔かもしれないがね〉

飯を食うための他に、何がある？　ジロさんから教わってきたことをひとつずつ拾い集めると、ある言葉にたどり着く。

ジロさんはきっと〝意地〟のために働いているのだと。

浦本が奥平からのダメ出しを伝えにこちらへ向かってくる。

「野末君、申し訳ない。もう一回試し刷りを出してくれるかな。奥平さんが……」

「あんたはどう考えてる」

浦本は虚を突かれた表情で「俺？」と訊き返してくる。

「ぱっと見で分からない色の違いにこだわって、何度も試し刷りを出すこの時間が、何の役に立つと思う」

「正直、俺には色がどう違うか、よく分からない」

浦本は苦笑しながら答えた。

野末は、渾身の失笑を投げ返した。話す気すら失せる。だが浦本は続けた。

「ただ、作業を重ねた熱量や想いが、カバーを通して手に取る人の直感や潜在意識に訴えかけるはずだと思ってる」

ジロさんの言葉と重なるところがある。この男にも、少しは意地があったか。

「そういう話なら、あと三度まで対応する」

野末は挑むような気持ちで、印刷機の設定パネルと対峙した。

誰に挑んでいるのか。理不尽なダメ出しをする奥平か、安請け合いを繰り返す浦本か。どちらでもない。挑むべき相手は、目の前の仕事の存在意義を信じようとしない、己の心だ。

「ムツゴロウ、深刻に考えるな。こういう時は、意外と最初の勘が当たってたりするもんだ」

果たして、ジロさんの年の功ともいえる助言は的中した。

都合十回の試行錯誤の末、あろうことか最初に刷り出した際の設定が採用されたのだった。オペレーターたちの表情には、安堵と同時に徒労の色が滲んだ。だが、あとの九回があったからこそ、最初の設定が間違っていなかったことが証明されたのかもしれない。

午後から『スロウスタート』のカバーと本文の印刷が予定どおり実施された。

オフセット枚葉印刷機から高速で吐き出される紙を、野末は普段と違う心持ちで見届けた。

こだわりは、本を手に取る人たちの心に届くだろうか。

〈俺の仕事は、この、紙に、決められた色のインキを、乗せて、ただ、印刷する、だけだ〉

家族に投げつけてしまった言葉を思い返す。

自分の仕事は、そんなものではないはずだ。

本文とカバーの印刷を終え、一日乾燥させた紙を製本所へ送った。

パレットにうずたかく積まれた紙が、フォークリフトによって製本所行きのトラックへと積まれてゆく。その中に、何度も試し刷りを出し直した末に仕上げたカバーがある。

野末やジロさんたちの意地の結晶が、堂々たる紙の柱となって工場を後にする。

自分たちの持ち場を抜かりなく守り、要求を満たした品質に仕上がったはずだ。にも拘(かかわ)らず、製本所行きのトラックに搬入される紙の柱を見送る間、野末は言い知れぬ胸騒ぎを覚えていた。

※

カバーの印刷も無事に終わり『スロウスタート』は製本と取次搬入を待つばかりとなった。

多くの人の期待を背負った、いい本になるだろう。

豊澄印刷は厳しいスケジュールの中で五月末刊行に貢献し、慶談社の奥平からは感謝の言葉をもらった。信頼を勝ち取ったという手応えを浦本は感じていた。単行本で重版がかかれば文庫化される際の初版部数も大きくなる。

仲井戸を超えるためには、こういう地道な仕事の積み重ねが大切なのだろう。

達成感に浸っていた浦本の携帯電話が鳴った。

ディスプレイを確認すると、板橋の製本所・報国社(ほうこくしゃ)からだ。

〈うらもっちゃん、申し訳ない……〉

声の主は、若社長・井森泰助(いもりたいすけ)だった。普段ならば、社長直々に電話をしてくることなどない。嫌な予感しかしない。

〈『スロウスタート』の目次に誤字があったんだ……〉

「目次に誤字……」

浦本はオウム返ししたきり、言葉を失った。全身から血の気が引いてゆく。

目次の第四章の表記が『火の当たる場所』になっていたという。正しくは『陽の当たる場所』だ。

「本文の章タイトルは合っていますか？」

〈合ってる。ページ下の柱も含めて、太陽の『陽』になってる。間違っているのは目

次だけだ〉

今回の目次は編集者が体裁を指定し、印刷会社が作成した。

「製本はもう終わってしまった後ですか」

自席で携帯電話を握り締めながら、心拍数が急激に上がってゆく。

〈ああ。残念ながら、全部終わった後だ……。完成見本を何気なくめくっていた社員がたまたま気づいて、私に報告してきた〉

浦本は携帯電話を耳に当てたまま、天を仰いだ。初版一万部の製本を全て終えた後の、致命的なミス発覚だ。

〈もっと早く気づいていればよかったんだが……申し訳ない〉

製本所に落ち度はない。むしろ、たまたま気づいてくれたことに感謝すべきだ。

浦本はデータ制作部に内線で状況を伝え、奥平からの指定がどうなっていたか確認した。指定は間違いなく『陽の当たる場所』だった。編集者のミスではない。事態はいよいよ深刻だ。

すぐに奥平の携帯に電話をかけ、ことの次第をまず奥平に告げた。

〈火の当たる場所？　焚き火じゃないんだからさ、ふざけるのもいい加減にしてくれよ！〉

報告するや否や、奥平の怒声が飛んできた。

〈で、そっちが考えてる対応は？　当然、造り直しですよね〉

「まずは取り急ぎご報告を差し上げて、対応は、今から至急、検討するところです」

〈今から検討じゃないでしょう。造り直し以外ありえませんよ！〉

目次は一年目の新人オペレーターが作成、時間がないため、奥平の指示により校了ではなく責了、すなわち印刷会社の責任校了としたのだった。

〈とにかく一時間以内に対応策を考えて、電話もらえますか〉

奥平は自らの気持ちを鎮めるかのように、抑えた口調で浦本に告げると、電話を切った。

「やっちまったか。どうすんだ……」

電話を聞いていた営業第二部長の毛利信久（もうりのぶひさ）が、険のある声で尋ねてくる。小太りの体軀（たいく）を肘掛け椅子の背もたれに預け、天を仰いだ。

「大変申し訳ありません。当社の落ち度ですから、造り直すべきかと……」

浦本は頭を抱えながら毛利部長に相談した。

腕組みする毛利部長の傍ら、仲井戸が「そう簡単に刷り直しの判断はできない」と割って入る。

毛利部長は肘掛け椅子を仲井戸のほうへ向け「そうだよな」と相槌を打つ。

「一万部刷り直したら即赤字案件だ。それに何より、五月三十日の刊行に間に合わなくなる」

造り直しを回避する対応方法は二つ。

「考えられるとすれば、一丁切り替えか……」

毛利部長が顔をしかめながら呟く。

誤字のあるページを根元から切り、修正後のページを新たに継ぎ足す〝一丁切り替え〟。本の小口に凹凸が生じないよう、緻密な作業を要する。

「シール貼りという選択肢も、なくはないですね」

仲井戸が別の対応策を提示する。実用書などでは、誤った文字にシールをかぶせて修正する方法も採られる。だが、文芸書では稀な方法だ。

一丁切り替えか、シール貼りか。

いずれの方法を採るにしても、社内で集められるだけの人を集め、製本所へ大挙して出向かなければならない。人海戦術で、かつ長時間にわたっての作業となる。

過去にも初版一万部のビジネス書の製本後に誤字が見つかったが、その際は営業部やデータ制作部、総務部の社員二十名で夜通しシール貼りをした。

今回も同じぐらいの作業量になるだろう。

「社内にお願いして回り、作業要員を集めます」

「まだ早い。直さないという選択肢も、可能性として残っている」

仲井戸が口を開いた。何気ない口調だが、驚愕の言葉だ。

「仲井戸さん、待ってください。間違ってしまったものを直すのは、当然のことだと思いますが」

「それは浦本君の勝手な正義だ」

「では、直さずに済ませようということですか？　私が言えたことではありませんが」

「直すか直さないかも含めて、決定権はお客様にある。出版社が著者とも相談の上決めることだ。我々は誠心誠意お詫びした上で、その決定に従うだけだ」

反論の言葉が浮かばない。仲井戸の言っていることは至極もっともだ。

「もし浦本君が著者の立場だったらどう思う。譲れない刊行日と一文字の誤字。どちらが重いか」

理由不明とはいえ、淵田は五月刊行に強くこだわっている。

「なるほどね。ましてや、本文じゃなく目次の一文字だからなあ」

毛利部長が誰にともなく許しを請うような口調で言った。部長としては顧客判断により修正なしという線に一縷（いちる）の望みを託したいのかもしれない。

「少なくとも、直さないで刊行するという選択肢も、念のためお客様サイドに確認しておくべきだろう」

仲井戸が穏やかな口調で言った。

「分かりました」

取り上げた受話器は重く感じられ、奥平の携帯番号を押すのもためらわれる。

相談を切り出すと案の定、いや、想像以上の怒声が返ってきた。

〈直さないで出す？　十周年記念作品でそんなことが許されるわけないでしょう〉

「淵田さんには相談されましたか」

〈そんな滅茶苦茶な相談、できるわけないでしょう！　まさか、直さずに済ませようとしているんじゃないでしょうね〉

「直さないという選択肢も含めて、著者様に確認されたほうがよいのではと申し上げています」

仲井戸の受け売りだ。

きわどい交渉に胸がひりひりと痛む中、相手の立場に立つということは、こういうことなのかと思い知る。下手をすれば責任を逃れるために詭弁を弄しているという誤解を招きかねない。それでも考えられる選択肢を余さずお客様に提示する。

〈話になりませんね。こちらで対応を決めるので、もういいです〉

奥平は居丈高に言い置き、電話を切った。沙汰があるまで待て、ということだ。

ところが一時間後、奥平からの電話は意外な結論だった。

〈そのままでいいってよ〉

　造り直しも修正も無しで、そのまま取次へ搬入するようにとの指示だった。

〈ぼくは断固造り直しを提案しましたがね、淵田さんとしては五月刊行は絶対条件。五月三十一日が十二回目の結婚記念日だそうです〉

　売れない頃から支えてくれた奥さんに、十周年記念作品を贈りたい。淵田の個人的かつ強い願いだという。

　照れ臭いため理由も言わずにただ「五月刊行」にこだわり続けた。

　ところが誤字発覚により慶談社の奥平から造り直しを強く提案された。その提案を断るために、ようやく五月にこだわる理由を明らかにしたのだった。

　一丁切り替えやシール貼りによる修正も淵田は拒否したという。

　五月刊行を最優先とし、目次の一文字だけの誤字ならば傷も浅いと判断したとのことだった。

〈豊澄さん、悪運が強いですね。重版の時はきっちり直しといてくださいよ〉

　奥平の皮肉が胸に突き刺さる。

「大変申し訳ございませんでした。次は確実に修正させていただきます」

　会社を代表して謝罪するのも、営業の仕事だ。

〈うちとしては不本意ですが、著者が『どうしてもそのまま出せ』って言うんだか

ら、今回は仕方ないですね。淵田さんも五月に間に合わせるほうを優先したいから仕方ないって〉

奥平は責めるよりも落胆したような口調で嘆き、電話を切った。

「オウヘイ君は、なんと」

仲井戸に訊かれ、浦本は端的に答えた。

「今回は仕方ないと。著者の淵田さんもそうおっしゃっていたそうです」

神妙な声で報告しながらも、安堵の気持ちが混じる。

だがその時、仲井戸が沈痛な面持ちで溜息をついた。

「編集者から仕方ない、と言われるのは一番辛い……。それが何回か重なると、我々は信頼を失い、仕事を失うことになる」

浦本は己の甘さを恥じた。

「今回の一件で分かったろう。印刷会社はメーカーではない。間違っていてもお客様からそのまま出せと言われれば、従わなければならない。そういうことだ」

仲井戸は疲れた顔で言った。

予定どおり五月三十日に刊行された淵田シゲル十周年記念作『スロウスタート』は、慶談社の大々的なプロモーションの甲斐もあり、発売から一週間で四千部の重版が決定した。

第二刷で目次の『火の当たる場所』は『陽の当たる場所』に修正され、何事もなかったかのように重版出来となった。

その間、目次の誤字について読者からクレームなどが入ることもなく、話題にも上らなかった。

だが『仕方ない』という言葉が、浦本の頭から離れなくなっていた。確認不足のために、『スロウスタート』の初版本は〝仕方なく〟世に送り出されることとなってしまった。

文句ひとつ言わずに突貫作業でゲラを出してくれた福原、何パターンものデザイン案を奥平にぶつけた臼田、納得いくまで試し刷りを出し直した野末やジロさん。

皆が注いだ力を、一文字の誤字が台無しにした。

第二刷完成の報を受け、浦本は安堵する一方で、傷付いた一万冊に思いを馳せた。

「仕方ない」

浦本は声に出してみた。

この言葉を絞り出した奥平の気持ち、妻との結婚記念日に間に合わせるため誤字を容認した淵田シゲルの気持ち。

想像するにつけ申し訳なく、悔しかった。

本の誕生は、著者や編集者、多岐にわたる関係者にあまねく祝福される事であるはずだ。仕方なく世に出る本など、本来あってはならない。

そのためには……手違いなく、ひとつひとつの仕事を終わらせなければならない。

「はい、ガクちゃん、今日の責了紙が来たわよ」

アルバイトの君代さんが慶談社からの責了紙を届けてくれた。

サーバーに入っている責了データと共にデータ制作部へ回し、工場へ印刷の依頼を出す。

浦本はDTPオペレーターの進行管理表に目を遣る。作業の手配に抜かりはないだろうか。

誕生を待つ本は絶えることなく、印刷会社の準備不足を待ってはくれない。

たった一文字の誤字が残した傷跡を胸に刻み、浦本は手元の責了紙を入念にチェックした。

「うわ……」

浦本は思わず声を上げた。

修正指示の反映漏れが一件。ギリギリのところだった。

第二章　『長篠の風』

梅雨(つゆ)の夜空から雨がパラついてきた。浦本学は有楽町線護国寺駅の入口に駆け込んだ。折り畳み傘を開かずに済み、少し得をした気分になる。

コンコースへの階段を下り、改札口を入ったタイミングで内ポケットの社用携帯が鳴った。

また何かトラブルが起きたか……。おそるおそる応答する。

〈あ、もしもし〉

聞き慣れた優しい声に安堵し、思わず脱力する。

「どうしたの」

〈何回電話しても出ないから、仕事用のケータイにかけちゃったよ〉

鞄のポケットから私用の携帯電話を取り出して確認する。

〈着信三件　柿崎由香利〉

由香利からの着信履歴が三件、メールも二件あった。

「ごめん、自分の電話を鞄に入れたままだった」

書籍の印刷営業は、一日に何十件もの電話を受けることも珍しくない。トラブル続きの時は、社用携帯の着信に恐怖を覚える。

〈今日は、来られそう？〉

「うん、今日こそは大丈夫だよ」

先週から連日のトラブル対応のため、由香利の部屋で一緒に過ごす約束を反故(ほご)にしていた。

ふじみ野工場の印刷機のスケジュールを変更するなど対応に追われ、ようやく一段落ついた。

〈私、もう少しで家に着くよ。先に待ってるから〉

「こっちも今から電車に乗るところだから、三十分ぐらいで着くよ。この後トラブルとか何事もなければ」

ホームに降りるとちょうど西武池袋線(せいぶいけぶくろ)直通の保谷(ほうや)行き電車が入線してきた。

〈もう会社のケータイは電源切っちゃいなよ〉

「そうだね、切っちゃおうかな」

そう言って笑い合う。もちろん冗談だ。浦本は通話を終えて電車に乗り込んだ。

印刷営業の苦労を、由香利は十分に理解している。浦本もまた、由香利の仕事を理解している。二人はかつて、営業担当と顧客だったからだ。

彼女は中堅お菓子メーカー・大翔製菓（たいしょうせいか）の広報宣伝部でクリエイティブスタッフとして勤めている。大翔製菓は創業時から広報と宣伝を重要戦略に位置づけ、内製化していた。広告の制作は広告代理店に外注するものの、企画は自社のクリエイティブスタッフがゼロから作る。

一方、前の職場のワールド印刷でパッケージ営業部に所属していた浦本は、担当営業として大翔製菓の広報宣伝部に出入りしていた。

つい先週、大翔製菓の新商品『ガリチョコイチゴバー』が発売されたばかりだ。

西武池袋線の練馬駅で降り、コンビニで『ガリチョコイチゴバー』を買う。小雨の降る街を傘を差して早足で歩き、由香利のアパートに着いた。

インターホンを押すと、由香利は「お久しぶりです」と皮肉を言いながら、笑顔でドアを開けてくれた。

「はい、おみやげ」

新商品『ガリチョコイチゴバー』の入ったレジ袋を手渡すと由香利は「おお、我が子たち」と大げさに受け取った。

かつて浦本は大翔製菓が社を挙げて開発した『ガリチョコバー』のパッケージ印刷を受注した。

基本デザインは由香利が考え、外部のデザイナーを交えて図案を固めた。右下の黄色い吹き出しには〝山田も驚く新食感〟というキャッチコピーがあしらわれている。イラストや写真、文字情報をどう配置すれば店頭で目を引くのか。買いたいという気持ちにさせられるか。少しでも最適解に近付こうと、チームで意見を出し合う。どんなパッケージ制作でも繰り返される作業だが、由香利は特に妥協を許さない担当者で、浦本にとって手ごわい相手だった。

出会った頃から、物静かな中に青白く燃える情熱のようなものを秘めた女性だった。

「お腹減った」

そう言って由香利はキッチンのガスコンロに火を点け、おでんを温めた。由香利はこんにゃくが大好物で、夏でもおでんを食べる。

浦本は部屋の中を見回した。この部屋の家具を新居にどう配置しようか。ぼんやりとそんなことを考える。棚の上には玩具菓子のおまけがきれいに並んでいる。由香利のコレクションだ。

「そういえば、見たよ」

由香利はベッドに置いてあったタブレット端末を手に取った。画面には、豊澄印刷の採用情報ページが表示されていた。営業部の先輩社員として、写真入りで浦本のページが設けられている。

「ガクちゃん、なかなか男前に写ってるね。二割増しぐらいだね」

「ありがとう。二割増しは余計だけど」

由香利にアドレスを送っておいたのだが、目の前で見られるのは少々恥ずかしい。

「それより、新商品の売上はどうですか」

「うーん出足はイマイチなんだな、これが」

元祖ガリチョコバーの発売当初も、同じく出足が芳(かんば)しくなかった。

「まだ発売から五日、これからだよ。なにはともあれ、作った新商品が全国の店に並んで手に取ってもらえるって、やっぱりいいよね」

浦本は『ガリチョコイチゴバー』のパッケージを手に取り、感嘆する。

「御意(ぎょい)にござるな」

由香利は時折照れ隠しでこんな風におかしな言葉遣いをする。

元祖ガリチョコバーが店頭に並んだ時も、印刷営業と顧客という立場を超えて喜び合った。

「このイチゴの色、くすんでないかな」

「なるほど、前任者の貴重なご意見、承りました。いっそガクちゃん、豊澄印刷でパッケージもやってみれば？　また一緒に仕事ができる」

パッケージ印刷の営業は元来、浦本の希望した仕事ではなかった。

だが不遇の日々というわけではなかった。ものづくりをしているという高揚感は、数々の商品のパッケージ印刷に携わる中で得たものだ。

そして何より、あの仕事があったからこそ、この人に出会えた。

「印刷会社はメーカーだ……。ふっふっふ、言いますねえ」

由香利が豊澄印刷のホームページを見ながらニヤリと笑う。採用情報ページの見出しになっているので、自ずと目に入る。

「個人的な理想を学生さんに語るなって、怒る人もいるけどね」

「でも、そういうところがガクちゃんのいいところでもあるんだよ」

浦本もかつて、仕事で落ち込んでいた由香利を励ました。往年の玩具菓子『チョコカプセル』をリニューアルする時、派手に販促を展開したい営業部と限られた予算で販促物を作る広報宣伝部との間で摩擦が発生。由香利は浦本との打合せで珍しく弱音を吐いた。

〈自分はみんなのやりたいことを小さくまとめようとしているだけなのかもしれません〉と。

その時浦本は、思っていたことをそのまま口にした。

〈柿崎さんは小さくまとめているのではなく、「売りたい」というみんなの思いを目

に見える形にしているんですよ〉

玩具のおまけのデザイン、販促ツールのひとつひとつ。社内の人たちの発想を形あるものに具現化する由香利の仕事に、浦本は敬意を抱いていた。

互いの仕事を尊敬し合う気持ちは、今も変わらない。

「でかいこと言っても、ここ最近はトラブル対応に追われて手一杯だ。仕事でこんな状況じゃ説得力ないよな……」

仕事で仲井戸を超えるという目標を立てた。だがその目標は途方もないものだと実感する。

「ガクちゃんは遠くばかり見ようとして、焦ってるんじゃないかな」

由香利はべっこうの眼鏡（めがね）の縁を押し上げ、呟いた。それから、棚の上のおまけコレクションに目を遣った。

「焦らず、目の前の仕事をひとつずつ形あるものにしていけば、それでいいんじゃないのかな」

地に足をつけて仕事をしろと言われるのと意味合いは同じだが、響きが全く違う。かつては仕事上の戦友、そして今は人生の戦友の言葉だ。

心機一転の翌朝、浦本は慶談社の編集部を訪ね、若手編集者の織田健斗（おだけんと）の席へと向かった。

織田は二年目ながらソツなく仕事を進める若者で、印刷営業としても彼とは仕事がしやすい。

「織田さん、再来月あたりの新刊など、どのような進捗状況でしょうか」

ここのところ、織田から声が掛からないので訊ねてみた。すると織田は伏し目がちに言った。

「実は、ワールドさんに発注することにしたんです。すみません」

衝撃の乗り換え通告が飛び出した。

印刷会社の選定は概ね、編集者の裁量に委ねられている。

「弊社の仕事で何か至らない点などありましたでしょうか……」

「そういう訳じゃありません。単純に、ワールドさんのほうが安くて早いんです。営業さんが熱心に提案してくれるので、お願いすることにしました」

この半年ぐらいの間、ワールド印刷の営業が頻繁に慶談社の文芸出版部に出入りしている。最新鋭の設備による低コストと短納期を売りに、トップセールスマンを差し向けてきているのだ。

「弊社の営業努力が至らず、申し訳ございません。ワールドさんも特色の調合などはまだ完全には機械化できていないと思いますので、そういった案件があればぜひ、よろしくお願いします」

織田は「はい、また何かの機会に」と気のない返事をしてパソコンの画面に目を移した。

「浦本さん、織田君に見限られちゃったか。ぼくもどうしようかな、ワールドに乗り換えちゃおうかなー」

後ろを通りかかった奥平が聞こえよがしに言った。

「いやいや、奥平さん、それはご勘弁を」

「冗談抜きで、しっかりやってもらわないと、全部ワールドに持っていかれますよ」

奥平は声を潜めた。ただの脅しではないだろう。事実、先月も単行本の案件をワールド印刷にさらわれている。

「まあ、色々と無理を聞いてくれるのは豊澄さんをおいて他にないからね」

これもまたひとつの事実だ。慶談社との取引においてワールド印刷よりも優位に立てるのは、関連会社であり古くからの取引実績があること、歩いて行き来ができて密に連絡が取れること。

「浦本さん、頼りにしてますよ」

「何でもお任せください。奥平さんからの厳しいご指摘に鍛えられていますから」

浦本は本造りに携わりたいがためにワールド印刷から豊澄印刷に移った。奇しくも今、そのワールド印刷に本造りの仕事を奪われている。

会社に戻り、気を取り直してデスクワークを進めたが、概算見積書を添付したメールを別の取引先へ送ってしまった。アドレス帳から送付先を選択した際に、ひとつ下のメールアドレスをクリックしてしまったのだ。

慌てて電話を掛けて謝り、送付し直したが、凡ミスで取引先の信頼を損なう結果となった。ひとつひとつの仕事を手違いなく済ませることさえできていない。

自分の情けなさに頭を抱えていると、向かいの席で仲井戸がパソコンの画面を睨みながら声を上げた。

「まずいぞ、七月第二週の水曜、まだ二号機が空いたままだ」

生産管理部から全社員宛にメールが届いている。

「ノノさんよ、なんとかしないとな」

毛利部長が隣の営業第一部の部長、野々宮(ののみや)に声を掛ける。

「うちにすがられても、すぐには無理ですよ。打ち出の小槌じゃありませんから」

野々宮は七三分けの髪をなでつけながら木で鼻をくくったような答えを返した。

「すがるとかそういうことじゃなくて、一緒になんとかしようってことだよ」

「先月の空きも、コミックで穴埋めしましたよね」

無愛想を画(え)に描いたような男だが、根っからの漫画好きでコミック営業一筋、担当時代は迅速かつきめ細かな仕事ぶりで顧客からの信頼を得てきたという。勘と度胸で実績を上げてきた毛利部長とは対照的なタイプだ。部長になってからは部下の進捗管理に能力を発揮し、営業第一部は安定した業績を上げている。

「そちらは何か差し込めそうな案件はないんですか」

野々宮は眼鏡越しの冷たい視線を営業第二部に向かって投げてくる。

「お、そうだ。浦本、ここしばらく、慶談社の織田さんの案件がないな。そろそろだろう」

毛利部長が救いを得たかのように声を弾ませる。恐るべき嗅覚（きゅうかく）。周期からいって織田の担当する単行本が入って然るべき時期だ。

「申し訳ありません。織田さんは今後、ワールドを使うとおっしゃっています」

「おい、それは初耳だぞ。失注したのか」

毛利部長は青ざめた顔で訊ねてくる。浦本は「申し訳ありません」と再び詫びる。失注という言葉の重さに息苦しくなる。

「コミックで重版が三件入ったようです」

仲井戸が再度、パソコンの画面を見ながら声を上げた。

営業第一部の山野（やまの）が、外出先から返信していた。

〈慶談社から『婚活（こんかつ）ジイさん』第一巻、『スパイ三四郎（さんしろう）』第五巻、『無茶（むちゃ）ぶり課長（かちょう）・横（よこ）

島すぐる』第二十五巻の三点、急遽重版が決まったとの報せがありました。出来予定日は七月二十五日。印刷は七月第二週の二号機に割り振り可能です〉

今回も、コミックの案件によって印刷機の空きをなんとか埋め合わせた。

「ラッキーでしたね」

野々宮は勝ち誇る様子もなく淡々と呟いた。

「悪いね。コミックさまさまだ」

毛利部長の言葉はあながち誇張ではない。雑誌・書籍の市場規模はピーク時の四割減に縮小しているが、コミックは概ね一割減で踏みとどまっている。

それに比べて文芸書は厳しい状況にある。今回のように印刷機に空きが出た時、つい一年前ならば手持ちの仕事の印刷日程を前倒しにして貢献したこともあった。だがここのところ、コミックに頼ることが多い。

毛利部長はバツが悪そうに「一服してくる」と言い、席を立った。

「織田さんに見限られた分の穴を、どうやって挽回する」

仲井戸がパソコンの画面を見たまま、訊ねてきた。浦本は言葉に詰まる。何か答えねばと思い、勢いで「いい本を造るしかありません」と言い返した。

「重版がかかるような、いい本を造れば挽回できます。デザイン部門を持つうちの強みです」

仲井戸は顔を上げ、失望を露わにした。

「そもそもなぜ失注したか、確認したか」

「ワールドのほうが安くて早いからと言われました」

「本当にそれだけだろうか。少し前に、織田さんに届ける色見本を間違えたことがあったろう」

指摘されて思い出した。確かに、二月頃の作業が集中していた日、織田にニスありとニス無しを合計五部届けるべきところ、ニス無しだけを五部届けてしまったことがあった。

「凡ミスでした。お詫びしてすぐに持って行きましたが」

「そういう細かいミスが、信頼を損ねる。いい本を造るとか雲をつかむようなことを考える前に、目の前の仕事に集中したらどうだ」

色見本の手違いが直接的な原因ではないにせよ、織田の不信感が募ったところへワールド印刷の営業が足繁く訪ねてきて乗り換えに至った可能性も考えられる。

無力感のさなか、希望の光のような一本の電話が入った。

普段取引のない文友館の編集者から、単行本印刷の相談があったのだ。文友館は二十年前に創設された新興の出版社。フィクションとノンフィクション両面で話題作を量産し、その企画力と営業力で瞬く間に成長を遂げた。

アマクサと名乗る男性編集者は、その喋り方から想像するに、かなり若いようだ。

〈憧れの久坂豊信（くさかとよのぶ）先生にようやく書いていただけるんで、うち的にもがっつりと力を入れて作りたいんですよ〉

一九八〇年代から第一線で書き続けるベテラン歴史小説家・久坂豊信だが、今まで文友館での執筆はなかった。それを三顧（さんこ）の礼で口説き落としたというのだから、大した行動力だ。

さもありなんと思える若さと熱意が電話越しからも伝わってくる。まずはご挨拶も兼ねてということで、渋谷にある文友館本社を訪ねてアマクサと会うこととなった。

電話を終えた浦本は、毛利部長に事の次第を報告した。

「文友館からのスポットの依頼か……珍しいな」

文友館は慶談社のように自社関連の印刷会社を持っていないため、印刷から製本までを一括して最大手のワールド印刷に発注している。その文友館が今回、ワールド印刷ではなく豊澄印刷に声を掛けてきた。慶談社からの失注を挽回するチャンスだ。

「浦本、古巣のワールドから仕事を分捕（ぶんど）ってみろ」

毛利部長は冗談めかして笑うが、目は笑っていない。二十年以上前、慶談社の他に新規顧客を開拓していた頃の毛利の功績は会社の伝説となっている。かつて豊澄印刷のブルドーザーと言われた豪腕営業マンの血が騒ぐのだろう。

「仲井戸と二人がかりで行ってみるか」

毛利部長の提案に、浦本は「一人で大丈夫です」と答えた。

「浦本を信頼してない訳じゃない。でかい話になるかもしれないから、二人のほうがいい」

「部長のご指示なら、同行します」

仲井戸が答えた。浦本が「いや、一人で」と繰り返すも、仲井戸はかぶりを振る。

「大丈夫だ、浦本君の手柄を横取りしたりはしない。同行するだけだから」

社用車が全車出払っていたため、浦本と仲井戸は電車で文友館へ向かうこととなった。途中で携帯電話への着信が二人に相次いだ。

留守番電話に吹き込まれたメッセージを確認する。

〈慶談社の奥平ですけど、『湾岸警察二十四時(わんがんけいさつにじゅうよじ)』の再校ゲラの戻しが三日ほど遅れそうです。とにかく、あと三日だけ待ってもらえれば幸いです。連絡ください〉

「どうした」

「奥平さんからです。再校の戻りが三日遅れると。仲井戸さんのほうは」

「報国社からだ。『酔(よ)いどれ棋士(きし)』の搬入はまだかと催促(さいそく)されてる」

電車の中であまり詳しく仕事のトラブルの話をするのはよろしくない。二人とも押し黙る。

渋谷駅に着くと、改札を出るなり二人とも折り返し電話をかけた。曇天の下、街はじっとりと蒸し暑い。それぞれ携帯電話を耳に当て、宮益坂をゆっくりと上がる。駅前の喧騒から少し離れたところで、ようやく電話を終えた。ひと息つく間もなく文友館本社に到着する。

「大きくなったなあ……」

仲井戸は五階建ての文友館社屋を見上げながらしみじみ呟いた。

「仲井戸さん、来たことあるんですか」

「ああ、旧事務所の時代に一度。まだ新人の頃、文友館からスポットで仕事を請けたことがある」

文友館は急成長のため事務所を二度移転している。

入口にはハードカバーの本に毛筆体で「友」の字をあしらった会社ロゴの石板が掲げられている。エントランスは二階まで吹き抜けの洒落た造り。初訪問の浦本は興奮気味に見回した。

五階建ての社屋の三階へ階段で上がり、編集部を訪ねると、背の高い小顔の男が出てきた。チノパンに半袖の開襟シャツというラフな服装のせいか、見た目は大学生のようにみえる。

小さな会議室に通され、まずは名刺交換。

「豊澄印刷の浦本と申します。この度はお電話ありがとうございました」

浦本が名刺を差し出すと、相手は「名刺、名刺」と独りごちながらチノパンのヒップポケットから名刺入れを取り出した。

〈文友館　編集第一部　天草啓吾(あまくさけいご)〉

差し出された名刺は角がわずかに折れ曲がっている。

この若いお客様は、大丈夫だろうか。出会い頭から早くも心配になる。

書籍の印刷営業マンはいい加減な編集者に捕まると、たちまち悲惨な目に遭う。

浦本は天草の目を見ながら、単刀直入に訊ねた。

「文友館さんの書籍印刷はほとんどがワールド印刷さんですよね」

「はい、普通ならワールドに頼むんですけど、今回の話は折り合わなくて」

「折り合わなかったとおっしゃいますと……」

「ぼくが考える仕様と、コストなど諸々の条件が不釣合いだということで、まあ端的に言うとぼくが『もう結構です』と愛想を尽かしたわけです」

「それで弊社にお問い合わせいただいたのですね。ありがとうございます」

ワールド印刷には一度依頼して、破談になったということだ。

「実はですね、ぼく、小説を担当するのは今回が初めてなんです」

天草はなぜか声を潜めて言った。表情に少年のような、無邪気な昂揚感が宿る。よく言えば擦れていない。

「で、ぼくって、本当は小説が大好きじゃないですか。だから今回、ヤバい本を作りたいんです」

天草の言う「ヤバい」は「すごい」や「素晴らしい」という意味だ。

「歴史小説が好きで、小説が作りたくて文友館に入ったんですけど、他の企画で手一杯で……」

文友館は一人の編集者が書籍・雑誌、なんでも手がける。入社二年目の天草はこれまでに実用書や自己啓発本を十数冊ほど担当し、他に雑誌の編集アシスタントも務めているという。

忙しくてあまり眠っていないからだろうか、目が赤く充血している。

「上の人たちは、もっと企画を立ち上げろ、刊行点数を増やせとプレッシャーをかけてくるんですけど、ぼくは量よりも質で勝負したい。それなら一番好きな歴史小説で、ヤバい本を作ってやろうと思ったんです」

「それで、久坂豊信さんに執筆を依頼されたんですね」

「はい。久坂さんのサイン会に突撃して怒られて、その後お詫びに行きました」

天草は詫びながら、久坂の全作品をどれほど深く読んだか語り、執筆依頼をしたという。

文友館から本を出したことのない久坂を口説き落とせたのは、彼の応援したくなる若さと、未熟さとは裏腹な熱意かもしれない。

「『長篠の風』というタイトルで、刊行予定は九月です」

織田・徳川連合軍の鉄砲隊の前に散った武田の武将、山県昌景の生き様を描き、既に改稿も終わっているという。

天草はまくし立てるように物語のあらすじと魅力について説明する。

山県は主君・武田勝頼に退却を進言するも退けられ、仲間と水盃を交わして設楽原へと隊を繰り出した。そして武田騎馬軍団の終わりを悟り、鉄砲隊へ覚悟の突撃をかける。

「浦本さんもぜひ読んでみてください！　敗者や弱者の歴史を書いてきた久坂先生の真骨頂です」

印刷営業の浦本を相手に物語の魅力を熱く語る。彼には「力になりたい」と思わせる何かがある。

「まだ構想の段階なのですが……」

前置きしつつ天草は造本設計について説明する。カバーのおおよその方針も考えてあり、馬防柵の向こう側から、一陣の風の如く突撃してくる武田騎馬軍団の絵を表紙に使いたいと語る。

羊皮紙にエンボス加工で凹凸を付け、馬防柵を浮き上がらせるのだという。背表紙には蓄光インキで武田の家紋を刷り込み、暗い所でだけ浮かび上がる仕掛けを加える。その他、小口に赤備え（あかぞな）の紅色を塗布するなど、意欲的なアイデアが満載だ。

「久坂先生にもお話ししましたが『素晴らしいね！』って喜んでいただきました」

それは喜ぶだろう。他には類を見ない豪華版だ。

「ワールドがだめなら他に頼めそうなところはないか情報を集めていたところ、豊澄さんがいいのではないかと聞きました。ぜひお願いしたいんです」

「水を差すようで恐縮ですが、価格設定などは大丈夫でしょうか。詳しく計算した訳ではありませんが、経験上あまりないような豪華版なので、さすがの久坂さんの会心作といえど、ちょっと」

浦本は、言葉を選びながらも進言した。天草は初めての小説に対する思い入れと熱意が独り歩きしているように思えた。

「部決会議では五万部で千八百円となっています」

天草は誇らしげに答えた。浦本は仲井戸と目を合わせた。天草の言った贅沢な仕様で千八百円では採算が取れないだろう。

「原価率や分岐点の試算はされていますか」

「ある程度仕様が決まったら、ぼくが試算します」

大手の出版社では業務部が原価率や損益分岐点を試算する。だが文友館には業務部がない。

「造本設計の方向性は、社内で概ね決まっている前提でお話を聞いておりますが……」

「いえ、これからです。まだぼくの中での素案です」

社内で相談する前にワールド印刷へ話を持ちかけたということか。隣に座る仲井戸と目が合った。「やっぱりな」という心の声が聞こえてくるようだ。

話を現実的かつ具体的に、ひとつずつ詰めていかねばならない。

「久坂先生の意欲作で、かつ天草さんの担当小説第一号です。まずは、重版がかかる設計を目指されたほうがよいかと思うのですが」

どんなに素晴らしい本を作っても、価格が高過ぎては読者が離れてしまう。極力定価を抑えつつ手に取りたくなる本を作るため、編集者はデザイナーや印刷会社と相談し、知恵を絞る。

「本の仕様について上司の方などに相談されてみてはどうでしょうか」

浦本は助け舟を出す。仲井戸がチラチラとこちらを見てくる。出過ぎたことを言うなという合図だろうか。

「みんな忙しくて……。ぼくは一番下っ端だし相談しづらいんですよね」

天草は苦笑いする。弱い面もあっけらかんと話す無防備さを、浦本はむしろ清々(すがすが)しいと思った。

「よろしければ弊社のデザイン部門にご相談いただくこともできますが」

浦本の提案に、天草は「ありがたい話ですが……」と申し訳なさそうに答えた。

「デザインは久坂先生からのご希望で、小暮洋一(こぐれよういち)さんにお願いすることになりそうなんです」

天草の口から飛び出した名前に思わず「おおっ」と驚嘆の声が漏れる。小暮洋一は数々のベストセラーの装幀を手がける巨匠。

「小暮さんとは接触されているんですか」

「いや、まだこれからです」

どうやら全て天草と著者の久坂との間だけで話が止まっているようだ。

まずはある程度固まった段階で仕様を示してもらい、それに対して浦本から概算見積書を出すこととして打合せを終えた。

帰り際、浦本は自らの身の上について天草に打ち明けた。

「実は私、以前はワールド印刷の営業をしてまして」

「え！　そうだったんですか。先に言ってくださいよ」

天草はワールド印刷への不満を述べていた手前、バツが悪そうに苦笑する。

「とは言っても、私は書籍ではなく商品のパッケージ印刷のほうの担当でしたが」

「どうしてワールドから豊澄さんへ移ったんですか」

「本を造りたかったからです。特に文芸書を造りたくて、書籍がメインの豊澄印刷に移りました」

「ぼくと同じですね。いやあ、ますます浦本さんにお願いしてよかったと思えます」

天草に見送られて階段で一階ロビーに下りた。エントランスで、グレーのスーツに身を包んだ中肉中背の男とすれ違った。浦本の目は男の襟元の社章に引き寄せられる。「W」の文字。ワールド印刷の営業マンだ。

自動ドアへ向かって歩きながら、浦本は並んで歩く仲井戸を横目でチラリと見た。仲井戸もワールド印刷の営業に気付いているようだ。

社屋の外に出るなり浦本は開口一番「一矢報いました」と呟いた。

天草とは長い付き合いになるかもしれない。そんな予感がする。宮益坂を渋谷駅へ向かって下りながら、浦本は期待に胸を膨らませる。

だが仲井戸は浮かない顔で言った。

「この仕事、前のめりで請けるのは避けたほうがいい」

「どうしてですか」

いきなり水を差された浦本は、納得がいかない。

「今日の話は天草さんの個人的な熱意ばかりが先行していて、この先までどうなるか分からない。仮に受注に至っても単発で終わりそうな案件だ」

「改めて文友館と取引関係を築くチャンスですよ。しかもワールドから奪い取って」

「ワールドと仕事を奪い合ったところで、無益な共食いだと思うな」

「そうは言っても、やられっぱなしでいいんですか」

「ワールドは出版印刷のシェアを総取りするつもりで動いている。戦い方の次元が違う。うちは今の顧客を大事にし、新規案件の獲得も今の顧客から拡げていくべきだと思っている」

浦本は大事な顧客をワールド印刷に取られた。慶談社の織田からの失注が返す返すも悔やまれる。

「業界全体で右肩上がりなら、ガツガツと顧客を奪いにいくのもいいだろう。だが浦本君は、紙の本の売れ行きが劇的に回復すると思うか」

「回復はしないにせよ、よい本は売れているのもまた事実です」

「確かに。だが、そのよい本を作るのは作家や出版社の仕事であって、我々の仕事の範囲外だ」

範囲外ではない。そう反論したいが、仲井戸は続ける。

「浦本君は本を造りたくて豊澄印刷を選んだと言うが、紙の本の売れ行き全体で見ればこの先、上向くことはない。その現実を直視できないなら、辞めたほうがいい」

　会社説明会のことを思い出す。下手な希望を持って入ってくる新卒採用者は長続きしない。

「それほど厳しい状況を直視しながら、仲井戸さんはなんでそんなに余裕でいられるんですか」

　仲井戸は「余裕のつもりはないけどさ」と笑い、言葉を継ぐ。

「俺はいざとなれば、実家で家業を手伝えばなんとか生きていける」

「家業は何をされてるんですか」

「製餡所（せいあんじょ）だよ。あんこを作る会社。山梨の実家で、兄が継いで経営してる。社員三十人ほどの小さな会社だけどね」

　戦後間もなく祖父が創業して七十年以上、製パン会社や和菓子屋に出荷しているという。

「製餡業界も和菓子や餡パンの需要が減って楽ではない。でも三代目の兄は、息子に継がせたいと頑張ってる」

　地元の老舗和菓子店に餡を使った和風スイーツの開発支援を提案、取引先の製パン会社に餡を練り込んだ食パンを提案し製品化されるなど、既存の顧客との繋がりを深めているという。

「父親が言ってた。製餡機を動かし続けているのはお客さんとの信頼関係だ。その信頼関係を築くのは、社員たちの日々の仕事だと」

「日々の仕事を手違いなく終わらせること、というわけですね」

仲井戸の言葉には、製餡会社を営んできた父親の考え方があるのかもしれない。

「印刷会社も同じだよ。我々が日々の仕事でお客さんとの信頼を繋ぎ、受注を切らさないこと。五台の印刷機が動き続けていることが生き残るためのバロメーターだ」

「仲井戸さんはどうして豊澄印刷を選んだんですか。印刷業界は上向かない、現実を直視できない者は辞めたほうがいいと言うのに、なぜでしょう」

「縁だよ。就職活動をして、内定が取れたのが豊澄印刷だった。やれるだけのことをやろうと続けてきて、気が付けば入社十七年目だ」

普段からクールで、ともすればドライな印象を受ける仲井戸から「縁」という人間臭い言葉が出たのは意外にも思えた。

「浦本君はどうなんだ。沈んだ時のための脱出ボートは持っているのか」

「いいえ、自分には何もないですね」

浦本の父親は横浜の食品会社に勤めるサラリーマン。家業を手伝うという選択肢はない。

「仲井戸さんは、人生設計まできちんとできているんですね」

「最初から脱出ボートを使うつもりはないよ。ただ、最悪の事態は常に想定しつつ、そうはさせない覚悟で仕事してるつもりだ」

宮益坂を下り切り、駅前の雑踏に差し掛かった。

「話がだいぶ逸れたけど、今回の文友館の話、肩すかしを食らわないよう気を付けたほうがいい」

一週間後、天草からメールで造本設計の概略が届いた。デザイナーは小暮洋一。天草の素案にあった豪華絢爛な構想とは打って変わり、現実的かつインパクトのある仕様となっていた。

これを受け、浦本は概算の見積書を出した。

仲井戸の懸念をよそに、『長篠の風』の受注はとんとん拍子で決まった。

※

ふじみ野工場管理棟の打合せスペースには、重苦しい空気が流れていた。

野末正義は、大変な仕事になると直感した。

「できないっちゅうわけじゃない。ただ、やるかやらねえかだ」

ジロさんが唸る。

出席者それぞれの手元には、本社から定期便で届いた造本設計書の写しが配付されている。皆、紙に目を落としながら、渋い表情を隠さない。

月に二回のライン管理者会議は、直近の工程に関する情報の共有と課題の確認を目的としている。今日の懸案事項は、印刷を一ヵ月後に控えた久坂豊信『長篠の風』、初版五万部。依頼主は今回スポット発注の文友館、装幀は巨匠の小暮洋一とあって、普段の案件とは勝手が違う。

「営業のにいちゃんは、考えてんのかね。紙の仕入れも印刷機のスケジュールも厳しいんじゃねえか。この週は盆休み後の繁忙期だろうよ」

「どうせ何も考えず、言われたままを引き受けてきたのでしょう」

〈担当営業　浦本学〉

造本設計書の写しに記された営業担当者名を見て野末は内心舌打ちする。

文友館が選んだ装幀家の小暮洋一は、印刷会社泣かせとしても業界内でその名を轟かせていた。個性の強い装幀家はしばしば、無理難題を突きつけてくる。

「ラフでこれか。本番は、これよりずっと細かくなるってことだろうな」

ジロさんが手にとったのは、小暮が作成したラフイメージだ。

「この線の細さ、もはや嫌がらせだなあ。どうすんだよ」

一号機の機長・柴田が足を組みながらニヒルな笑いを浮かべる。多少の同情は混じっているようだが、所詮は他人事。この作品を印刷するのは野末の管轄である五号機だ。

造本設計書によると、エンボス加工の凸凹で馬防柵を浮き上がらせ、薄緑色の草原が血で染まる様を草の一本一本が見分けられるように描くという。

これを印刷機で実現するのは困難を極める。

まず草の部分を抜いて印刷し、次に白いままの草の部分だけに印刷する抜き合わせ印刷となる。

全面に地の色を刷り、上から草の色を刷り重ねるオーバープリントでは混色で色調が変わってしまう。刷り重ねる色がスミなど濃い色の場合は問題ないが、薄緑色ではこの手法は使えない。抜き合わせは、一ミリの版ズレも許されない。通常の印刷用紙上でも難しいこの作業を、表面に凹凸があるエンボス紙の上で成功させるには、気の遠くなるような精度が要求される。

概算の見積書を出すにあたり、浦本から電話で工程の算出を依頼された。

〈文友館の新人編集者さんが担当する初めての小説なんだ。ワールドと折り合えず、うちを頼ってきた。なんとか、いいものに仕上げたい〉

浦本の暑苦しい声を聞いて、うんざりした。

技術的な難点を山ほど並べて工数を吊り上げ、断念させる策も頭をよぎった。だが、ありのままの工数を提示し、正々堂々と営業に委ねるのが技術者としての筋だ。

「段取りはしておくとして、あとはちゃぶ台返しが無いか」

ジロさんが顎髭をなでながら呟く。

「その点は営業の仕事です。我々は確定した仕様を忠実に再現するまでですから」

「確かに。ムツゴロウ、最近貫禄がついてきたな。立場が人を作るとは、よく言ったもんだ」

どんと構えておかなければ、不安や自信の無さは部下に波及する。

「念のため、営業に確認を取りましょう」

その場で浦本の携帯に電話をかける。〈浦本です〉と応答した声の向こうに、風のような音が聞こえる。浦本は屋外にいるようだ。

「これから『長篠の風』の作業工程を組む。仕様変更は無いな」

〈おっかない言い方するなよ。変更は無いと言い切りたいけど……。細かい変更は付き物だ〉

「あんたお得意の、ちゃぶ台返しみたいな大幅変更はないかと訊いてる」

〈俺はそこまで信頼がないのか〉

「信頼していないのはずっと前からだが、今回は輪をかけて、依頼主が普段取引のない文友館、さらに装幀は小暮洋一だ。直前の仕様変更で振り回されないか、ジロさんが心配している」

　浦本はしばらく無言のままだ。それから「無い」と言い切った。

「分かった。予定どおり段取りしておく」

〈文友館も、相当力を入れている。新人編集者の彼が……〉

　切り際に浦本が矢継ぎ早に話すのが聞こえたが、そのまま電話を切った。

「大幅な仕様変更は無いと約束させました」

「お前の電話は相変わらず、味も素っ気もないな」

「味や素っ気で仕事は前に進みませんから」

「たまには飲んで憂さでも晴らそうや」

　呆れて笑うジロさんに「また今度にしておきます」と応じる。

　早番の勤務を終えて十六時。財布を開けると千円札が二枚しか入っていなかった。無駄使い予防のため、普段からあまり現金を持たないが、給料日まであと二日間、手持ちが二千円ではさすがに心もとない。

　預金口座から当座の金を下ろすため、銀行のATMに立ち寄った。残高照会をすると、一万円を切っていた。三千円を口座に残し、五千円だけ引き出す。誰もいないATMコーナーに「オトリワスレニゴチュウイクダサイ。ゴリヨウアリガトウゴザイマシタ」という自動アナウンスが響く。

通帳の支払い履歴に並ぶのはほぼ家賃・光熱水費など必要最低限の経費がほとんどだ。そんな中、毎月まとまった金額が義弟の預金口座へ吸い込まれてゆく。

〈ハルカワトシアキ　１００、０００〉

〈ハルカワトシアキ　８０、０００〉

〈ハルカワトシアキ　１３０、０００〉

慎ましく暮らしているのに、一向に報われる気がしない。支払い履歴を眺める度にいつも思う。

俺は何のために働いているのか。

義弟の俊明は夢を語る男だった。

劇団員として二十七歳になっても定職に就かず蓄(たくわ)えもなかった義弟が、大病にかかった。両親は早くに他界し、頼る家族もない。そのツケを義兄の野末が払っている。

『アリとキリギリス』は、気ままに暮らした末に死にかけたキリギリスから搾取(さくしゅ)されるアリの物語だっただろうか。

静かなＡＴＭコーナーの中で通帳を閉じると、また耳鳴りがした。

ＡＴＭから外へ出た。自動車の走行音に神経を傾ける。

〈たまには飲んで憂さでも晴らそうや〉

ジロさんの言葉に導かれるかのように、県道沿いの焼き鳥屋に入った。二年ぐらい前にジロさんや工場の仲間と一緒に飲んで以来だ。

まだ五時前だが、店内は近所の常連客と思われる年配の男たちで賑わっていた。野末はカウンター席に座り、中ジョッキの生ビールを注文した。「少しならば」と、ねぎまとハツと砂肝を一本ずつ頼む。

久しぶりのビールは臓腑に沁(し)みた。酔いで身体が弛緩(しかん)し、徐々に心もほどけてくる。ねぎまをつまみながら中ジョッキを空けると、耳鳴りは消えていた。

皿にはハツと砂肝が残っている。あと一杯ぐらいなら良いだろうと自らに言い聞かせ、芋焼酎の水割りを注文した。

そしてリュックサックから単行本を一冊取り出し、カウンターの上に広げた。

本宮光太郎(もとみやこうたろう)の猟奇ミステリー『神隠(かみかく)しの館(やかた)』。二ヵ月前に野末が印刷を担当した作品だ。

野末はミステリー小説を好んで読む。めくるめく謎解きの世界に没頭していると、日常から解放される。書籍の印刷に携わる人間として本は自費で購入したいところだが、余裕が無いため図書館で借りている。

「おう、空いてるか」

店内の喧騒の中へ聞き覚えのある声が飛び込んできた。暖簾(のれん)をくぐって入ってきた男と、目が合った。

慌てて目を逸らしたが遅かった。

「おい、ムツゴロウ！　この野郎、俺の誘いを断ってむっつり一人酒か」

「すいません」

ジロさんは野末の隣の席にどっかと座り、瓶ビールを注文した。

「最近、疲れてねえか。大丈夫か」

「疲れてます。耳鳴りがします」

「そこはお前『いいえ、大丈夫です』って言うとこだろうが」

カウンター越しに店主が早速、瓶ビールを出した。野末が受け取り、ジロさんのコップに注ぐ。

「営業のだらしなさが、ここのところ目に余ります。特に浦本が持ってくる仕事に現場が振り回されていて、部下にも負担がかかっています」

「あのにいちゃんか。頑張ってると思うけどな。なんでそんなに毛嫌いする？」

「理想を語るからです」

自分でも驚くほどの即答だった。

「彼に限らず、理想を語るような人間は信用できません。独りよがりで、自分らしさみたいなものを貫くためには他人の犠牲もいとわない連中ですから」

ジロさんは「それもまた随分と独りよがりな考えじゃねえか」と首を傾げた。

仕事帰りらしき中年男三人組が入ってきて、カウンター席に腰掛けた。「瓶ビール」「ハイボール」「俺もハイボール」と口々に注文し、手渡されたおしぼりで気持ちよさそうに顔を拭った。

野末も二年ほど前までは時々、彼らのように同僚と連れ立って飲みに来た。勤めを終えて飲む酒は美味かった。一日の責任を果たした後の、ささやかだが確かな幸せだった。

「理想を語るような人間の多くは、無責任な輩（やから）ばかりです」

どうしても、患う前の義弟の顔が脳裏に浮かんでしまう。結婚前、家族の顔合わせの席では義弟ばかりが喋っていた。就職活動をせず、演劇を続けていくのだと。

〈俺って、会社とかで上手くやっていけるタイプの人間じゃないんです〉

自分語りの裏に「俺は特別な人間だ」という陶酔が見えた。芝居を見に来てくれと言われたが、適当な理由をつけて断った。

「理想を語る奴が云々（うんぬん）という問題はともかく……毎日の仕事は、なるべく楽しくやったほうがいい。お前、味や素っ気で仕事は進まないとか言ってたな」

「はい。実際に進みません」

「でもなあ……味も素っ気もない仕事は、単純に言うと面白くねえよな」

「そういうものじゃないですか。面白くないこと、面倒なことを請け負うからこそ、給料がもらえるわけですから」

野末には、仕事に面白さを求めるという発想がなかった。仕事は生きるための手段であり、だからこそ手を抜かずに向き合っている。

「お前は、徹底的にむっつりムツゴロウだな。面倒な仕事でも、どうせやるなら、なるべくマシな気分でやったほうがいいだろう」

ジロさんはコップのビールを飲み干し、手酌で注いだ。

「十八でインキを初めて扱った時、見習いで付いた職人が言ってた。『インキと紙とは阿吽(あうん)の関係。紙は呼吸してる。生きもんだ』ってな」

またこの話だ。もう何十回も聞いたが、それは言わない。

野末はハツを二切れ頬張り、ジロさんの話に耳を傾ける。

「インキを混ぜて、注文どおりの色を作る。同じ作業の繰り返しだが、出てくる結果は毎回違う。紙に乗せると尚更だ。その日の湿気や温度、紙の状態、いろんな塩梅(あんばい)が絡み合って、思い通りにいかない。印刷機が相手でもそうだろ」

「まあ、機械のくせに、機械的に作業させてはくれませんね。インキ量の設定、版のセッティング、紙の積み方。それぞれが嚙み合わないと、奴らはすぐにご機嫌斜めになります」

各機に役割分担があることもさることながら、それぞれに癖や個性のようなものがあるのだ。

「俺だって、難しい作業が入れば工場に行きたくないと思う朝もある。だけどな、手を動かしてる間は不思議なもんで、うだうだ考えてたことは頭から消えてる」

「言われてみれば、余計なことを考える暇なんてないですね」

想定通りの色が出るか、ズレなく、汚れなく本文を印刷できるか。常に気を配り、作業に没頭する。その間は日々の悩みも忘れている。

耳鳴りがするのも、仕事を終えて静かな場所に身を置いた時だ。

「思い通りの色が出た日は、いい仕事をしたと思えるし、失敗した日には気分も悪いし肩身も狭い。職人の毎日は、その二つに一つ、どちらかだ」

極端な単純化ではあるが当然、上手くいったと思える日が多いほうがいい。

店の引き戸が開き、男女四人組が入ってきた。店内はほぼ満席。酒が進んだせいか、各席とも次第に声が大きくなっている。解放感に満ちた、心地よい喧騒だ。

「ジロさん、印刷会社はメーカーだと思いますか」

「なんだ突然。俺たちにとって、本は造るもんじゃなく、刷るもんだ。メーカーだなんて思ったこともねえさ」

「ですよね」

「だけど、そう思えることで仕事が少しでも面白くなるなら、悪くない。『印刷会社はメーカーだ』。俺は、悪くないと思う」

「ジロさんが言うと、違って聞こえますね」

「俺のカリメロ性がそう聞こえさせるってか？」

「それを言うなら、カリスマ性です」

六時半、店主がテレビのチャンネルを変えた。Ｊリーグ・浦和レッズの試合中継が始まろうとしていた。サッカー観戦は数少ない趣味のひとつだ。最近はスタジアムへ行く余裕もなく、時折テレビで静かにレッズを応援している。

「お先に失礼します。これ見始めると、最後まで居る羽目になるので」

「あ？　まだ六時半だぞ」

野末はテレビを指して言った。

「帰って子供とテレビ観戦しようかと」

試合中継を一緒に見てサッカーの話をすれば、子供たちとのわだかまりも解けるかもしれない。

「そうか、伝票は置いていきな」

「いいえ、ここは別会計で。今日は、自分の金で飲むことに意味があるので」

「おかしな奴だなあ。よし分かった、次に飲むときは俺の奢りで倒れるまで飲ませてやっからよ」

「楽しかったです」

会計は千二百円。実況アナウンサーの声に後ろ髪を引かれながら店を出た。

家に帰ると、食卓の上には切干大根とアジの干物が用意されていた。その奥には、箱に入ったメロンが置かれていた。

「なんだ、これ」

食器を洗う沙織の背中に向かって訊ねた。

「ああ、それ……俊明がね、送ってきたの。義兄さんへのお礼に、って」

沙織はシンクに向かったまま、食器を洗う手を止めずに言った。

網目模様の大玉のメロンは大仰な木箱に収められている。デパートの食品売場で見かけるような高級メロンだ。五千円は下らないだろう。

常識に囚われない義弟の笑顔が目に浮かぶ。

〈あいつは何を考えている〉

野末は全身の血が沸騰するような憤りを押し殺すため「上物だな。もったいないから飾っておくか」と冷笑した。

沙織は無反応のまま食器を洗っている。

「どこにそんな金が……」

思わず呟いたひと言に、沙織の肩がびくりと震えた。

「今晩冷蔵庫で冷やして、明日切るから」

「俺はいいよ。三人で食べたらいい」

気持ちを鎮め、冷蔵庫から麦茶を取り出しコップに注いだ。沙織が、食器を洗う手を止めた。

「どこかで飲んできたの」

野末は咄嗟に口をつぐみ、呼気を飲み込んだ。しかし、すぐに思い直した。何が疚しいのか。

「悪いか」

「いえ、そんな、そういうことじゃなくて……ごめんなさい」

「悪いかと訊いてるんだ！」

居間の奥で子供部屋の襖がかすかに動いた。隙間から幸太か陽太の瞳が覗いて見えた。目が合った途端、襖は再び閉じられた。

※

浦本学はストップウォッチを確認した。持ち時間の三分まで残り二十秒。

「人生、何かを始めようとする気持ちに遅すぎるということはない。それを教えてくれる淵田シゲルさんの『スロウスタート』。ぜひ皆さんにお薦めしたいと思います」

浦本は『スロウスタート』第二刷の単行本を胸の前に掲げ、プレゼンを終えた。参加者たちが皆、箸を置いて拍手を贈ってくれる。

昼休みの休憩室で有志が集まって不定期に開催される『豊澄ビブリオバトル』。薦めたい本を持ち寄って一人ずつプレゼンし、参加者同士の投票で一番読みたいと思った本を決定する。二ヵ月ぶりに出場した浦本は、二度目の優勝に向け手応えを感じていた。

今日のトリを務めるのはデータ制作部の福原笑美。優勝七回を誇る女王の登壇（とうだん）だ。圧倒的な読書量の中から今回はどんな作品を繰り出してくるか、参加者の熱い視線が集まる。

福原はソフトカバーの単行本をプレゼン用のブックスタンドに立てかけた。

「私がお薦めしたいのはこちら」

カバーには筋骨隆々の覆面レスラーが、敵のレスラーにラリアットを決めている写真。

「プロレスマガジン別冊『シーサーラリアット』です」

参加者たちは昼食を食べる手を止め、どよめいた。

「笑美りんって、プロレスファンだったっけ」

「いいえ、プロレスは観たことすらありません。ところが先週この本に出会い、観てみたくなったのです」

聴衆の疑問に答えながら、既に福原のプレゼンは始まっていた。

プロレス雑誌『プロレスマガジン』での連載をまとめて別冊にした『シーサーラリアット』は、沖縄の離島で結成された地方プロレス団『ちゅら海プロレス』の軌跡を、団長のシーサー仮面タケルが書いた自伝的小説。

団員三人で立ち上げた弱小プロレス団体は観客ゼロの砂浜リングで週三回の興行を続ける。ガチンコ勝負の興行で身体は傷だらけ。そんな彼らの周りに冷やかしの酔っ払い、夏休みの小学生らが集まるうちに人の輪が広がり、野次は声援に変わり、団員が増えファンができ、最後は地方プロレス団体の一大潮流を巻き起こす。

まさに裸一貫からレスラーとしての夢を実現させた団長のシーサー仮面タケル。しかしその先には、経営者としての苦悩が待ち受けていた。

「現実は小説より奇なり。私はこの地方プロレス団体の軌跡を読んでいるうちに、フィクションとノンフィクションの境界が分からなくなり、この物語に没入してゆきました」

苦楽を共にした相棒の離脱、団の分裂の危機、イベント会社による詐欺から生じた資金難。旗揚げから二十年の節目を迎え、年齢とともに衰えゆく必殺技シーサーラリアットを若き団員たちに託してリングを去る決意をするが……。

「しかし……シーサー仮面タケルさんは今もリングに立ち続けています。その理由は、皆さん、この物語を最終章まで読んでぜひ確かめていただきたいです」

毎回隠れた名作を掘り起こす彼女のプレゼンには、本の恵みを共有したいという想いと、核心に触れる部分は語らない絶妙の配慮がある。

「最後に……長期休暇が取れた際には、沖縄へ『ちゅら海プロレス』を観に行こうと思います」

福原は上司の白岡絵里子をチラリと見ながら沖縄遠征を宣言し、笑顔でプレゼンを終えた。

「読みたい！」

「プロレス観たくなった」

今日一番の拍手が沸き起こる。優勝は誰の目にも明らかだ。浦本は次回のリベンジを期しながら、脱帽の思いで福原に拍手を贈った。

本を造る会社で、本を愛する人々が集まって薦めあうこの時間は、濃密で幸せなひと時だ。

この世の中で本が売れなくなっていることなど、つい忘れてしまいそうになるのだった。

〈二十一時　文友館　天草氏打合せ　直帰〉

夜八時二十分、浦本はホワイトボードに今日最後の予定を記入し、会社を出た。天草に『長篠の風』の初校ゲラを手渡すことになっている。

梅雨明け直後から東京は猛暑日が続き、夜もいっこうに涼しくならない。ハンカチタオルで汗を拭いながら有楽町線護国寺駅のホームに降りると、浦本の携帯にメールが入った。

〈浦本さん、今日の打合せ、場所変更でお願いします〉

メールには、打合せ場所のURLが添付されている。

打合せの場所に指定されたのは、新宿の居酒屋だった。

浦本は驚いた。これまで、クライアントを接待することはあっても編集者から飲みに誘われることなどなかった。何かとてつもない無理難題でも持ちかけられるのだろうか。不安がよぎる。

天草は上座の席に座って待っていた。椅子の背もたれに身体を預け、転寝(うたたね)をしている。寝顔を隠すためか、キャスケット帽を目深にかぶっている。

多国籍風の店内は、若い客で賑わっていた。奥の半個室からは一気飲みのコールが聞こえる。

「お待たせ致しました」

浦本が声を掛けると、天草はハッと顔を上げた。

テーブルの上には久坂豊信の代表作『越後の虎の子』の文庫本が置いてある。

上杉謙信の養子として、重圧を背負いながら越後一国を率いた上杉景勝の苦悩と、その人柄を描いた長編小説だ。

「お疲れ様です」

天草は、疲れた顔で帽子を取った。浦本は思わず「あれ？」と声を上げる。

「出家しました」

露わになった坊主頭に右手を当て、天草は力なく笑う。

天草の自虐交じりの話によると某大御所社会学者との打合せを寝坊ですっぽかして新書執筆の話を破談にされかけたという。

「反省の意を示すために、坊主にしました」

「その某社会学者の方には許していただけたんですか」

「お前の青々した坊主頭など見たくないから帰れと言われましたね」

天草はジャガイモのような頭を指差した。

「でも、なんとか原稿は進めてもらえることになりました」

「よかったじゃないですか。そこは天草さんの人徳ですね」

やはりこの若者には力になりたいと思わせる、人たらしの素養がある。

「こちら『長篠の風』の初校ゲラです。天草さんの初担当小説がいよいよ、ゲラになりましたよ」

浦本は努めて明るい調子で、ゲラの入った封筒を差し出した。

天草はゲラを取り出してパラパラとめくった。

「ありがとうございます。感無量ですね」

愛おしそうにゲラを眺める天草。だが、また浮かない表情に戻り、疲れた笑みを浮かべる。

「作りたかった小説の単行本をようやく作れるのに……その仕事に全然時間が割けないんですよ」

中ジョッキの生ビールを半分ほど飲んだだけなのに、天草の顔は真っ赤だ。

「実用書や雑誌のお仕事が立て込んでいるんですか」

「それもありますけど、刊行点数を増やせとプレッシャーをかけられていて……編集部の人間は企画を最低月に十本出し、毎月四点は刊行しろと」

本全体の売れ行きが右肩下がりの中、いつどのような本がヒットするか分からない。だから企画を絶えず出し、形にし続ける。編集部の方針だという。

「言葉を選ばずに言うなら、数撃てば当たるということです」

「編集さんにも、ノルマが課されているんですね」

浦本たち印刷営業にとっては、期別の売上額や印刷機の稼働率がノルマとなる。編集者も厳しい数値目標に追われているのだ。刊行点数や部数が少なければ、成果が問われることになる。

「企画なんて、そうたくさん思いつかないし、時間的にも手一杯です。最近は仕事以外の人と接する機会がほとんどなくなりました」

天草は酔った目でプライベートの話を始めた。学生時代から付き合っていた彼女と二ヵ月前に別れたこと、友人たちとの飲み会には多忙で参加できず疎遠になっていることなど。

「天草さん、どうせ私ぐらいの歳になると、学生時代の友人に会うことなんてほとんどなくなります。それでも、本当に仲の良いメンバーとは細く長く続くものですよ」

少し人生の先輩を気取った物言いになったと反省しつつ「十年ぐらい長く生きている者の経験として、ご参考に」と付け加える。

「まあ、今は『長篠の風』を作っているということだけが、唯一の心の支えです」

天草は少し笑顔を見せ、ビールを飲み干し、ハイボールを追加注文した。

「久坂豊信さんの作品は心に染みますよ」

天草はテーブルに置いてあった文庫版『越後の虎の子』を手に取り、カバー画に酔眼を落とした。毘沙門天の「毘」の字の前に座して目を閉じる武将こそ上杉景勝その人である。

「ぼくの親父、ジャパンムービーの役員なんです。親の七光りっていうやつで、ぼくは親父のコネで文友館に入れたんです」

ジャパンムービーといえば文友館の数々の書籍を映画化している制作会社だ。父親が、本好きの息子を文友館に入れてやってほしいと掛け合ったのだという。

「天草さんが手がけた小説を、お父さんの会社で映画化できるじゃないですか」

浦本は言って、はっと口をつぐんだ。親の七光りを使えと言っているようなものではないか。

「そうですね」

天草は寂しそうな笑みを浮かべて答えた。

奥の半個室からはプライベートを謳歌する若者たちの歓声が聞こえてくる。天草はほとんど何も食べず、ハイボールを飲みながら『長篠の風』にかける思いと、今後の仕事に対する不安を語った。浦本も天草のペースに合わせて飲み、できる限り気持ちに寄り添えるよう話を聞いた。

入社二年目となる天草には最近、毎日厳しい指示が飛んでいるという。

「会社の人にはこんなグチはこぼせないし、友達に仕事のこと話してもなんのことか分からないだろうし。浦本さんがちょうどいい」

お互いに最後の一杯を飲み干した。浦本は伝票を手に取った。すると天草が「待ってください」とテーブル越しに身を乗り出してきた。

「浦本さん、割り勘にしませんか」

「いいえ、ここは弊社のほうで」

「会社同士ではなく、人間対人間で話をしたっていうことで」

だいぶ酔っているし、精神的にも疲れがたまっているようだ。

「分かりました。今日はすっきりと割り勘でいきましょう」

「浦本さん、『長篠の風』が完成したら、今度は祝杯を上げましょう」

「いいですねえ……！」

浦本が応じると天草の表情に生気が蘇った。きっと彼は心底、小説が好きなのだ。

「先輩編集者たちもびっくりするような、ヤバい本を造りましょう」

仕事の大きな壁にぶち当たっている天草を、部外者の浦本が直接助けることはできない。浦本に唯一できることは、目の前の『長篠の風』を形にするため力を尽くすことだ。

「浦本さん、よかったらこれ、読んでください」

天草は久坂豊信の『越後の虎の子』を浦本に差し出した。

「大事な本ですよね」

「ぼくは単行本も持っていますので。ぜひ読んでみてください」

実は浦本も『越後の虎の子』は学生時代に二回読んだ。だが、天草の厚意を受け取った。

「ゲラ、失くさないように、お気を付けて」

天草とは店の前で別れた。天草はだいぶ酔っていたが、会社に戻るという。鞄に入れたゲラも心配だが、天草の身体も心配だ。

浦本は新宿駅で山手線に乗り、満員の車内で文庫本『越後の虎の子』を開いた。周りの乗客の多くはスマートフォンに見入っていて、本を開いているのは浦本ただ一人。

〈越後の虎なる父は遥か遠く。だが、虎の子は強き者に従いながらも生き抜いた〉

養父・上杉謙信の後を継いで豊臣・徳川の世を生きた景勝の生涯を綴る、プロローグの一節だ。この作品を座右の書とする天草は、映画界の虎なる父親の影のもと、もがいているのだろう。

今回の『長篠の風』も、父・武田信玄から風林火山の旗を受け継いだ武田勝頼の苦悩を、重臣である山県昌景が慮(おもんぱか)る形で物語が進む。

この本が完成すれば、天草も今より自信を持って偉大な父親の影と対峙できるかもしれない。

酔った頭でそんなことを考えながら、電車の走行音のリズムに合わせて物語を読み進めた。

※

文友館の天草と連絡が取れなくなったのは居酒屋会談の後、盆休み前のことだった。編集部に毎日電話するも不在、携帯電話へ直接かけても応答がない。

盆休みが明けても、天草とは連絡がつかなかった。本文は再校ゲラを出し終えるところまで進んでいた。そろそろカバーや帯などの印刷に向けて版を作らなければならない。

そんな中、一本の電話が豊澄印刷営業第二部を揺るがした。

「ガクちゃん、小暮さんっていう男性から電話だけど」

アルバイトの君代さんが困った表情で受話器を差し出してくる。浦本は我が耳を疑った。

「小暮さんって、あの小暮さんですか？」

「どの小暮さんか知らないけど、すっごく感じが悪い男の人」

　君代さんが顔をしかめる。毛利部長はじめ、営業第二部の空気が張り詰めた。

「お電話替わりました、営業第二部の浦本と申します」

〈久坂豊信の『長篠の風』、おたくが担当？〉

「はい、わたくし、浦本が担当しております」

〈文友館の編集者、あの若いの、話にならん。おたくと直接話すことにしたから〉

　通常、印刷会社と装幀家の間には出版社の編集者が入る。直接やりとりをするのは極めて稀なことだ。

「恐れ入りますが、文友館さんは承知されているのでしょうか」

〈話してある〉

　小暮は面倒臭そうに浦本の語尾を遮った。

〈カバーの画(え)、変えることにしたから〉

「どのように変更されるのでしょうか、概要だけでも教えていただければ……」

〈サンプルを見せるから、すぐに事務所に来て〉

「何時ごろがよろしいでしょうか」

〈分からんか。すぐに来いと言ってるんだよ〉

　いきなり電話を切られた。

文友館に電話を入れたが、天草は相変わらず不在。電話に出た鈴木という男性編集者に、天草とどうしても連絡を取りたい旨を伝えた。

するとと鈴木は言いづらそうに切り出した。実は盆休み前から、社内の人間も天草と誰も連絡が取れない状態だという。

嫌な予感がよぎる。天草の携帯電話にかけるが、相変わらず応答はない。

「仕方がない。まずは小暮さんの事務所に行くほかないだろう」

電話を聞いていた仲井戸が渋い表情で言った。

「小暮さんに反論はするな。まずは話を聞いて持ち帰ること。うちが判断できるのは、請負可能か不可能かだけ。不可能ならば文友館に他社をあたってもらうまでだ」

浦本は外部のデザイナーから直接呼び出されたことを生産管理部の古関に報告した。くれぐれも、作業を引き受けるような即答はしないよう、釘を刺された。

小暮のデザイン事務所は雑司が谷にある。音羽から近いのは不幸中の幸いだ。都電荒川線の線路を渡った先の閑静な住宅街の中、小さな木造家屋の門柱に『小暮洋一デザイン事務所』の表札を見つけた。

インターホンを押して名乗ると「開いてるよ」というぶっきらぼうな応答。

玄関から奥へ通じる廊下には、本棚が並んでいる。突き当たり奥の部屋を恐る恐る覗き込む。グレーのスウェットを着た痩身の男が机に向かって作業をしていた。数々のベストセラーの装幀を手がけた巨匠だが、自分の服装には無頓着のようだ。

「それ、とりあえず見といて」

小暮は机上にある紙の束を指差した。

「並製に変更して、この案でいくから」

小暮が指差したのは、束見本(本の厚みなどを確認するため白紙で製本した見本)にカバーを巻いたものだった。並製とはソフトカバーのことだ。しかし当初の指定はハードカバーの上製だ。

「上製と伺っていましたが、よろしいですか?」

「よろしいですかとはどういうことだ。おたくは言われたとおりに刷ればいい」

小暮は声を荒らげた。浦本は慌てて「失礼致しました」と頭を下げる。取り付く島もない。

「小暮さんのデザインを形にする者として、変更の理由だけでもご教示いただけないでしょうか」

小暮は面倒くさそうに見本を手に取った。そして親指でページをパラパラと弾いてみせる。

「ページを捲ると、武者を乗せた馬が走る」

「なるほど……パラパラ漫画ですね」

見開き二ページの左上、タイトルの柱の上に馬のシルエットが描かれている。親指でページを弾いて送ると、馬が地を蹴って躍動しているように見える。ページを捲りやすくするために、並製に変更したということか。

「カバーのほうは何と言いますか……天草さんから伺っていたイメージとだいぶ違っております」

「だから、変えたと言ったろう」

変更前の図案は設楽原の草原や馬防柵の画だったが、目の前にあるのは鉛色に塗りつぶされた騎馬武者たちの画だった。騎馬武者の輪郭(りんかく)は周囲の色より少し薄い銀色で縁取られている。

鉛色一色の表面には光沢を出すためにグロスPP加工を施すという。歴史小説のイメージとはかけ離れた、メタリックな印象を受ける。

「久坂さんが私に電話をくれて、その時にアイデアを出し合った結果だ。鉄の冷徹な印象を前面に出そうという結論になった」

浦本は舞台裏のからくりを察した。

トップクラスになると、作家とブックデザイナーが親しい場合が多々ある。おそらく久坂と小暮の直接会談により、全面変更になったのだろう。

「鉛玉の雨に打ちのめされた武田騎馬隊の悲哀を、手触りと質感から伝える」

馬上で槍を振りかざしながら突進してくる騎馬武者たちは、灰色に塗りつぶされている。

「あと、ＰＰの上にＵＶの厚盛りも追加で。銃弾の炸裂を表現する」

特殊印刷の工程がひとつ増えた。グロスＰＰの上の指定された部分にＵＶインキを刷った後、紫外線を当てて硬化させる。技術的には可能だが、詳細は社に持ち帰って費用を確認しなければならない。

「この黒い粒々は、なんでしょうか」

よく見ると黒く微細な粒々が、均等にまんべんなくまぶされている。

「火薬だ。見本はトナーを振りかけてあるが、本番では種子島の硝薬をまぶしてスキャンする」

「本物の火薬というわけではないですよね」

浦本は「まさか」と思いながらも恐る恐る訊ねた。

「本物でなければ意味がないだろう。種子島の演武者に協力を依頼してある」

火薬の粉末をスキャンして黒い粒々だけの画像データを作り、ひとつのレイヤーを組む。そのレイヤーを、カバーイラストのデータの上に重ねるという。

なぜ本物の火薬でなければならないのか、浦本は理解できない。それに火薬をスキャンするのは豊澄印刷だ。額に滲む脂汗と共に、とんでもない案件を担当してしまったと思い知る。

「表紙はアートポスト、見返しはマーメイドの黒」

使用する紙は標準的なもののようだ。少しだけ安堵しながら浦本は「ええ、ええ」と頷く。

「そして表紙カバーにはタントセレクトのTS－8を使う」

「承知しま……」

浦本は答えかけたところで思わず首を傾げた。

タントセレクトはファンシーペーパーと呼ばれる特殊用紙のひとつで、表面に凹凸のエンボス加工が施されている。布目のような独特の手触りが特徴だ。

「グロスPPで表面はつるつるになり、凹凸の触感は打ち消されますが、よろしいでしょうか」

「なぜおたくに説明する必要がある」

「エンボス紙と、PPは相反するものかと思いまして……」

「誰が相反すると決めた」

グロスPP加工は、光沢のあるPP（ポリプロピレン）フィルムを圧着させて表面に貼り合わせる加工。カバーの表面保護やツヤ出しのため多くの単行本で頻繁に使われる。だが、エンボス紙の上にグロスPPを貼ってしまっては、紙の凹凸感や布のような手触りがなくなってしまう。

反論するなという仲井戸の忠告が頭をよぎるが、この点だけはさすがに確認しておかないとまずい。

「凹凸のある紙にグロスPPを貼ると、きれいに接着できずにミクロの気泡が入りやすく、色がぼやけた印象になります……グロスPPを重ねるなら、用紙はコート紙が普通ではないかと」

「おたくは普通のものを普通に造りたいのか？」

小暮は失望したような表情で浦本を見据えた。

「いいえ、文芸書は一冊ごとのオーダーメイドだと考えております」

「じゃあ、黙って刷れ」

理解できない。いや、小暮にとっては浦本の理解などどうでもよいのだろうが、それでも考えずにはいられない。浦本は手帳のメモ欄に「エンボス」「グロスPP」「UV厚盛り」と並べて書き付け、じっと考え込む。

小暮はもどかしげに「分からんか」と呟く。

「馬防柵だよ」

小暮は人差し指で宙に「井」の字を書いてみせた。

確かに長篠の戦いの戦国絵巻に描かれている馬防柵は、木材が格子状に組まれていて「井」の字が並んでいるように見える。

「タントセレクトTS－8の布目の模様で馬防柵を表現する、ということですか」

浦本は怒鳴りつけられるのを覚悟で言った。

「そのとおり！」

小暮は何かのスイッチが入ったかのように立ち上がり、叫んだ。布目の手ざわりではなく、模様を活かすということか。

「しかし馬防柵の格子の目はそんなに細かくはないのでは……」

「木でこしらえた柵なんか、どうでもいいんだよ。武田の騎馬隊をくじいた、時代の壁を表現するんだ。弾幕による鉛色の馬防柵、まさに鉄壁」

小暮は髪を振り乱し、そしてテーブルに置かれた見本の上に掌を置いた。

「丸太造りの馬防柵の前には、弾幕によるきめ細かな鉄のカーテンがびっしりと張り巡らされていた。このカーテンを突破し意地の一太刀を浴びせた奇跡の一騎、風となった一騎こそ、赤備えの名将、山県昌景だ！」

小暮は興奮した様子で見本のカバーを乱暴に外した。表紙が露わになる。

「鉛色の向こうから、真紅の甲冑（かっちゅう）をまとった一騎が飛び出してきた！」

机の上で本を裏返し、巻末側の表4を平手で「バン」と叩く。そこには、赤備えの騎馬武者が一騎、大写しに描かれていた。

「史実の山県昌景は織田・徳川の陣中に到達する目前で散った。だが久坂豊信は、山県昌景のもうひとつの最期を設定した」

浦本は、小暮の気迫に圧倒された。小暮は本の造形に関するあらゆることを自らの意思と技術で決定できる創造主だ。

仲井戸の言葉は誇張ではないと思い知る。反論はするな、持ち帰れ。その戒めも理解はできる。

だが浦本はどうしても割り切れなかった。自分も、本造りに参加している。作家や装幀家とは全く違った立場から、世の中によりよい本を送り出すために日々働いているのだ。

「意図されているところは、承知致しました。素晴らしいと思います。しかし、手に取った読者の方には分かるでしょうか」

「理解されなくていい。わずかでも、感じ取ってもらえればいいんだ」

この言葉に、浦本は鳥肌が立った。特色の微妙な色調を再現するために何度も紙に刷り直すあの努力も、決して無駄ではないのだと示してくれた。

いいものを造りたいという気持ちは浦本も同じだが、印刷営業としての立場がある。ここまで豪快な仕様変更が入ると、文友館サイドの意思を確認しなければなんとも言えない。

それに大幅な仕様変更はしないという野末との約束もある。浦本は葛藤の中、小暮に訊ねた。

「色ですが、特色の使用はありますか」

「騎馬武者の輪郭線にシルバーの特色、題字にゴールドの特色だ」

「六色刷りですね……」

浦本の喉の奥から、絞り出すような唸り声がこぼれた。ＣＭＹＫに加え、Ｇ（ゴールド）とＳ（シルバー）の特色を用意し、ＣＭＹＫＧＳの六色印刷となる。ＧとＳはそれぞれ二色分の費用がかかる。その上にＵＶ厚盛りとグロスＰＰとなれば、紙に出してみないことには色調が全く予測できない。

「本文用紙はソリストでいく」

ソリストは本文用紙の中では上質の部類に入り、慶談社の単行本でもよく使われている。予算の範囲内でできるだろうか。浦本は溜息が出そうになるのを押し殺し、黙考する。

「コストは大丈夫だ。なんとかなるはずだよ」

「そうでしょうか」

「ぼくが何十年この仕事で一線を張ってると思ってるんだ」

小暮に大丈夫だと言われると、本当になんとかなりそうな気もしてくる。

「しかし、TS-8が予算の範囲内で、かつまとまった量が手に入るかどうか……」

「手に入るかどうかじゃない。手に入れるんだよ」

有無を言わさぬ語気に気圧され、浦本は思わず「はい」と答える。

カバー、表紙、見返しなどの各パーツに使われる全ての紙をひとつの代理店か紙卸商に一括発注できれば、単価を下げられるかもしれない。

カバーに使うTS-8がネックになる。国内各社にある程度の数は散在しているだろう。だが、五万部の単行本に使うだけの在庫があるかといえば、話は別だ。

「読書は〝体験〟だ。カバー画に本物の硝薬の粉末が写し取られていると知れば、読者の鼻腔(びこう)には少なからず硝煙の匂いが広がる。鉛色で金属的な装幀から、鉄に屈した敗者の歴史を無意識のうちに感じ取る」

偏屈ではあるが、熱い人だと感じた。だが、要求が異次元で、浦本には消化しきれない。

「できないならこの件は降りるよ。久坂さんの本を手がけるからには妥協抜きで全力をぶつけたい」

小暮はそう言って、壁掛け時計に目を遣った。

「弊社も全力で対応致しますが、仕様変更は弊社の一存では決められないので、文友館さんに確認を取らせていただいてよろしいでしょうか」

「ああ、段取りしといて。悪いけど、すぐ次の来客があるから」

この場で文友館に電話をかけて了承を得ておきたかったのだが、時間切れのようだ。小暮からＵＳＢメモリを手渡された。

「カバーのデータ一式が入ってる。これを文友館に見せればいい」

小暮の事務所を出てすぐ、浦本は携帯で文友館の編集部に電話をかけた。天草の先輩編集者・鈴木が応対する。

「小暮洋一さんとの打合せを終えたところですが、至急のご相談でお電話しました」

浦本は雑司が谷の商店街を音羽方面へと歩きながら、仕様や紙の変更について説明する。文友館に仕様変更の確認をとった上、概算見積を出し直さなければならない。併せて、小暮から指定されたカバー用紙『タントセレクトＴＳ－８』を向こう一週間程度で手配できるか、確認しておく必要がある。もし国内業者やメーカーの倉庫に在庫がなければ、海外から仕入れなければならない。

ここまで説明したところで、鈴木が浦本の話を遮る。

〈ちょっと待ってください。そこまで話を詰めてきちゃったんですか〉

小暮との調整を丸投げしておきながら、この言い方は理不尽ではないか。憤りをこらえる。

「申し訳ございません。本来であれば文友館さんに先にお話しするべきところです。

しかしいずれにせよ、小暮さんは仕様変更が受け入れられないなら降りるとおっしゃっています」

〈作者本人が装幀は小暮さんをご指名だから、降りられたらまずいでしょう……まいったなあ〉

鈴木は失踪中の天草の尻拭いをさせられている。面倒くさく思うのも無理はない。

〈とりあえず、変更した場合の概算見積を出し直してもらえますか。原価の試算をやり直しますので〉

「かしこまりました。ただ、用紙の手配が可能である前提になりますが」

〈その前提で結構です〉

「タントセレクトTS-8をカバー五万部分と予備五千部分、一週間以内に仕入れる必要があります」

〈紙の手配は、そちらでなんとかしてください〉

文友館のような業務部を持たない出版社との取引では、印刷会社が直接、代理店や紙卸商に紙を発注することが多い。ただ、今回は希少な紙を大量に仕入れなければならない。

「文友館さんのほうで、特殊紙の品揃えが豊富な代理店さんをご存じないでしょうか。よろしければ紹介いただきたいのですが」

ダメもとで訊いてみた。だが、知らないとの素っ気ない答えが返ってくるばかり。

〈打合せがあるので、あとはよろしくお願いしま……〉

語尾まで言い終える前に電話は切れた。鈴木も自分の企画を数多く抱え、忙しいのだろう。

本社へ続く上り坂を、重い足取りで歩く。

依頼をくれた天草は失踪状態。『長篠の風』が無事に刊行できたとしても、文友館との取引が続く見込みは薄そうだ。

坂道を上りながら、ふいに途方もない虚しさが心に影を落とす。本が売れなくなってゆく時代の中、一冊の本の装幀にこだわるのは、何のためだろうか。

もっと言えば、自分は何のために仕事をしているのか。

天草の携帯に電話をかけてみるが、相変わらず応答無し。

とにかく、今はやるしかない。

浦本は自らに言い聞かせた。天草が音信不通の今、自分が踏ん張らなければ『長篠の風』を刊行予定日までに形にすることができなくなる。

帰社してすぐに紙の手配に取り掛かった。取引のある代理店数社に電話で問い合わせたが、在庫は無し。メーカーから取り寄せ可能か確認するとの返答だった。

血眼で他の代理店や紙卸商のホームページを探していると、外出先から戻ってきた毛利部長が心配そうに声を掛けてきた。

「どうだった、小暮洋一との打合せは」

「大幅な仕様変更です。前の仕様は跡形もありません」

「そうか。日程的に厳しいな。文友館は承知しているのか」

「はい。帰り道に文友館に電話しました。概算見積を出し直すことになっています」

咄嗟に経過良好の報告をしてしまった。

「おお、仕事が早いな」

毛利部長が浦本を持ち上げる。悪い面も報告しておかねばならない。

「しかし、ふじみ野工場に大幅な仕様変更は無いと言ってありまして、約束を破ることになります」

「俺から工場に謝っておくか」

野末には自分で詫びて、説明したい。

「私から説明します。お気遣いありがとうございます」

「分かった。だが工場への仕様変更の連絡は、必ず生産管理部を通せよ。うちから工場に詫びを入れるのはその後だ」

毛利部長は先走りがちな浦本の癖を見抜いている。

取り急ぎ生産管理部には仕様変更の第一報を入れるか。だが文友館との調整が未成熟なまま話を上げては、混乱のもとになるかもしれない。

　野末の言葉が頭の中でリフレインする。

〈伝書鳩だな〉

〈仲井戸さんなら前捌きをしてから話を持ってくるぞ。あんたは生産管理部に泣きついただけだ〉

　今の状態で生産管理部へ相談にいけば、ただ泣きつくのと変わらない。

　まずは営業担当として最低限の段取りはつけてから話を上げるべきだ。生産管理部には、紙の手配のめどを付けてから相談することとした。

　浦本はひとまず紙が手に入る前提で社印抜きの概算見積書を作成し、小暮から預かったデザインを添えて文友館の鈴木へメールで送付した。


　事態が進展しないまま、二日が過ぎようとしていた。

　頼みにしていた代理店からは次々と在庫僅少、仕入れ困難の連絡が入ってくる。

　仲井戸や毛利に相談しようと試みるも、言い出せない。時間が経つほど事態は悪化するばかり。尚更相談しづらくなる。

　苦悩を抱え込んだまま迎えた夕方。

「浦本、文友館の仕様変更の件はどうなった。生産管理部から作業の変更依頼を出してもらわないと、間に合わなくなるぞ」

毛利部長に問われた。腋(わき)の下に嫌な汗が滲む。

「申し訳ありません、すぐに話してきます」

「ちょっと待て。生産管理部に話はしてあるんだよな」

毛利部長の問いに浦本は「いいえ、まだ何も話していません」と恐る恐る答えた。

「なんだって。ということは、工場は仕様変更のことを何も知らないのか」

言葉に窮する。無力感に、唇を嚙んだ。

「今どんな状況だ」

向かいの席で聞いていた仲井戸が、割って入った。

「実は八方塞がりになっていまして……」

浦本は小暮との打合せから今に至るまでの経緯を説明した。毛利部長と仲井戸の表情がどんどん険しくなる。

「打つべき手は全て打とう。刊行日をずらせないか、すぐに交渉するんだ」

仲井戸が受話器を浦本に差し出した。

すぐに編集部の鈴木に電話をかけ、相談を持ちかける。

「紙が手に入らないことには印刷できないので、刊行日をなんとか調整いただけないでしょうか」

〈刊行日はずらせません。久坂さんと九月二日で合意してます〉

「そこをなんとか、一度ご相談いただけませんか」

浦本は恐縮しつつも懇願した。

〈そもそも、その紙じゃないとダメなんですか。正直、ぼくは紙の選定には関与していないので〉

タントセレクトTS－8の採用は小暮と浦本が勝手に決めたことだと言いたいのだろう。

〈すぐ手に入る類似の紙で代用するとか、折衷案（せっちゅうあん）でなんとかなりませんかね〉

その言葉を小暮さんの前で口にできますか。喉元まで出かかった言葉を飲み込む。

「対応案を検討してまたご連絡します」

浦本は全身の血が沸騰するような思いを鎮め、電話を切った。刊行日は動かせない。紙は手に入らない。手詰まりになった浦本は机に肘を突き、頭を抱える。

「どうすればいいんだ」

小暮との直接折衝を引き受けたのは、文友館内部で本の仕様に関する意思決定がなされていることが前提だった。だが、現状は全く違う。装幀家と出版社の間を印刷営業が調整するという異例の事態となっている。

「非常事態だ。唸っていても本は完成しないぞ」

仲井戸が立ち上がった。

「なんでもっと早く相談しなかった」

毛利部長が苦虫をかみつぶしたような顔で背もたれに身体を預けた。

「担当として責任を持って事態を整理してから相談を上げるべきかと思いまして」

「きれいに仕事を進めようとするな。うろたえたっていい、先輩や上司に泣きついたっていい。本を期日通りに完成させることが最優先だろう」

仲井戸から言われて、浦本はハッとした。そうだ。責任を持って事態を整理するなんて、綺麗事だ。本当は言い出しにくいことを先送りにしていただけではないか。

「申し訳ありません。助けてください」

期日が迫るほど印刷機のスケジュールも組み換えづらくなる。

「時間がない。紙の在庫が揃っている業者を探そう」

「目ぼしい代理店は全て当たりましたが、どこも在庫が無く、仕入れも困難だと……」

「あらゆる手を尽くしたと言い切れるか」

仲井戸に問われ、答えに窮する。

「俺は付き合いのない代理店や紙卸商にも片っ端から問い合わせる。浦本君は慶談社の業務部に訊いてみろ」

「慶談社にですか。他社の仕事に巻き込むのはさすがにまずいのでは」

確かに業務部の米村律子なら多くの代理店を知っていそうだが、手を煩わせるのは気が引ける。

「助けてくれるんじゃないか。そこは信頼関係次第だろう」

仲井戸はそう言ってすぐにインターネットで代理店を検索し、電話をかけ始めた。

申し訳ないです。恐縮です。助けていただけないでしょうか。絞り出すような必死の声で在庫が少しでもないか、他に持っていそうな系列の代理店などはないか、訊ねている。

なりふり構っていられない。

浦本は受話器を上げ、慶談社業務部への短縮ダイヤルを押した。

呼び出し音を聞きながら、受話器を握り締める。紙に詳しく、話し出すと止まらない米村なら、力を貸してくれるかもしれない。だが、いつも時間に追われて忙しそうにしている彼女の様子を思い浮かべ、心苦しくもなる。

電話に出た米村は開口一番「お急ぎの件ですか」と確認してくる。

「はい、至急のご相談があってお電話したのですが」

浦本はタントセレクトTS－8を豊澄印刷で確保しなければならない旨、経緯を説明して助けを求める。相槌を打つ米村の声は明らかにピリピリしている。

〈ごめんなさい、この後すぐ、装幀会議が入ってるんですけど……〉

「やっぱり、お忙しいですよね。申し訳ございません」

一番電話してはならない時間帯だったようだ。だが、米村は押し黙ったまま電話を切り上げようとはしない。ダメ元で、もう少し食い下がってみる。

「もし、すぐに思い当たる代理店さんなどあったら、教えていただきたいのですが」

米村は〈すぐには無理ですよ〉と笑う。やっぱりダメかと諦めかけた。

〈装幀会議は一時間で終わる予定だから、その後で探してみます。間に合うかしら〉

「ありがとうございます」

浦本は電話に向かって何度も頭を下げ、受話器を置いた。

米村からの連絡を待ちながら、浦本は仲井戸と共に全国の代理店や紙卸商へ電話をかけ続けた。

一時間半後、米村からメールで紙卸商のリストが送られてきた。リストの中に一社「○」が打ってあった。

すぐに浦本の携帯が鳴った。米村からだ。

〈メールでも送りましたが、岐阜の稲葉山紙業(いなばやましぎょう)です。営業担当の斉藤(さいとう)さんという方に話しておいたから、すぐに電話してください。数量ギリギリだから今すぐ在庫を押さえたほうがいいわ〉

「ありがとうございます」

紙の手配はひとまずめどが付いた。浦本は感謝と安堵の半面、悔しかった。仲井戸が入った途端に、膠着(こうちゃく)していた仕事も一気に動き出す。

毛利部長が「さて、次は社内の作業調整だ」と溜息を吐く。

「生産管理部には私から連絡を入れます」

浦本が受話器を上げようとするのを毛利部長が遮る。

「いや、俺から連絡する。緊急事態だからな」

毛利部長はすぐに生産管理部へ内線を入れた。手短に仕様変更の概要を報告し、データ制作部と工場への作業依頼を手配する。

横で毛利部長の電話を聞きながら、浦本は無力感で息が詰まる思いがした。自分の手元で問題を塩漬けにしたことで、事態を悪化させてしまった。

毛利部長は電話を終えると「データ制作部にも顔を出してくる」と席を立った。

「そうだ、ふじみ野の野末には、お前から謝っておいてくれ」

毛利部長は浦本の気持ちを察して、ここは任せてくれた。

「ありがとうございます……」

野末との約束を破ってしまった。胃の裏側がしぼり上げられるように収縮する。

※

　福原笑美は再校ゲラの著者校正をもう一度眺めながら、感慨に浸っていた。久坂豊信の仕上げの推敲（すいこう）の跡を入力し終えたところだ。今日中に校正チームの確認を受けて責了となる。

　久坂の歴史小説は、中学二年の頃に図書室で読んだ。それ以来、全ての作品を読んでいる。

　好きな作家の原稿に触れられるこの仕事は、やはり自分の天職だと、改めて思う。

　営業第二部の浦本がまた差し入れの缶コーヒーを持ってきてくれた。

　DTPオペレーターの間では浦本からの差し入れに手を付けた者には急な仕事がどっさり降ってくるという噂がまことしやかに囁かれている。

「いつも申し訳ない。順調ですか」

　浦本が恐縮しながら画面を覗き込んでくる。

　一週間前、営業部の毛利部長と生産管理部の古関がこわばった表情で白岡のところへ直談判にやってきた。各見開きの柱の上に騎馬武者のシルエットのアイコンを追加して欲しいという至急の作業依頼だった。

福原がすぐに突貫作業で仕上げた。

火縄銃の硝薬をスキャンするという難しい作業も飛び込み、画像製版チームがスキャナーの前で試行錯誤を繰り返し、なんとかカバーの版を作り終えた。

浦本は責任を痛感しているようで、表情が暗い。

少しでも元気づけよう。福原は画面上のページをリズミカルに切り替えてみせた。

「ページをめくると、こうなります」

「走ってるね。滑らかなアニメーションだ」

「〇・一ミリ単位で微調整しました」

騎馬武者のシルエットの画像を各見開きに一枚ずつレイアウトしなければならなかった。

ページ上部の柱は、通常ならインデザインの一括設定で処理できるが、このパラパラアニメは全部手作業となった。

「本当に、ありがとう。今回はデータ制作部にも工場にも散々迷惑を掛けっ放しだ」

浦本は顔をしかめる。装幀家・小暮洋一に振り回され、紙の手配に腐心するなど、厳しい状況だという。

「皆さんのおかげで、なんとかここまでこぎ着けられた」

浦本は封筒からカバーの色校を取り出した。本番と同じ紙で、色校正の専門会社に頼んで出してもらったものだ。

「すごくいいカバーですね」

鉛色に塗りつぶされた騎馬武者が突進してくる。理屈では説明できない、直感に訴えかける何かがある。理不尽な変更指示の話を聞いた後でも、素直に「素晴らしい」と思える。

「本番よりだいぶ色が薄いけど、ふじみ野の実機でインキを特盛りにして刷れば大丈夫。一昨日、小暮さんのＯＫももらえた」

当初は血染めの草原を主とした色鮮やかなデザインだったという。

「それだけ大きな仕様変更では、工場の人たちからまた怒られてしまいますね」

福原は「自分は怒っていないから大丈夫」という意味も込めて言った。

「ああ、仕様変更は無いと約束していたからね。ただでは済まされないと覚悟して、野末君にお詫びの電話を入れたけど、拍子抜けするほどあっさり『分かった』と」

「なるほど。浦本さんの人徳かもしれませんね」

「いや。きっと見限られたんだと思うよ……。だから余計に申し訳なくて」

「浦本さん、むやみに謝らないほうがよいと思います。工場の人たちだって、仕事ですから」

「そうは言っても、謝るのも営業の仕事だから。申し訳ない」

営業は、自分とは全く別の苦労を抱えているのだと知る。

「もしも全部が電子書籍になったら、こういう苦労なんてなくなるのかもしれないね。紙の手配はいらない、造本設計に凝る必要もなくなる」

浦本は、隣の電子書籍チームに目を遣った。十二名のチームが日々、電子化される作品の版を組み上げている。イーパブ（ＥＰＵＢ）という電子書籍の標準規格に変換する作業だ。

電子書籍化される作品は、年々増加し、電子書籍チームは今年度から二名増員となった。

「結局どの作品も、端末で読まれるわけですからね」

福原はトートバッグから電子書籍のタブレットを取り出した。

「おお、福原さんも持っているんだね。福原さんは紙の本しか読まないとばかり思ってた」

「オペレーターとして一応、電子書籍にも馴染んでおこうと思いまして」

世に出回っている電子書籍端末の多くはモノクロ仕様のため、カバーのデザインや色にこだわったところで、画面上では白黒になる。

「いくら本の造りに凝っても、端末で読むなら関係なくなっちゃうよね」

浦本は福原の端末に目を遣りながら、寂しそうに呟いた。

「でも、私はこのカバーを身にまとって生まれてくる本を、見てみたいです」

このカバーをまとって、新しい本が生まれる。想像するとやはりわくわくする。

浦本の携帯電話が鳴った。浦本は「ちょっと失礼」と断り、応答する。「浦本でございます」と名乗る声には、へりくだった姿勢と緊張感が入り混じっていた。

最初のうち、浦本は引きつった笑顔で相槌を打っていたが、だんだん表情が険しくなってゆく。しまいには眉間に皺を寄せ、押し黙ってしまった。

「お言葉を返すようですが……色校にOKをいただいたので、紙は発注済です。それも、小暮さんからの急な変更のご指示で、なんとか仕入れ先を探して手配したものです」

間違いない。相手は小暮だ。

携帯電話から相手の声がもれ聞こえてくる。内容ははっきりと聞き取れないが、かなり大きな声でがなり立てているようだ。

「キャンセルは不可能です。今日工場に搬入され、開封検品しましたので」

割れた声が電話口から聞こえる。相手も一歩も譲らないようだ。

「工場の人間を連れて来いと……？　恐れ入りますが、それはご容赦ください。工場の社員は手一杯ですから。私がお話をうかがいます」

毅然とした態度で言い返す浦本。その後、浦本は「もしもし？」「小暮さん？」と繰り返し、「切れたか」と言って電話を内ポケットにしまった。

「色校の色調にやっぱり納得いかないから、カバーの用紙を上質紙に戻せと。無茶苦茶だ」

「横暴ですね」

「参ったな。インキの量や注意点について工場の担当者と直接話をさせろの一点張りだ。しかも、作業に関わる工場のメンバー全員を雑司が谷の事務所に連れて来いとおっしゃる」

そんなことをすれば、印刷機を半日以上止めることになる。不可能な話だ。

「私にいい考えがあります」

福原は浦本に解決案を切り出した。工場と本社の連絡体制には、前々から改善の余地があると感じていたところだ。

※

弁当のおかずは、玉子焼きとキャベツの千切り。野末正義は崩れた玉子焼きを箸ですくって食べた。沙織が塩の加減を間違えたのか、ひどくしょっぱい。

ここ数日、沙織や子供たちとはほとんど会話をしていない。

昼食を終えた野末は、裏切り者の到着を待つ。

管理棟の会議室では、インターネットを介したWEB会議の準備が進んでいる。印刷オペレーターの高野がノートパソコンにWEBカメラを接続し、画面を調整する。その手際のよさに工場の面々は舌を巻いた。

オペレーターとしては新米だが、パソコンやシステムに関する作業では一転、大活躍する。子供の頃からインターネットに触れてきた世代だ。

「お疲れ様です」

浦本学がやってきた。今日の面倒な打合せを招いた張本人だ。

「あんたには何も期待していない。おそらく今日も、小暮に押し切られて言われるがままになると覚悟は決めてあるさ」

「今日こそは、こちらの言い分もきっちり聞いてもらうから。申し訳ない」

浦本と話すつもりはなかったが、神妙な表情で謝られると苦言のひとつも言いたくなる。

「なぜ小暮と直にやりとりした。デザイナーからの要求は編集者を通すのが基本だろう」

「元の担当編集者さんが急に会社に来なくなって、小暮さんの希望で直接話さざるを得なかった」

急遽担当となった先輩編集者は引き継ぎも受けていないため『長篠の風』について何も知らないという。造本設計の詳細を知っているのは浦本だけだ。

「そういうことなら百歩譲って仕方ないとする。だが大幅な仕様変更は無いという約束を破った」

「申し訳ない」

「もうあんたの『申し訳ない』は聞き飽きた。で、今日は言われるがまま再変更の打合せってことか」

「再変更はなんとか避けたい。そのための打合せだよ」

小暮が指定した特殊用紙タントセレクトTS－8を五万部分、やっとの思いで手配した。だが昨日になって、小暮は前言を翻し上質紙を使うと言い出したという。タントセレクトTS－8は、昨日ふじみ野工場に到着している。

「小暮さんは、届いた紙は豊澄印刷でなんとかすればいいとおっしゃる」

「そんな滅茶苦茶な話があるか」

あまりの理不尽さに、野末は激昂した。それから、はっと我に返る。この怒りは、浦本が向き合っている不条理への共感ではないか。

「本当に、野末君の言うとおり。滅茶苦茶だ。でもなんとか話をまとめないと、本が完成しない。それに理不尽だけど、乗り越えればヤバい本ができるような気がする」

「なんだそのヤバい本っていうのは」

「元の担当編集者さんが言ってたんだ。初めて担当する小説だから、ヤバい本を作りたいって」

「よくそんなことを言ってられるな。その編集者がトンズラして、ひどい目に遭ってるんだろう」

野末は改めて思う。やはり理想を語る人間は無責任だ。

WEB会議の準備をしていた高野が「繋がりました」と声を上げた。

〈おつかれさまです。そちらの画面に、映ってますか〉

パソコンのスピーカーから女性の声がした。画面には、生活感のない部屋が映し出されていた。

小暮洋一デザイン事務所の一室だ。黒無地のTシャツに白の綿パンというラフな服装の女性がWEBカメラの位置を微調整している。通信が繋がったことを確認すると、彼女は〈おつかれさまです〉とこちらに声を掛けてきた。

〈データ制作部の福原です。よろしくお願いします〉

名前に聞き覚えがある。データ制作部で最も仕事が速いと噂のオペレーターだ。入稿データのDTP入力担当者記入欄で「福原」という名前をよく見かける。

本社のDTPオペレーターと顔を合わせる機会は滅多になく、同じ会社にいる実感が薄い。

「福原さん、どアップになってますよ」

浦本が笑って指摘すると、福原はニコリともせず〈失礼しました〉とカメラから一歩離れた。

〈準備ができたならすぐに始めるぞ〉

画面の中央に現れたのはオレンジのスウェットを着た髭面の男。小暮洋一だ。

小暮の隣には文友館の男性編集者が座っている。失踪した新人編集者の尻拭いで駆り出されたのだろう。

〈変更点を説明する〉

いきなり本題に入った小暮は、冒頭から言いたいことをまくし立てた。

どうやらタントセレクトに金銀の特色を刷ると思い通りの色が出ないと考え直したらしい。

〈用紙は上質紙に変更し、格子模様はステンレスメッシュを使って線で表す〉

これは打合せではない。小暮は、一方的に決定事項を伝えて指示するといった体で話している。

野末は権威を笠に着て上からものを言う人間が大嫌いだった。だが小暮洋一の仕事は素晴らしい。マッキントッシュのモニターには、創造力と技術を結集した精緻(せいち)な図案が表示されている。小暮の権威は本物で、才能と努力で手に入れたものだ。

やはり本造りを司っているのは、こういう一部の人間たちなのだ。

だが、印刷工程を仕切る立場として、言うべきことを言っておかねばならない。

このままでは一方的な指示を受けるばかりでWEB会議が終わってしまう。

「既に、タントセレクトでの印刷を想定してインキの粘度などを調整してあります。何より、今から紙を変えていてはスケジュール的にも困難です」

野末は画面をまっすぐ見据えて言った。

〈困難なものか。上質紙なら明日にでも手に入るだろう。それより、色が正確に出ないだろうと言っている。おたくらのリスクも考えてのことだ〉

「この話を最初にうかがった時から、リスクは承知しています」

野末は、不可能ではないと考えている。だが、小暮を説得できない。

〈いいから黙って、言われた通りにやってればいいんだよ。やれよ!〉

短気で気難しいとは聞いていたが、予想以上だ。

「仮に紙を仕入れ直して印刷をかけるとして、既に搬入された二トンものタントセレクトはどうなりますか。小暮さんに色校を確認していただいた上で紙を発注したと、営業からは聞いてますが」

とげのある言い方になった。悪い癖だと知りながら、ついこうなってしまう。

〈同じ説明をさせるな。そこに座ってる営業の人に言ったよ！　紙は次の仕事で使えばいいと〉

浦本が「お言葉を返すようですが」と割って入る。

「タントセレクトのような特殊な紙を次の依頼に繰り越して使うのは困難です。文友館さんの経理処理上も、難しいのではないでしょうか。鈴木さん、いかがですか」

〈ええ、まあ……〉

急に話を振られた文友館の鈴木は曖昧にうなずく。

〈細かい話は結構。どうにかしろと言ってる。御用聞きや調整もできないで、何のための営業だ〉

浦本は「何のため……」と言ったきり、口ごもった。

「本を造るためです」

〈造る？　おたくが〉

小暮は声を立てず、冷ややかに笑っている。

「もちろん私が造っているわけではありません。しかし、私を含めた印刷営業や印刷オペレーターもいなければ、本は完成しないのもまた事実です」

〈冗談じゃないよ〉

小暮は浦本の語尾にかぶせて、声を荒らげた。

〈こっちはね、自分の考案したデザインに全責任を負っている。決められたことに従って仕事をしていれば毎月金がもらえるような歯車とは違うんだよ〉

「大先生、ちょっといいですか」

これまで無言のままだったジロさんが、手を挙げた。

「大先生こそが頭脳でありモーターで、周りの歯車は何も考えずくるくる回ってりゃいいということですか」

〈おたくの下手なたとえ話など聞きたくないのだが〉

「失敬。しかし、どんなに性能がいいモーターでも、単体では何も生み出せないのは確かです」

小暮は画面の向こうからこちらを睨み付けている。

「歯車がいなければ、アイデアはカタチにならない。絵に描いた餅と同じですわな」

烈火のごとく怒るかと思いきや、小暮は〈ほぉ〉と鼻で笑うような相槌を打った。

「歯車にも意地があります。特に我々職人は『できない』と決め付けられれば『できます』と言ってみたくなるもんです。実際に、できると思っとります。ここは任せてもらえませんかね」

〈私に喧嘩を売っているわけか〉

「そう捉えられたならば、それで構いません」

小暮は〈ふざけた印刷屋だ〉と吐き捨てた。

〈じゃあ、やってみればいい。その代わり、失敗したら上質紙に変えてやり直してもらうぞ〉

〈小暮さん、そうなると、費用が……〉

文友館の鈴木が困り果てた顔で割って入る。

〈何を言ってるんだ。豊澄印刷が負担するんだろう。刊行予定日に遅れた場合の違約金もだ。なあ、そういうことだろう〉

さんざん仕様を変えて振り回しておきながら、ツケは印刷会社に回す気か。野末は「何様のつもりですか」という言葉をぐっと飲み込んだ。

その時、浦本がWEBカメラに向かって一歩進み出た。

「承知しました。失敗した場合は弊社で費用を負担するので、このまま作業を進めさせてください」

野末は耳を疑った。売り言葉に買い言葉で熱くなった両者が、静まり返った。

〈よし、ならばやってみたらいい。話は終わりだ〉

小暮の怒りを買った結果、図らずも豊澄印刷の主張どおり、紙は変えずに進めることとなった。だが、失敗した際の負担は豊澄印刷にかかってくる。

文友館の鈴木は困惑した表情で〈まずいんじゃないですか〉と訊ねてくる。だが、浦本は「大丈夫です。上には事前に相談してありますので、お任せください」と請け合ってしまった。

〈煙草を吸ってくるからその間に片付けておいて〉

画面の向こう側で、小暮は福原に指示し、煙草をくわえて部屋を出て行った。文友館の鈴木も小暮に付いていく。

〈浦本さん、大丈夫ですか、勝手に費用の負担まで約束して。上に相談なんてしてませんよね〉

福原がモニター越しに声を潜めて訊いてくる。

「非常にまずいね……。この約束、上には内密にしておかないと。福原さん、口外無用でお願いします。工場の皆さんも、ここだけの話で」

〈小暮さんの指示通りの色調にならなかった場合、どうするんですか〉

「え？　そういう心配は特にしてないけど」

浦本は笑いながら言った。

「ジロさんや野末君が『できる』と言ってるんだから、できるだろう」

「言ってくれるね。随分と買いかぶられたもんだな」

ジロさんが呵々大笑する。豪気なジロさんを横目にしながら、野末は現場を仕切る責任者として、生きた心地がしない。

「稟議も上げずに費用負担の約束など、ありえない。素人でも分かるぞ。万が一、色が出なかったらどうするつもりだ」

野末は改めて問い質した。浦本は眉根を寄せて「どうすればいいだろう」と難しい表情を作る。

「その時に考えるしかないだろうな……」

「相変わらず無策だな」

「でも、百パーセント信頼してるから」

浦本は真顔で言い切った。信頼していると言われて、こんなにも腹が立つのはなぜだろう。

「よし、浦本のにいちゃんのクビが飛ばないよう、小暮の思い通りのモノを作るぞ。そうすれば、さっきの密約はチャラになる」

ジロさんが気勢を上げる。ふじみ野工場は奇妙な一体感に包まれた。

野末は今、はっきりと自覚した。浦本のこういう所が嫌いなのだ。そしてきっと、こういう所が羨ましいのだ。

印刷会社はメーカーだとか、百パーセント信頼しているだとか、根拠の無い精神論を拠り所に、易々と大きなものを賭けてしまう。

浦本の左手の薬指に指輪があることに初めて気付いた。

「あんた、子供はいくつになった」

「子供はまだいないよ。これから結婚するところだからね」

ジロさんや他のオペレーターは作業に戻るために会議室を出てゆく。WEBカメラの片付けをする高野の他は、野末と浦本だけが残った。

「野末君のところは双子の男の子だっけ。いいよなあ」

守るべきものが妻と二人の子供たちだけなら、どれほど幸せだったろう。つい二年前まで、ごく普通の家庭だったと思い返す。

「忙しいと思うけど、いつかサシで飲もう」

浦本の誘いに、野末はかぶりを振る。

「やめておく。気軽にサシで飲みたいとか言う人間は、信頼できないね」

「そう言わずに。色々と面倒かけてるから。互いの仕事の話もできればなあと」

野末は焼き鳥屋のカウンターで浦本と並んでいる光景を想像する。

「お互い、働く理由が根本的に違う。あんたと飲んだところで、意気の合う話などできっこない」

工場棟へ戻るため、メモ帳とボールペンを作業着の胸ポケットにしまった。浦本は難しい顔で机の一点を見つめながら言った。

「じゃあ野末君は、何のために仕事をしている」

何のために。このところ、幾度となく我が胸に問いかけ、分からなくなっていた。いや、分かったと思いたくなかったのかもしれない。

「金のためだよ」

迷わず答えた。口に出してみて、急にすっきりした気持ちになった。

「もらえる金に見合った責任を果たす。それ以上でも、それ以下でもない」

金のために、生きてゆくために毎日全力で働くのだ。


二日後、『長篠の風』初版五万部の印刷が行われた。

本文の印刷は朝から五号機をほぼフル稼働させ、無事に終了した。

夕方から五号機でカバーの印刷。

十八時過ぎ、浦本が差し入れをたんまり買い込んで工場に現れた。差し入れは管理棟の冷蔵庫に突っ込んである。

「邪魔にならないようそこに座っててくれ」

野末は、忙しなく場内をうろつく浦本を注意した。

「申し訳ない。それにしても新人の彼、進歩してるね」

浦本が指差したのは新人オペレーターの高野。紙の手積みに安定感が出てきた。五百枚程度ずつ紙の両端を摑んで指で弾く。

紙のばらけ具合が肝心だ。野末はパレットに近付き、作業中の高野に声を掛けた。

「ちょっと確認させてもらう」

一枚一枚の間にほどよく空気の隙間ができているか、親指で紙の端を弾いて感触を確かめる。

「よし、大丈夫だ。そのままセットしてくれ」

「了解しました」

高野は張り切った様子で給紙部へタントセレクトTS-8を積んでゆく。

印刷部の準備作業は野末が行う。まずは胴と呼ばれる二つのローラーのセッティングだ。

一つ目の版胴には、活字が記されたアルミ製の刷版を巻きつける。刷版は活字などの画線部分が親油性、それ以外の部分が親水性となっている。刷版の表面にインキと湿し水を同時に供給すると、油と水の反発性により、インキは親油性の画線部にだけ付着する。

二つ目はゴム製のブランケットを巻きつけたブランケット胴。刷版の画線部に付着したインキはブランケット胴に剝離（オフ）され、紙へ転写（セット）される。

オフセット印刷と呼ばれるこの方式により、大量かつ高速の印刷が可能となった。

「五号機、確認完了しました」

カバーの印刷に取り掛かる。インキ壺には既に特色のゴールドとシルバーがセットされている。

細かい網目の入ったタントセレクトに、鉛色をベタで塗り、武者の輪郭線をオーバープリントする。緻密な作業だ。

グワン、ガシャン。

見上げるほど大きな五号機が、唸りを上げて動き出す。刷り出しの十枚が瞬く間に排紙部に吐き出された。

「ムツゴロウ、濃度計でチェックしてくれ。大丈夫か」

「濃度ＯＫです」

金のために毎日、力を尽くす。力の拠り所は意地だ。少しでも上手く、誇りを持てるやり方で。

刷り出しを一部、ジロさんに手渡す。ジロさんは食い入るように色を検証する。色調をチェックするジロさんの目は、いつも恐ろしい。ブルーベリーガムのご利益を授かった目で、濃度計では判別できない色の本質を見極める。

「だめだこりゃ」

ジロさんが首を振った。

「輪郭線のシルバーが周りの色から浮いちまってるだろう。もっと色が沈まないとダ特色の品質管理はジロさんの専決事項。どのようにダメなのか、ジロさんにしか分からない。野末たちはその目を信じて印刷機を動かす。

「はあ、ヤレヤレだ。間違いないはずだったのになあ！」

ジロさんがヤレ紙を網カゴに突っ込みながら苦笑いする。

色校に合わせて早めに濃度を設定してあった。だが、同じ設定で印刷をかけてみたところ、結果は違ってしまった。

微調整し直すほか無い。

ヤレ紙を出して失敗を重ねた先に、本は完成する。ヤレヤレだからヤレ紙だ。失敗しては肩を落とし、上手くいけば安堵する。

「この紙、生きてやがるな」

忌々しげに言うジロさんの表情は、どことなく嬉しそうだ。手ごわい紙を前に職人魂に火が点いたのか、生き生きしている。紙は呼吸している。その時々の天気や湿度などにより、状態が微妙に変化する。紙の変化に、インキの量や印刷機の設定を合わせなければならない。

「ムツゴロウ、圧を変えたらどうなっかなあ」

「やってみますか」

ブランケット胴と圧胴と呼ばれる二つのローラーの間隔を百分の一ミリ単位で調整し、印刷の圧を変え、インキや湿し水の供給量などをほんの少しずつ調整し、試行錯誤を繰り返す。ダメだ、またダメだ。失敗を重ねるごとに不安が募る。

七度目の試し刷りをジロさんに手渡した。鬼の形相で数秒見つめた後、頷いた。

「よし、これならドンピシャだ」

思い通りにならず、何度もやり直す。だからこそ、上手くいった時は面白い。

二十一時、野末たちは遅めの休憩に入った。管理棟では浦本がテーブルいっぱいに弁当と飲み物を広げて待っていた。

「皆さん、腹ごしらえを。ぼくにはこんなことぐらいしかできませんが」

「豪華コンビニ弁当のオンパレードか。浦本のにいちゃんに安く買い叩かれちまったもんだな」

ジロさんが笑いながら真っ先にエビフライ弁当と緑茶のペットボトルを確保する。

「野末君も、おひとついかが？」

「家から持って来てる」

野末はリュックサックから弁当の包みを取り出した。

「このご時世に、差し入れ持って社内接待か」

「社内接待だなんて、そんな大層なものではないよ。今回は特に、工場の皆さんに負担をかけてるから、せめてもの気持ち」

ポケットマネーで差し入れを買い込んで同僚を労（ねぎら）う。今の野末にはできない芸当だ。ここ二年以上、後輩に飯を奢ることすらできていない。

「何度も言うが、俺たちが無茶を引き受けるのは営業のためでも、あんたのためでもない。仕事だからだ。その度にいちいち差し入れしてたら、財布が持たなくなるぞ」

「仕事を超えて恩を感じたり、感謝を表したい時もある」

味や素っ気で仕事は進みませんから。ジロさんに言った言葉を思い出す。

今、工場の面々六人と浦本が打合せテーブルを囲み、楽しげに遅めの夕食を頬張っている。

「備え付けのソースじゃ足りねえから、こうやってオーバープリントするわけだ」

ジロさんはロッカーに常備してあるブルドックソースを持ち出し、エビフライだけでなく白米や付け合わせのスパゲティにまで、まんべんなくかけた。野末や工場の社員にとっては見慣れた光景だが、浦本はソースの海に浸った弁当を食い入るように見ている。

「これ、本当に食べるんですか」

ジロさんは「食べなくてどうするんだよ」と、ソースにまみれた付け合わせのスパゲティを箸ですすった。

「ジロさんにかかると、何でも汁だくのソース弁当になるんですよ」

高野が浦本に説明する。ジロさんは「ソースがあれば何でも美味い」とアントニオ猪木の口真似をして「イチ、ニイ、サン、ダーッ」と浦本の海苔弁当にソースをかけた。

絶句する浦本にジロさんは「美味いから、食べてみろ」と勧めた。浦本はソースに浸った海苔を恐る恐る食べて「意外といけますね」と呟く。おーっと一同から笑いが起きる。

気を良くしたジロさんは「中濃ソースは粘度がちょうどいい」「ウスターソースは速乾性抜群で、トンカツの衣によく馴染む」などインキになぞらえてソースの使い分けを説く。

野末はふとこぼれた笑いを咄嗟に打ち消し、梅干を強く噛みしめた。

今日の現場は困難な作業が多いが、良好な雰囲気で仕事が回っている。

休憩を挟んだ後も順調に進み、二十三時、カバーを含めた五万部分の印刷が終了した。ひと晩乾燥させ、仕上げの工程へと入る。

「あとは明日の早番でＵＶとグロスＰＰ加工を終えれば完了だ。ここまで来れば大丈夫だろう。加工が終わったら定期便で送るから、小暮のオッサンにも見てもらってくれ。問題無いはずだ」

装幀家のチェックを仰ぐ義務はないが、逆に自分たちの意地を見せてやりたい。

「よかった……。正直、失敗したら俺じゃ責任取りきれない話だった」

「無責任の極みだ。とりあえず、クビが繋がったな」

浦本もまた、自分なりのやり方で営業の意地を見せたのかもしれない。

「ありがとう」

「感謝されるいわれはない。仕事だからな」

野末は金のため、生きてゆくために仕事をしている。耳鳴りがする夜を越え、そのまま朝を迎え、逃げ出したいと思うこともある。

だが一度工場に入ると、気づかぬ間に全て忘れているのだった。手を動かしている間は、目の前の印刷物をより良く仕上げることに没頭している。

「ムツゴロウ、お疲れ。今日のは案の定、骨が折れたな」

「ですね。でも案外、面白かったです」

どうせ仕事をするなら、少しでも面白いほうがいい。確かにその通りだ。

深夜零時『長篠の風』の本文と表紙カバーを積んだパレットをフォークリフトで場内の隅に寄せ、野末の長い一日が終わった。

ロッカールームで着替えていると、折りたたみ式の携帯電話が鳴った。

〈俊明の容態が急に悪くなって、これから病院へ行きます〉

沙織の声は涙で震えていた。

いよいよ来たか。口には出せなかったが、心の中では予期していた。

「そうか。気をつけて」

気遣う言葉をかけて電話を切りながらも、野末は湧き上がる期待を抑えることができなかった。これで心穏やかに、家族と己のために仕事ができるかもしれない。日々の責任を果たして得た金を、妻や子供たちのために使える。

早く解放されたい。そう願う気持ちを蔑み、振り払おうとするが、できなかった。

※

九月に入っても蒸し暑い日が続く。しかし夜になると外の空気に秋の気配が感じられる。

池袋駅に降り、閉店間際の三河屋（みかわや）書店に駆け込んだ浦本は、オススメコーナーの棚の前で小さく歓声を上げた。『長篠の風』は平積みで三面陳列。

メタリックなカバーは棚の中央で異彩を放ち、ひいき目を差し引いても存在感は際立っていた。これは本当にヤバい本かもしれない。

文友館へ電話で『長篠の風』の取次搬入完了報告をした際に、天草の消息を尋ねたところ、半ば予測していた回答が返ってきた。

〈天草は今月末付けで退職することになりました〉

浦本は平積みにされた『長篠の風』の一冊を手にとり、迷わず最後尾のページを開いた。

著者の略歴などの下に、この本に関わった企業などが列記されている。

〈発行所　株式会社文友館
印刷　豊澄印刷株式会社
製本　株式会社報国社〉

奥付は、本のエンドロールだ。関わった全員の名前を載せることはできないけれど「豊澄印刷株式会社」の向こうには野末やジロさん、福原、浦本の名前も刻まれている。紙の手配の道筋をつけてくれた慶談社業務部の米村律子や、岐阜の稲葉山紙業の人たちも忘れてはならない。

そして「株式会社文友館」の向こうには編集者・天草啓吾の名前も刻まれているのだ。

天草が失踪したおかげで、浦本はとんだとばっちりを食った。天草に対する恨みや憤りが全くないと言えば、嘘になる。

だが不思議なことに、残念だという気持ちのほうが勝っていた。

祝杯を上げようと約束した、あの日の居酒屋会談を思い出す。浦本はあの時、蒼く若い編集者と、ものづくりの実感を共有していた。

まだ閉店時刻の二十二時まで十五分ある。浦本は店内の棚を見て回った。豊澄印刷のみならず、他社の造った本が競い合うようにして並んでいる。

浦本は書店を歩いて回るのが好きだ。どの本にも、カバーや帯などに工夫が凝らされている。カバーのイラストや色使い、帯のコピー、紙の触感。

作者、出版社の編集者や営業・広報担当、印刷会社や製本会社の人々、取次の人々。多くの努力の結晶が書店に辿り着き、こうして並んでいる。

自分の携わった本が書店の書棚に並ぶ姿を見ると、浦本は勇気づけられる。

本が売れなくなってゆく時代の中で、一冊の本の装幀にこだわるのは何のためか。その答えは分からないが、少なくとも今はただ『長篠の風』の完成を嬉しく思う。

〈間もなく閉店のお時間です。どなた様もお忘れ物のないよう気をつけてお帰りください。本日も三河屋書店にご来店いただき、誠にありがとうございました〉

店内に『蛍の光』の旋律とともに、閉店のアナウンスが流れ始める。

来店客は多くの選択肢の中から今日の一冊を手に取るか否か、いよいよ本棚へ視線を走らせる。

書店は本と人との出会いを繋ぐ場だ。作りこまれた本棚が、良い本を一冊でも多く売りたいという書店員の熱量を物語っている。

棚のあちこちに付けられた販促ポップの多くは、書店員の手書きによるものだ。

〈一三六ページのとあるひと言で、人生が変わる？〉

〈店長のオススメ！　読んで語り合いたくなる一冊〉

〈当店オリジナルコレクション　猫の物語ばかり集めました！〉

浦本は再び新刊コーナーに戻り、平積みされた『長篠の風』の前に立った。その時、ダークグレーのスーツを着た初老の男性が『長篠の風』を一冊手に取った。

ありがとうございます。危うく口に出しそうになった。

小説の単行本を作りたいという天草の夢は実現した。書店の棚に堂々の平積み三面陳列で並べられ、今まさに、読者の手に取られた。

携帯電話の電話帳から天草の社用携帯の番号を呼び出し、電話を掛けてみる。呼び出し音が数回鳴った。社用携帯はまだ天草の手元にあるのだろうか。携帯からは留守番電話サービスの自動音声が流れるばかりだ。

「応答無しか……」

誰にともなく呟き、携帯電話をスーツの内ポケットにしまう。

改めて、本のカバーを確認する。鉛色のベタ塗りの中、銀の特色で薄く縁取られた騎馬武者たち。カバーを外し、表紙を見ると鮮やかな真紅の色彩を帯びた一騎が今にも本から飛び出してきそうな躍動感と共に描かれている。

「いらっしゃいませ」

中年の女性書店員が静かに挨拶しながら『長篠の風』の台に葉書サイズのポップを立てた。

〈時代の壁に立ち向かって敗れた男たち。愚か者だと笑いますか？〉

本文を深く読み込まなければ出てこないキャッチコピーだ。カラーマジックで火縄銃と騎馬武者のイラストがあしらわれている。

お門違いかもしれないが、ポップを立ててくれた彼女に感謝の意を伝えたい。

「失礼します。わたくし『長篠の風』の印刷を担当した者です」

浦本はためらう気持ちを振り払い、名刺を差し出した。女性書店員は少し戸惑った様子で「お世話になっております……」と名刺を受け取る。印刷会社の人間から名刺を渡されることなど、滅多にないだろう。

女性書店員の名札には「森田(もりた)和代(かずよ)」と記されている。

「素晴らしい棚ですね。皆さんの手作りですか」

森田和代は「えっ」と一瞬戸惑った様子で棚へ目を遣り、「そうなんです」と笑顔で答えた。

「ポップもパネルも、全部手作りです」

「写真、撮らせていただいてもよろしいでしょうか」

「どうぞ、どうぞ！」

浦本は携帯のカメラで三河屋書店渾身の陳列棚を撮影した。誕生のお手伝いをした本の晴れ姿だ。その写真を、天草の社用携帯へメールで送信した。嫌がられるかもしれないが、せめてもの記念として。

〈天草様 『長篠の風』の初版本、三河屋書店のオススメコーナーにて平積み三面陳列で並んでいます。手作りのポップも付いています。おめでとうございます。ご報告まで〉

すると間もなく、着信音が鳴った。浦本はいったん店の外に出る。

「はい、豊澄印刷、浦本でございます」

〈お久しぶりです、天草です〉

快活な声で応答したが、声は返ってこない。少しの沈黙の後、咳払いが聞こえた。寝起きのような、覇気のない声がした。自宅からだろうか、周囲の音は入ってこない。浦本も「ご無沙汰しております」と声のトーンを落とす。

〈ぼく、今月末で退職するんで〉

「伺っています」

天草は〈なんだ、知ってるんですか〉と拍子抜けしたように言った。

「ヤバい本ができましたよ」

〈ぼくは何もやってませんから……。色々と、すみませんでした〉

「いいえ。天草さんがいなければ『長篠の風』は世に出ていなかったんですよ」

〈どうでしょう……。でも、ありがとうございます。いい記念になりました〉

沈黙の後、浦本は一番訊きたかったことを口にした。

「本当に辞めてしまうんですか」

電話の向こうの天草は、答えない。

「せっかく初めての小説作品を担当されて、こんな良い形で完成できたのに、もったいないです」

浦本が引きとめたところで天草が退職するという結果が覆ることはない。余計なお世話と思いつつ、一個人として思うところを伝えた。

「すみません、もし小暮さんとの連絡や仕様決めの失敗を気に病んで退職されるなら、本当にもったいないと思うので。今回の仕事で、何か行き詰まったり、それとも……」

するると天草は笑って〈いやいや〉と遮る。

〈もっと現実的な問題です。数字が上げられなかったからです〉

刊行点数や部数の月々のノルマが達成できず、上司から厳しい追及を受け、心身ともにまいってしまったという。

〈もっと『長篠の風』に時間と力をかけたかったんですが、ぼくは他の企画で結果を出せていなかったので、並行する他の案件や企画のネタ出しに追われて中途半端になってしまいました。全部が中途半端で、身も心も疲れ果ててわけがわからなくなっちゃって……〉

天草がぶち当たった壁は、もっと大きくて根本的なものだった。

〈浦本さん……好きなことをやって生きていくって、難しいんですね〉

ワールド印刷から豊澄印刷に移った浦本もまた、本造りという好きな仕事に携わる一方で、困難に直面している。

「そうかもしれませんね。また、どこかでご縁があればぜひ」

〈まあ、もしご縁があれば。でも、無いかな……。編集者には向いていないみたいなので〉

今後のことは何も決めておらず、少し休んでから考えたい。天草はそう語った。

〈ひと言、退職の挨拶とお詫びだけはしたいと思って、今更だけど電話しました。ほんとに、すみませんでした〉

最後に天草は何度も詫びの言葉を口にし、電話を切った。

あなたが久坂豊信を口説いていなかったら、この本は世に出ていなかった。

だから胸を張って言っていいと思う。

この本は、自分が作ったのだと。

たとえ本作りの仕事から離れても、この本は間違いなくあなたがこの世界に残した足跡だ。

浦本は店内に戻ると『長篠の風』を一冊手に携え、レジへ向かった。

第三章『ペーパーバック・ライター』

青空高い秋晴れの昼下がり、浦本は昼休み返上で原稿整理を終えたところだった。

午後二時、遅めの昼食を摂るため本社近くの喫茶店に入った。レジでサンドイッチとブレンド珈琲（コーヒー）を注文し、トレーを持って空席を探す。

レジ近くのテーブル席で、慶談社の奥平が色あせた青のパーカーを着た男と向かい合い、何やら難しい顔で話をしている。おそらく相手は若手の、あまり売れていない作家だ。

奥平が一方的に話し、作家らしき男は憮然とした顔でそれを聞いていた。

「おつかれさまです」

浦本は打合せの邪魔にならぬようそっと声を掛け、別の空席を探すが、奥平に呼び止められた。

「浦本さん、ちょっとご一緒しませんか？」

四人席のうち二つが空いている。浦本は「失礼します」と一礼し、恐る恐る奥平の隣の席にトレーを置いた。

「こちら、曾我部瞬さん」

奥平に紹介され、浦本は頭を下げた。

若手のミステリー作家・曾我部瞬。慶談社のクライムノベル大賞で特別賞を受賞し、デビュー八年目で既に二十冊の単行本が刊行されている。

曾我部作品のほとんどは慶談社からの刊行であり、豊澄印刷のふじみ野工場で印刷された。三ヵ月後に刊行予定の新刊も印刷は豊澄印刷が受注、営業担当は浦本だ。

「曾我部さん、こちらはいつも印刷をお願いしている、豊澄印刷の浦本さん」

奥平から紹介され、浦本は恐縮しながら曾我部に名刺を差し出した。

「デザインも、弊社のトゥモローゲート・デザインで、担当させていただいております。ちょうど今日、デザイナーが曾我部さんの新作のラフデザインを作成中です」

曾我部は座ったまま浦本を見上げ「へえ、この人が印刷会社の担当ですか……」と気の無い声で応じた。それから値踏みするような目で浦本を一瞥すると、名刺を片手で受け取り、テーブルの上に無造作に置いた。

浦本は奥平に勧められるがまま椅子に腰掛ける。仕事で携わった本の全てを読んでいるわけではないが、曾我部瞬は好きな作家の一人で、浦本は前作も読んでいた。

「前回の『ジャックナイフ・ラビリンス』も、大変楽しく拝読しました」

「ふーん、こっちはちっとも楽しくないんですけど……」

くぼんだ目の奥に、ギラギラと燃えるような眼光。

「『ジャックナイフ・ラビリンス』は初版四千部止まりで鳴かず飛ばずですよ。ていうか、デビュー作から二十作連続で初版止まりです」

「曾我部さん、止めましょう」

奥平が止めるのも聞かず、曾我部は続ける。

「装幀も凡庸で、プロモーションも中途半端。あれじゃ、売れるものだって売れやしない」

どうやら、自分の本が売れないのは装幀や販促のせいだと言いたいらしい。

「奥平さん、印刷会社替えてくださいよ。俺、次で最後になるかもしれないんですよ。ラストチャンスぐらい、ちゃんとした本を作ってくれませんかね」

「次で最後とかラストチャンスとか、全て曾我部さんが勝手に言ってるだけでしょう。浦本さんも何とか言ってやってくれませんか」

急に話を振られたが、二人の間に険悪なムードが流れている理由が分からない。

「何かあったんですか」

「曾我部さんがSNSに変な書き込みをしてしまったんですよ……」

奥平が事情を説明する。曾我部はインターネットのSNSに「次の作品で重版がかからなかったら作家を辞める」と宣言したらしい。

「これが問題の書き込みです。ちょっとした騒ぎになっています」

奥平に差し出されたスマートフォンの画面には、売名行為、炎上商法といった批判や、曾我部個人に対する誹謗中傷が並んでいる。

「浦本さんでしたっけ。ただ惰性で印刷するだけじゃなくて、考えてくださいよ」

曾我部は浦本を睨みつけながら言った。

「曾我部さん、浦本さんに文句を言うのはお門違いですよ。豊澄印刷さんは、うちが決めた仕様に沿って本を印刷しているだけですから」

奥平が割って入る。弁護してくれているのに、浦本は心の中で「違う」と叫ぶ。

「は？　デザインもこの人の会社でやってるんだろう！　だったら、真剣に作ってもらわないと。俺にとっては、命を削って書いた一冊なんだよ。まあどうせ、あなたたちにとっては何百冊、何千冊のうちの一冊に過ぎないんだろうけどね」

「それは違います」

浦本の語気が思わず強くなる。曾我部が上目遣いでこちらを睨む。

「文芸書の、特に単行本の印刷は、オーダーメイドです。一冊一冊に思い入れがあります」

曾我部は相変わらず浦本を凝視している。

「いや、嘘だね。あんたたち、たかが四千部程度の本だから手を抜いて作ってるんでしょう。出版社も印刷会社も、たいして利益になりゃしませんからね」

それから曾我部は奥平を睨みつけた。

「奥平さん、俺、知ってますよ。他の編集者や作家の間で、奥平さんは実績になるようなベストセラー作家にしか興味がないって噂ですから。俺みたいな万年初版作家の担当をさせられてさぞ面倒でしょうね」

「まあ、何と言われようと構いませんが……どんな本でも売れて欲しいという思いで作るに決まってるじゃないですか」

奥平は腕を組み、もどかしげに嘆く。

「だったら、売れる装幀にしてくれませんかねえ！」

テーブルを人差し指で叩く曾我部。それからぼさぼさの髪を両手でかきむしった。

「こんなこと言うのは見当違いだって、分かってますよ……。結局は、作品に力がないからですよね。面白いと思ってるのは書いてる本人だけ。いいザマだ」

「違いますから。いい作品が必ず売れるとは限らないですし、作品のせいだとか装幀のせいだとか、そんな議論自体が無意味なんですよ。とにかく、頑張って書き続けましょう」

奥平が励ますが、曾我部は思い詰めた表情で残りの珈琲を口に含み、口の中をゆすぐようにしてから飲み込んだ。

「頼みますよ。作品は我が子と同じです。それを託すんですから。浦本さん、次の作品、どうか、よろしくお願いします」

今度はテーブルに両手を突き頭を下げ、絞り出すような声で懇願する。かなり情緒不安定になっているようだ。

「お止めください」

浦本の制止をよそに、曾我部はテーブルに額をこすりつけんばかりに頭を下げる。

「当然、次の新刊も全力で本にします。だから、ダメだったら辞めるとか言うのは止めましょう。勢いでネットに書き込んで、引っ込みがつかなくなったんですよね、そうですよね」

奥平が曾我部を宥める。

「いや、本気です。次でダメだったら作家を辞めようと決めています。いっそのこと人間をやめてやろうかと」

テーブルの一点を見つめながら呟く曾我部。その向かいで奥平は呆れ果てた表情で「バカなことを……」と首を横に振っている。

「曾我部さんはなぜ、そう考えるに至ったのですか」

浦本はぶつかり合う二人を刺激せぬよう、努めて静かな口調で訊ねた。

曾我部は「俺には小説しかないんです」と呟いた。

「俺、小説を書く以外、他になんにもできませんから。自信と自負を持って向き合える仕事は、これしかないと思ってやってきました」

中学生の頃から小説を書いてきたという曾我部。友達のいなかった彼にとっての至福の時間だった。高校卒業後スーパーに就職したが上司と反りが合わず一年で退職。

「特別賞受賞の連絡を受けた瞬間、俺の生きる道は決まったと確信し、今までやってきました」

「天職なんですね……」

口にした途端、鼻の奥がツンと痛くなり、眼球の裏に熱いものが滲んだ。たとえ他に何もできないとしても、これしかないと思える仕事に出会えたなら、なんと素晴らしいことだろう。

「小説しかないんですよね？　それならば尚更、この先も地道に続けていくしかないでしょう」

「奥平さん、八年も俺の担当やってて、分かりませんか？　天職だと思うからこそ、もうきっぱりと白黒つけたいんですよ」

魂を込めて書いても報われない。三十歳を間近に控え、けじめを付けたいのだという。生き急いでいるようにも思えるが、本人にしか分からない辛苦があるのかもしれない。

曾我部は店の壁掛け時計を見上げると、椅子の下に置いていた鞄を手に取った。

「帰ります。原稿の直しをやりたいんで」

確か入稿日は来週の火曜、四日後だ。浦本は不安に駆られる。今の段階でまだ直しているということは、今回も遅れる可能性があるのではないか。

奥平が「日曜の二十三時五十九分ですからね」と曾我部に言った。締切の話だろうか。曾我部は何も答えず乱暴に椅子を引き、席を立つ。

「大事なことなのでもう一度言います。日曜の二十三時五十九分。デッドラインです。それまでに必ず原稿を私にください」

「はい、分かってますよ」

曾我部は面倒臭そうに言うと、袖に付いたパンくずを右手で払った。

奥平は「分かっていない！」と声を荒らげた。その声には、親友を叱責するような響きがあった。

曾我部は奥平を睨み返す。恐るべき眼光、戦い続けている者の眼だ。だが奥平は怯まない。

「原稿へのこだわりと、締切を守らないのとは全く別次元の話です。本は原稿が完成しただけでは終わりません。その先があります」

曾我部は「分かってますって」と苛立たしげに言い、奥平はまた「分かっていないからいつも遅れるんですよ」と諭す。

「印刷会社の人たちは、綱渡りのスケジュールを組み、それに沿って動いています。DTPオペレーターさん、工場の印刷オペレーターさん、それから営業さん。入稿が間に合わなければ、その後の工程は全部狂ってしまう。曾我部さんにとってたかが一日、二日の遅れでも、浦本さんたちにとっては甚大な作業ロスなんです」

曾我部が締切を守らないのは毎度のことだ。その上、今では珍しい手書き原稿のため、豊澄印刷でタイピングしてデータを一から作成しなければならない。

「綱渡りのスケジュールに穴を空けるということは、どういうことか分かりますよね。これを機に、締切を守ってください」

浦本は内心よくぞ言ってくれたと感じ入りながらも、これまで急な仕様変更などで奥平に振り回された日々が走馬灯のように頭を駆け巡り、複雑な気持ちになった。

「了解。約束しますよ。その代わり、そっちも真剣に作ってくださいよ」

曾我部が店を出たのを確認すると、奥平はバツの悪そうな笑みを浮かべた。

「浦本さん『お前が言うなよ』って、思ったでしょ。正直だから顔に出ますよねえ」

「いや、そんなことは……」

奥平は「いいから、いいから」と笑う。

「自分のことを棚に上げて、敢えて彼に言いました。すみません、忙しいところ引き止めて」

「いいえ、こちらも勉強になりました」

「本は一人で作っているんじゃないっていうこと、知ってもらいたくて、ちょうど鉢合わせした浦本さんに同席してほしかった」

奥平はしんみりとした口調で言った。

「彼は、ぼくが新人の頃からずっと担当してきたんですよ。腐れ縁です」

曾我部は過去に慶談社以外の版元からも依頼があり、三社から五冊が刊行されている。ただ、後が続かない。実績が出ない一方で我が強いため、他社からは次の依頼が来ないのだ。

「人間性に難はあるけど、ぼくは曾我部瞬の作品が好きだ。周りが応援してくれるようになれば、彼はきっと成功できる。そんな思いもあって、いま浦本さんに一役買ってもらいました」

奥平は「ありがとうございました」とまた礼を言う。いつもの「オウヘイ」とはなんだか様子が違う。素行の悪い友人に代わって詫びたり礼を言ったりする、良き友のように見える。

「今回こそは、今回こそはといつもブレイクを信じて出すのに、ずっと初版止まり。

素晴らしい作品を書くんですけどね……」

　印刷会社の営業担当者として、自分に何ができるか、浦本は考える。

「まだまだぼくの実績が足りないのかなあ」

「奥平さんの実績、ですか？」

「ぼくが十万部を超えるような作品を今よりももっと多く担当して圧倒的な実績を上げていれば、社内の誰に憚ることなく、曾我部瞬のような新進の作家にも宣伝費をかけて世に出せる」

　奥平のオウヘイたるゆえんが、浦本の中で俄かに明らかになった。

　大物作家には腰が低く、若手や新人の作家には厳しい。奥平の権威主義と上昇志向には隠された目的があったのだ。

「曾我部さんがおっしゃっていたこと、全くの誤解なんですね」

「まあ、陰で何て言われようが関係ないです。とにかく実績が全てですから」

　実績を喧伝するのも、曾我部瞬のような才能の発掘や育成に力を注げる地盤を作るためだ。

「助けたい」

　奥平はテーブルの一点を見つめながらポツリと呟いた。

「曾我部瞬を助けたい気持ちもあるけど、それだけじゃない。彼の作品が広く読まれていないことは、出版界にとって大きな損失ですから」

「確かに。次こそ、きっと重版をかけましょう」

重版をかけるために印刷会社ができることといえば限られている。

それはきっと、よりよい本を造ることだ。

何をもってよい本とするかは分からないが、やはりよい本を造ることで報いるほかない。

「彼が勝手に背水の陣を敷いてしまった手前、担当編集者としてもとにかく重版をかけなければならない。浦本さんも、よろしくお願いします」

「はい、本日中には臼田から奥平さんにラフデザインをお送りできる予定です」

会社に戻り、臼田の作業状況を確認しようとトゥモローゲート・デザインの一画を覗いた。仕事が立て込んでいる臼田は、赤い眼をこすりながらマッキントッシュのモニターに見入っている。

「臼田さん、お疲れ様です」

浦本はコンビニで買ってきたエナジードリンク『ブルー・ドッグ』を臼田の机に置いた。大好物の差し入れを受けた臼田は「ありがとうございます」と丸い顔をほころばせる。

「曾我部瞬さんの新作、ラフデザインのほうどうですか」

「いやー、すごく面白かったです」

臼田は修正前の原稿のコピーを、奥平から手渡されていた。楽しんで読んだようだ。しかし浦本が知りたいのは感想ではなくカバーデザインの進捗だ。

浦本は臼田の闘志を鼓舞するために、曾我部からのクレームを伝えた。

「曾我部さんによると、自分の本が売れないのは装幀のせいだという訳です。悔しいですよね」

「うーん、それは聞き捨てならないことですね」

臼田は窓からの陽射しに眼をしばたかせながら、両腕を広げて大きく伸びをした。

「そうですよね。で、ラフデザイン、進み具合はどうでしょうか……」

「もうできてますよ。さっき奥平さんに送ったところです」

臼田はたくさんのサムネイルの中からひとつをクリックした。

真ん中に拳銃を握る主人公、背景は九つのコマに分割され、主人公の思い出の場面がシルエットで描かれている。

恋人と繋いだ手、安らげる小さな家、赤子を抱き上げた横顔。守るべきもののために最初で最後の完全犯罪を試みる男の、その瞬間を切り取った。

「これ、本当にラフデザインですか……すごい完成度ですね」

「読んでいると、すごく具体的に、パーッと画が浮かんできたんです」

「デザイナー臼田日向の最高傑作になるかもしれませんね！」

いける。この作品は、きっと世の多くの読者に届く。

臼田の席の電話が鳴った。受話器を上げると臼田は「はい、はい、そうですか」と鷹揚な調子で相槌を打つ。

短い電話を終えると臼田は「ふぅ」と溜息を吐いた。

「奥平さん、なんかすごく喜んでました。売れるといいですね」

臼田はエナジードリンクを飲み干し、散歩へ出かけていった。

浦本の携帯電話が鳴った。製本所の報国社からだ。業務連絡か、それとも悪い知らせか。

〈うらもっちゃん、申し訳ない〉

若社長・井森泰助の声が携帯電話から飛び込んできた。悪い知らせだ。

作家の起死回生を賭ける夢の話から、一瞬でシビアなトラブル対応の現実に引き戻される。

「どうしましたか」

〈スミの塊が、本文に被さる格好で付着してる〉

丁合の工程を担当する女性社員が見つけてくれたという。丁合機に折丁をセットする際に、七折目の冒頭のページに汚れを発見。既に一万部のうちの九割以上は製本が完了しているという。

腋からいやな汗が滲み、胃がきりきりと絞り上げられるような心地がする。

「見つけていただいて助かりました。汚れの大きさはどのくらいですか」

〈そうだな……五ミリ四方ぐらいかな〉

「五ミリですか」

浦本は携帯電話を耳に当てたまま、天を仰いだ。印刷の汚れとしては巨大と言っても過言ではない。三ミリあれば、活字一文字が丸ごと隠れてしまう。致命的な印刷不良だ。

〈ちょっと最近、この手の不具合が多いんじゃないか？　先週も同じようなことがあったろう〉

先週は実用書八千部の抜き合わせ印刷で版ズレが起き、タイトル文字の輪郭の一部が白く残ってしまった。これも製本所で発覚し、表紙カバーを全て刷り直した上、再度搬入したのだった。

ふじみ野工場は何をしている。野末は、いったい何をしている。湧き起こる疑念をひとまず隅へ追いやった。

たとえ工場のミスでも、外に対して謝るのは営業の役目。

「ご面倒をおかけして、大変申し訳ございません。すぐに人を手配して、検品作業に伺います」

　ふじみ野工場に対して苦言のひとつでも呈したいが、まずは作業の手配をしなければならない。

　もちろん浦本も現場で作業に当たることになる。今夜も帰りは遅くなりそうだ。


　三日後の月曜、慶談社の業務部と資材部で所用を済ませた浦本は、正午前に編集部を訪ねた。奥平は自席で手書きの原稿を読みふけっていた。

「曾我部さんは、昨日の二十三時五十五分頃に原稿を持って来ました。予定どおり、今日中には豊澄印刷さんに写しをお渡しできますよ」

「ありがとうございます。安心しました」

　これから六百枚を超える手書き原稿をデータ化しなければならない。そのために午後から福原笑美のスケジュールを空けてもらっているのだ。

「今回のは凄いですよ……。これが初版止まりなら、ぼくのほうこそ編集者を辞めなければならないかもしれません」

　奥平は原稿を愛おしそうに眺めながら、赤い目を潤ませた。

「ただひとつだけ、悩ましい問題が……」

　声を低くする奥平。これは不穏な空気だ。浦本は一歩進んで耳を傾ける。

「最後の直しで主人公が全然違う人になっちゃった……」

「おおおっ……と」

浦本は思わずのけぞった。

奥平曰く、度重なる推敲で原稿が真っ黒になっていたため、曾我部は最後の修正で原稿を一から書き直した。その結果、高校の非常勤講師だった主人公が、売れない小説家に変わってしまったのだという。

原稿の冒頭に付けられたタイトルは『ペーパーバック・ライター』。

「話の内容もかなり変わった」

主人公は、うだつのあがらない酒浸りの中年小説家。闇の世界の男に追われ逃れてきた女性と出会い、恋に落ちる。作品が売れず、やさぐれて荒れ果てていた彼の心は、彼女との暮らしの中で優しく満たされてゆく。

小説は相変わらず売れない。だが二人の間には慎ましくも、幸せな時が流れていた。そんな二人に魔の手が迫る。彼は『ペーパーバック・ライター』と題された原稿を編集者に託し、闇の男を消しに行く。〈もしもこの本が売れたら、幸せにして欲しい人がいる〉という言葉を残して。

「曾我部さんがどうしてもこのタイトルで、主人公は売れない小説家にしたいと言ってきました」

「相当な覚悟で修正されたんですね……」

「ええ、なりふり構わず、絶対に重版をかけたいと。だから、とにかく、その覚悟に応えるような本を作りたい。浦本さん、どうしたらいいと思いますか」

アイデアを求めている様子ではない。奥平の中で方針は固まっているようだ。

「上製本にする、とかでしょうか。曾我部さんの作品は確か、これまで全て並製ですよね」

敢えて当たり障りのない案を提示した。奥平はニヤリと笑った。

「その逆です。ペーパーバックみたいな単行本を作るんです」

ペーパーバックは簡易製本の書籍だ。本文用紙は安い更紙（ざらがみ）、表紙はカバー無し、見返しも別丁扉も付けずに作られるため、自ずと販売価格は安くなる。

「とにかく手に取りやすい価格にしたい。そのためにはとにかく慶談社史上、最も質素倹約な単行本を作りたいんです。申し訳ない」

とにかく、とにかく。結局はとにかく奥平の言うことに従うほかない。

「そうしますと、臼田からお送りしたラフデザインのほうは……」

「素晴らしかったんだけどなあ……いったん白紙で。とにかく申し訳ない！」

奥平は謝ったその舌の根も乾かぬうちにカバーの新イメージを語り出した。ボールペンを手に取り、無地のノートに横書きで「ペーパーバック・ライター」と書いた。

「これでいい。タイトルだけ、スマートなレイアウトとスタイリッシュなフォントで。ビートルズのホワイト・アルバムのジャケットみたいに」

おのれ、奥平……。憤怒を抑え、浦本は奥平の説明を聞いた。

突飛(とっぴ)なアイデアだが、彼は本気だ。「定価を極限まで抑えられる」「装飾のない真っ白なカバーは逆に書店の棚で際立つ」。作家生命を賭ける曾我部のために考えた策だ。結果を勝ち取るためには奇策や急な方向転換もいとわない。それが奥平のやり方なのだ。

「万が一、このカバーで売れなかったら、極端な手法に走った奥平さんが責めを負うのでは……」

「曾我部瞬はこの作品と心中する気です。その覚悟に寄り添えるのは、ずっと担当しているぼくぐらいしかいませんから」

奥平は作品を一冊でも多く読んでもらうため、最後までもがき、揺らいでいる。日頃のオウヘイな注文も、オウヘイな物言いも、彼の葛藤の裏返しなのかもしれない。

「その原稿、ちょっと拝見してもよろしいですか」

書き殴ったような荒々しい文字が原稿用紙の方眼の上で躍っている。各行の至るところに推敲の跡が見られる。壮絶な仕事の軌跡を目の当たりにした。

〈俺には小説しかないんです〉

曾我部の言葉に偽りは無かった。

「当然のことですが……ペーパーバックは、簡素な造りで長期保存は期待できません。それでも敢えて、価格を抑える策を取られるということですか」

曾我部が全てを賭けた作品をペーパーバックにしてよいのか、印刷営業として迷いがあった。

「曾我部瞬には、今が全てなんです。どんなに見栄えが良くて長持ちする本を作っても、今読まれなければ何にもならない」

今が全て。奥平の答えに、浦本の迷いは晴れた。

「曾我部さんが『ペーパーバック・ライター』なら、奥平さんはペーパーバック・エディター、そして、私たち印刷会社は、ペーパーバック・メーカーです」

「ライター、エディター、メーカーか。いいね」

次の策を考える。重版をかけるために、印刷会社にできることは何か。

「奥平さん、プルーフは作りますよね」

「もちろん。曾我部瞬を応援してくれている書店に、くまなく送りますよ」

プルーフは簡易印刷の冊子だ。書店員や書評家などに送り、予め物語を読んでもらう。高評価を得られれば、店頭や新聞・雑誌などで薦めてもらえる。

「差し出がましいようですが、今回は本の造りを極限まで簡素化する分、プルーフに思い切り力を入れるというのはどうでしょう。プルーフシフト作戦です」

思いつきで口にした作戦の名前に、奥平が首を傾げた。

「周りが応援してくれるようになれば、曾我部さんは成功できるとおっしゃってましたよね」

「ああ、言いましたけど」

「多くの人を味方に付けるため、プルーフに力を入れるんです」

「面白そうだな……。でも浦本さん、プルーフに力を入れるって具体的にどうするの？」

「たとえば、表紙をカラーにするとか。豪華版のプルーフを、全国の書店と書評家へ送る」

書店や書評家のもとには各出版社の編集者や営業担当者から大量のプルーフが届く。プルーフは真っ白な表紙にタイトルとＰＲ文、編集担当者の問合せ先が記された簡素なものがほとんどだ。白黒の冊子が溢れる中、カラーの表紙の付いたプルーフが届いたら目を惹くのではないか。

「やってみる価値はありませんか」

「面白いけど、そんなことしたらプルーフの制作費用がかさむでしょう。その分が本の定価に乗っかったら元も子もないですよ。それとも、豊澄印刷さんのほうで持ってくれるの」

　奥平は親指と人差し指で輪っかを作ってみせた。

　頭の中で出世払いという言葉が浮かんだ。豊澄印刷がプルーフを奉仕価格で作り、慶談社は販促に力を入れる。その結果、重版がかかれば奉仕した分は回収できる。

「社内で交渉してみます」

「浦本さん、素晴らしい！　知ってのとおり、ぼくは遠慮とかしないので。期待してますよ」

　見得を切ったものの、まずは稟議を通さなければならない。

　果たして、会社に戻って毛利部長に相談をもちかけると、秒殺された。

「豪華版プルーフをサービスで作って差し上げるわけか。浦本、うちは慈善団体じゃないぞ」

「ただの無償奉仕ではありません。投資です。質の高いプルーフを仕掛けて販促を成功させることができれば重版に繋がり、今後の受注が増えます。プルーフも今までよりまとまった部数で受注できるかもしれません」

「できれば、かもしれない、そんな不確かな可能性に賭ける余裕があると思うか。ひと昔前の話ならともかくな」

　毛利部長は言い捨てると席を立った。

「ひと昔前の話なら、か……。時代が違うということですかね」

浦本は向かいの仲井戸に向け、溜息交じりに言った。仲井戸は、作業の手を止めずに「だからどうした」と素っ気無く応えた。

「部長は、諦めろとは一言も言ってない。ただ、夢物語には付き合えないと言っているだけだ」

「ひとりの作家が、作家生命を賭けています。慶談社の奥平さんも、今回は捨て身です。こんな時こそ、豊澄印刷にできることがあるのではないでしょうか」

「それは浦本君の思いでしかないだろう」

「いいえ。一人の作家の命運がかかっています。それに、若手作家を育てるという出版社の使命感に印刷会社も貢献できることを示すチャンスです」

仲井戸は「なるほど」と呟いてから語気を強めた。

「豊澄印刷は中小企業だ。それなのに君の言っていることは大企業のイメージ広告に似ている」

「どういうことですか」

浦本は訊き返した。真意を尋ねるためではない。核心を突かれた悔しさの裏返しだ。

「理想や理念を訴えてはいるが、具体性が無い」

「具体性ですか。何を取っ掛かりにすべきか……」

「悩むことはない。印刷機の稼働率だよ」

仲井戸は断言した。至極もっともだ。

「先月のふじみ野工場の平均稼働率は、前年同月比で二％減だ。この数字を浦本君はどう見るか」

「表面上は若干の減少ですが、数字の裏を読むと問題は根深いですね」

営業の奮闘により小部数の初版本を数多く受注し、なんとか一定の稼働率を確保している。一方、多くの受注案件が入り乱れるため、印刷機の版の入れ替えや新規設定が頻繁になり、工場の作業負担が大きくなる。稼働率をなんとか維持できているのは最小限の人員で工程管理をやりくりしている工場のおかげでもある。

「先月は文庫の重版も低調、前年同月比で一割減だ。これは、たまたま下がったのだろうか」

「……残念ながら、たまたまではないですね」

出版物の市場は年々縮小。この十年で市場規模が二割減った。当然、印刷される本の絶対数も減り、中小の印刷会社は淘汰されてゆく。慶談社の関連会社である豊澄印刷とて例外ではない。

「『こうすれば印刷機の稼働率が上がる』という一点で上を納得させられれば、君のやりたいことは実現できる」

　仲井戸に試されている。浦本は身構えつつ、思案を巡らせた。曾我部瞬や奥平の捨て身の願いや夢と、印刷機の稼働率を、どう結びつければよいか。

「本件は、印刷会社も部数の売り伸ばしに関わるチャンスです。曾我部瞬の次回作『ペーパーバック・ライター』は試金石になる。部数の振るわなかった作家の作品に重版がかかれば、今後の稼働率回復に貢献できる。慶談社には、曾我部作品は豊澄に発注するようお願いできます」

「なるほど。少し具体的になったけど、まだ足りないな」

「何が足りないんでしょうか」

「即効性かな。今後の稼働率回復と言われても、いまひとつピンと来ない」

　具体的かつ即効性のある打開案。仲井戸が設定したハードルは今の浦本にとって相当に高い。

　でもこのハードル、越えてみせようじゃないか。印刷機の稼働率と、曾我部や奥平の希望を両立させる策を探し出そう。

「再考して、もう一度部長にトライしてみます」

　時代が変わってゆくのは避けられず、本作りに携わる者は生きにくくなった。だがそれを嘆いていても何かが良くなるわけではない。

曾我部も奥平も、時代の流れを言い訳にせず、必死にもがいている。自分も、もがいてみよう。

悪あがきでもいい。印刷会社にできることを見つけるのだ。

※

「福原さん、いつも悪いね」

「ほんとに、よく働くよねえ。ありがとう」

下版部の面々が労いの言葉を掛けてくれる。下版部は、版を下ろす仕事を担当する部署だ。

「お手伝いできて光栄です。本への感謝を深く感じられる時間ですから」

作業台の上には黒い四六判のフィルムが置かれている。デジタル製版が普及する前の写真製版フィルムだ。合計六十四ページ分が、表裏三十二ページずつ面付けされている。

現在、豊澄印刷ではフィルムのデータ化を進めている。下版部が通常業務の合間を見て一枚ずつスキャナーで取り込み、デジタルデータとして会社の共有サーバーに保存してゆく。

新旧の版のデータが、六十四テラバイトの超大容量クラウドに蓄積されている。

「福原さん、手持ちの作業は大丈夫かい」

「ええ、ちょうど手が空いたところだったので」

データ制作部のDTPオペレーターにも、稀に作業の谷間ができることがある。その時間、福原はリーダーの白岡絵里子に志願して、下版部のフィルムのスキャン作業を手伝う。

福原がスキャンしているフィルムは一九八〇年刊行『平家物語外伝（へいけものがたりがいでん）』単行本。歴史小説家・久坂豊信が日本中にその名を知らしめた出世作だ。

「『平家物語外伝』は小学六年生の時に学校の図書室で借りて読みました」

「へえ、福原さんは、小さな頃から難しい本を読んでたんだな」

「この本をきっかけに源平合戦の世界に対する好奇心が芽生えました」

下版部のすぐ隣にある大型スキャナーの読み取り面にフィルムをセットし、スキャンする。

本に少しずつ恩返ししているような気がして心がじんわりと満たされる。それに、下版部の人たちから昔の苦労話を聞くのが好きなのだ。活版印刷の時代に、活字をひとつずつ拾ってゲラ箱に並べて版を作っていた話など、何度聞いても楽しい。

入社後の研修で下版部の部長から聞いた話を、福原はずっと胸に刻んでいる。

〈版っていうのは、本のハンコだと考えればいい。ハンコは一度作ると修正できない。だから慎重に作って、丁寧に扱わなければならないんだ〉

レイアウトを組む時に改行位置をひとつ間違えただけで、版は全部作り直しになる。比較的簡単に変更や修正ができるデジタルの世界にいると、その重大さを忘れそうになる。

フィルムのデータ化作業は、版というものが本のハンコであることを思い出させてくれるのだ。

「今日はこの辺で終わりにしておくか。またよろしく」

会社のフィルム室には膨大な量のフィルムが保存されている。データ化の作業は日々の隙間の時間を使いながら、区切りを付けて少しずつ進めなければならない。

自席に戻ると、白岡が声を掛けてきた。

「笑美りん、今日は手書き原稿の入力だよね。まだ届かない？」

白岡はオペレーターの進行管理を一手に引き受け、部下の作業分担をきめ細かく把握している。

「そろそろだと思うのですが……」

今夜から三日間、久しぶりに手書き原稿入力の仕事が入った。通常、手書き原稿は専門のタイプライターに入力作業を外注するが、豊澄印刷ではしばしば、日本語ワープロ検定準一級の福原が入力を担当する。手書き原稿の入力を任せてもらいたくて取った資格だ。四百字詰め原稿用紙数百枚の長編小説を入力する作業は重労働だが、福原は密かにこの仕事が好きだった。

予定では、慶談社からの定期便で手書き原稿が到着することになっている。

福原は席を立ち、ロッカールーム近くのスチールラックへと向かった。十四時の便をアルバイトの君代さんが回収した後だろうか。書籍原稿の到着ボックスを覗いてみたが、中は空だった。

ひとまず別の作業を進めるため、自席に戻る。すると、エレベーターホールから営業部の浦本が客人を連れてフロア内に入ってきた。

「オウヘイだ」

先輩オペレーターたちが声を潜める。何をしに来たのだろうか。

浦本が奥平を案内し、こちらへ歩いてくる。白岡が自席で起立し、奥平へ目礼を送った。

奥平はあろうことか、福原のデスクの横で足を止めた。

「お仕事中失礼します」

普段から時折、遠目に見ていた「オウヘイ」とは、やや印象が違う。

「奥平さんが、どうしても福原さんに直接お渡ししたいとおっしゃるもので」

浦本が間に入って事情を説明する。福原は立って奥平に一礼した。

「曾我部瞬さんの次回作『ペーパーバック・ライター』の原稿です」

奥平は小脇に抱えていた慶談社の封筒から中身を取り出し、福原に差し出した。大きなダブルクリップで留められた、Ｂ４コピー用紙の束だ。

「これはどうも、ご丁寧に……ご足労をいただきまして」

福原は原稿を手に取り、パラパラとページをめくった。癖のある読みにくい字だ。

「推敲が多くて、読みにくいところがたくさんあるかもしれないけど……とにかく申し訳ない」

「凄い……」

原稿用紙に叩きつけたような文字は、紙面から飛び出してきそうだ。しかも、至るところに推敲の跡、いや、戦いの跡が見られる。

福原は、奥平がこの原稿を直接手渡しに来た意味を理解した。

「曾我部瞬の作家生命がかかっているんです。まあ、彼が勝手に賭けちゃったんですけど」

「ええ、浦本から伝え聞いております」

「とにかく、よろしくお願いします」

奥平が深々と頭を下げた。

「一言一句違うことなく、余すところなく入力します。お預かりします」

福原は預かった原稿のコピーを額の前に押しいただいた。

「みなさん、お仕事中にお邪魔しました。よろしくお願い致します」

奥平はデータ制作部の皆に向けてまた深々と頭を下げ、帰って行った。

「オウヘイくん、どうしちゃったんだろう。人が変わったみたい」

白岡が怪訝な表情で呟く。

「いや、奥平さんは、元からああいう編集者なのかもしれません。作家や作品のため、横柄にもなるし、へりくだりもする。きっと全ては、よりよい本のため」

浦本が言った。

福原は原稿のコピーを机の上に置き、もう一度めくった。行の削除や短縮がやけに多い。

「このページ、ほとんど削除……。修正も多いですが、大量に削ってますね」

「価格を極力下げるために、ページ数を極限まで削るそうだよ。奥平さんが諭したんだって。まずは少しでも読まれることを考えようと」

「それにしても、この削り方は……ストーリーが変わってしまうのでは？」

トル、トル、トル。

削除の指示が至るところに書き込まれている。だが削除した前後を見ると、無闇に短くしているのではないことが分かる。ストーリーの本質を変えずに、どうやって短くするか。曾我部の葛藤が、この大量の推敲の跡に表れている。

「これはきっと、大変な作業だったと思います……」

「そこまでしてでも、曾我部さんと奥平さんは、より多く読まれることに挑んだ」

ページ数を減らすために本文を削るという行為は、物語を殺すことにもなりかねない。本が大好きで、膨大な物語を読んできた福原には分かる。

曾我部は作家生命を賭けた作品で、さらに危ない橋を渡ることを選んだ。

「印刷会社にできることは、より良い本を造ることだと思う。でも良い本って何だろうと考えると、答えはひとつではない。必ずしも格好いいとか、造りがしっかりしているとかだけではないって、教えられた気がする」

より良い本を造る。「印刷会社はメーカーだ」と公言する浦本らしい言葉だ。

「造りは簡素でも、より多く読まれた本はある意味、より良い本ですね」

「きっとそうだと思う」

自分にできることは、この混沌とした手書きの原稿を読者の目に、心に届けるための形に変換すること。

〈絶対に話しかけないでください〉

ディスプレイの上に張り出すこの立て札は、仕事のスイッチ。

この仕事はやはり天職だ。解読困難な文字を注意深く拾いながら、改めてそう確信した。

福原は、他人の努力や悲しみを借りて涙することを好まない。だがこの原稿から曾我部瞬の心の叫びを聞くにつけ、こみ上げるものを抑え切れなかった。

※

ふじみ野工場の五号機では、一日の作業の山場を迎えていた。

ライトグリーンの特色印刷を前に、表紙カバーの刷り出し確認。ジロさんは排紙部に出力された紙を一瞥するなり顔をしかめた。

「ムツゴロウ！　出がらしの茶みたいな色になってんぞ！　インキの量が全然足りてねえだろう」

ジロさんにどやされ、野末は調整パネルを確認する。インキ量が昨日印刷したコミックの設定数値になっていた。

「すいません」

「ダメだ。他の誰かに交代して、お前は休め」

言われるがままに、野末は管理棟へと引き上げた。悔しいという気持ちも湧いてこない。何をやるにも力が入らなかった。

電話が鳴った。事務所には野末の他に誰もいないため、仕方なく受話器を上げた。

〈営業第二部、仲井戸ですが〉

「おつかれさまです」

〈明後日搬入予定の時代小説『大江戸捕物帳』でダブリが出た。また製本所へ行って営業部から総務部まで総がかりで検品だ〉

紙送りの不具合で用紙が二枚重なって装塡されると、白紙が発生することになる。

〈製本所で折機のオペレーターさんが見つけてくれたそうだ。危うく落丁本が出荷されるところだった〉

「申し訳ありません」

野末は謝罪の言葉を口にしながら「またか」と他人事のように思った。

〈浦本君がほうぼうへ謝って、なんとか火消ししてくれている〉

「それはお手数をおかけしました。今度は、私が行って謝りますんで」

〈誰のミスであれ、謝るのは、お客さんと直に接している営業の仕事だ〉

「なるほど、工場の者じゃ話にならないとおっしゃるわけですね」

受話器の向こうに沈黙が流れる。

〈その不貞腐れた様子じゃや、また近いうちに何かやらかすな〉

同感だ。また他人事のようにそう感じた。

〈工場で何が起きているのか聞きたい。少し前までなら、野末君の持ち場でこんなザマはあり得なかったはずだ〉

「特に何も起きていません。全て自分の不注意ですよ」

〈全部自分が悪いフリをして済ませるのは、逃げているのと一緒だろう。具体的な原因を教えてくれないか〉

「しょうがないでしょう。事実ですから」

仲井戸は納得していない。沈黙が仲井戸の不満を物語っている。

〈こんな仕事が続けば、注文が来なくなるぞ。うちの部長からも工場長に電話がいくと思うから、そのつもりで〉

激しい音とともに、電話は切れた。冷静な仲井戸が激するほど、工場のミスが続いている。

全て自分の不注意だ。嘘ではなかった。

二ヵ月前のあの瞬間を境に野末の中の歯車が狂い出した。義弟の俊明の葬儀を内々に済ませた野末は、肩の荷が下りた心地がして饒舌になっていた。妻の沙織は血のつながった唯一の兄弟を失ったのだ。分かっていながらも、野末は言い知れぬ解放感を抑えられなかった。

浮き立った気持ちを沙織に悟られた。

〈なんだか楽しそうね〉

沙織が呟いた。嫌味も皮肉もない、全ての感情を消し去ったような声で。

野末の胸の内に充満していたやり場のない気持ちが、引火したガスのように爆発した。次の瞬間、野末は座卓の上に載っていた本を両手で真っ二つに破り裂いていた。沙織が二人に買ってやった慶談社の歴史漫画『織田信長』。〝パパが造った本〟だった。割れた背表紙からページがこぼれ落ちた。大切なものを壊した自覚に感情が倒錯し、奥付のページを粉々に破り捨てた。

子供達が泣き出さなかったら、歯止めが利かなくなっていたかもしれない。

以来、沙織は口を利かなくなり、怯えた子供達は野末に近寄らなくなった。一日中働き、物言わぬ妻と怯える子供たちの暮らす安アパートに帰る毎日だ。自分は何のために働いているのか、分からなくなっていた。

なぜこうなった。もし潤沢な金があれば、もし手を差し伸べる身内が他にもいたならば……。

帽子を取り、机に両肘を突いて頭をかかえたその時、また電話が鳴った。浦本からだった。

〈プルーフをカラー表紙で、かつコストを抑えて作りたいんだけど……〉

重版がかからなければ引退。曾我部瞬の作家生命を賭けた勝負作だという。もしも賭けに負けて作家を辞めたら、後はどうするつもりなのか。

〈印刷会社の立場からできることがあれば、チャレンジしてみたい〉

賭けの片棒を担いで熱くなる浦本。理想を語る人間は、いつでも無責任だ。

だが次の瞬間、野末は思いがけぬことを口走っていた。

「それをやって、何か面白いことはあるか」

〈俺は面白いと思うよ。豊澄印刷も新進の作家を応援し、出版社と共に重版を目指すんだよ。全体の出版部数は減るばかりで、何もしなければ印刷会社はジリ貧。だったら、増やす工夫をしてみようじゃないかと〉

「なるほど」

印刷会社が部数増のためにひと肌脱ぐという話は、確かに珍しい。

〈夢だけではなく、増刷がかかれば会社の利益になる〉

「考えてみる。こちらのミスで営業には迷惑をかけたし、借りも返さなければならないから」

〈ありがとう。カラーのプルーフだから手間をかけてしまうかもしれないけど〉

カラーのプルーフ、手間……。野末の頭に、これまで思い出すことすらなかったひとつの選択肢が浮かんだ。

「いや……ひとつ名案がある。手間を最小限に抑える方法が」

浦本が野末の言葉を待つ。

「デクノを使うんだよ」

これしかないと確信した。だが受話器の向こう側、浦本からは反応がない。少しの間のあと、唸る声が聞こえてきた。

〈あいつにできるか……?〉

「どうせ金食い虫だ。遊ばせておくよりマシだろう」

野末は電話を終え、めったに立ち入ることのない建屋を訪ねた。全長三十メートルにもなろうかというコの字形の巨大な体躯は、導入から三年以上経った今もまるで新品のようだ。

インクジェットデジタル輪転印刷機『DCN5963』。

通称・デクノ5963。連結されたデジタル製本システム『オメガライン』とセットで「デクノ」と呼ぶ。

デクノは三年前、慶談社との共同出資により十四億円を投じて導入された。豊澄印刷は倉庫として使っていた建屋を改修し、デクノを設置した。印刷から製本まで全工程ワンストップ化を実現するという触れ込みのもと鳴り物入りで導入されたデクノだが、ほとんど使われず維持管理費を食いつぶしている。デクノを雨風から守る建屋は

〝デクノ堂〟と揶揄されている。

デクノの最大の売りは、ワンストップだ。通常、印刷と製本は別々の機械で行うが、デクノはデジタル製本システムと連結されているため、製本までをひとつの機械で処理できる。一方で、デクノの対応範囲は小ロットかつ絵柄の少ない刊行物に限られる。結局デクノで印刷できるものはごく一部となっていた。

そんな中にあって、少し凝ったカラー版のプルーフという販促物は、デクノの守備範囲のど真ん中を突いているのではないか。

野末は期待を胸にデクノ堂を訪ねた。人気（ひとけ）のない建屋の中、まるで寂れた遊園地の巨大アトラクションのように、デクノは静かに横たわっていた。

「キュウさん、いますか」

「おう、マー坊か。ここだよ」

声だけが聞こえる。キュウさんこと山際久（やまぎわきゅう）は巨大なデクノの陰に隠れていた。野末はデクノの躯体の裏側に回る。バインダーを片手に、デクノの点検をするキュウさんの姿があった。

キュウさんは三年前に脳溢血（のういっけつ）で倒れ、奇跡的に一命を取り留めた。定年まであと一年。滅多に使われないこの金食い虫を、毎日メンテナンスしている。

「どうした」

キュウさんはデクノの躯体に手を突きながら、ゆっくりと歩いてくる。左足に軽度の麻痺が残り、やや引きずるような格好になる。

「デクノにいい仕事が降ってきそうですよ」

野末は浦本から聞いた『プルーフシフト作戦』のことを話した。

「おい、デクノボー、出番だとよ。ずっと暇こいてた分、しっかり働こうや。なあ」

キュウさんは笑いながらデクノの廃熱ダクトの表面をポンと叩く。

デクノが新品同様の姿を保っている理由として、あまり使われていないのもさることながら、キュウさんのメンテナンスによるところも大きい。

キュウさんは滅多に人が訪れないデクノ堂の中でただ一人、滅多に使われずデクノボーと揶揄される巨大マシンと向き合い、腐らずにメンテナンスを続けていたのだ。

「こいつも、ここらでひと花咲かせられたらいいなあ」

「ここで結果を出せば、社内でもデクノの存在価値が見直されるかもしれません」

希望的観測だが、野末は言い切った。キュウさんには、最後まで気分よく働いて欲しい。

野末が入社した十年前、キュウさんは一号機の機長だった。機械にめっぽう強く、野末は印刷機のイロハをキュウさんから教わった。現在は使わない機械のお守り（も）をしているが、誰もが彼の功績を知っているため、文句を言うものはいない。

「お荷物同士、たまにはいい仕事しとかないとなあ」

キュウさんはそう言って、またデクノの躯体にポンと手を当てた。その様を見て、ある言葉が鮮明に蘇る。

〈印刷機は仕事仲間だ。大事にすれば応えてくれる〉

入社したばかりの頃に教わったことだ。キュウさんは大病に倒れた後も変わっていなかった。

野末は管理棟へ戻り、本社営業第二部への短縮ダイヤルを押した。

「さっきの件だけど、お願いがある」

どうしてもデクノで印刷・製本したい。

そう申し出ようとした時、浦本から「こちらからもひとつお願いがある」と切り出された。

〈今、電話しようとしてたんだよ。シンクロしてるね〉

浦本の人懐っこい話し方がいちいち癇に障る。

〈デクノの先月の稼働率、どのぐらいだったか分かる？　至急教えて欲しい〉

「計算するまでもない。ほとんど動いてないからな。たしか先週、どこかの高校の同窓会記念誌みたいなのを刷っていたようだが」

〈ありがとう！　それだけ分かれば十分。突破口が見えてきたよ〉

弾んだ声で礼を言われ、電話は切れた。相変わらず疲れる男だ。

※

「『ペーパーバック・ライター』は、本造りにおけるひとつの挑戦です」

本社三階、営業部フロアの小さな打合せスペースで、浦本学は熱弁をふるっていた。対面では毛利部長と仲井戸がそれを聞いている。

テーブルにはA４一枚、箇条書きの簡単なレジュメ。

「読まれるための策は出版社が考え、印刷会社は指示されたとおりに本を刷る。幸いにも重版がかかればまた仕事をもらう。そんな他力本願でよいのでしょうか」

「よくないさ。で、何が言いたい」

毛利部長は軽く聞き流している。

「『ペーパーバック・ライター』では、単行本を文字通りペーパーバック仕様にし、プルーフに力を入れるという大胆な戦略を慶談社に提案したいと考えています」

毛利部長はレジュメに目を落としたまま、だぶついた顎を左手でもぞもぞと弄って(いじって)いる。

「『プルーフシフト作戦』ね。勇ましいな。具体的には？」

「五百部の特別プルーフを印刷・製本し、全国の書店に配布、店頭で販促してもらうよう強く働きかけます。一方で単行本の価格を千二百円程度にまで押し下げ、購買のハードルを下げる」

「豪華版のプルーフを五百部も刷ったら、慶談社の宣伝費予算をオーバーするんじゃないか」

本の単価は作家への印税のほかに宣伝費、出版社の人件費、取次や書店の取り分、用紙代やデザイン・印刷代などで構成される。販促にコストをかければ、既定の宣伝費を超過する。

「特別プルーフの印刷・製本費用は、いただかない方向で考えています」

「だから、うちは慈善事業じゃないと言ってるだろう」

「重版がかかれば元は取れます」

「浦本、いつから出版社の社員になった？」

「出版社と同様の視点も必要だと申し上げております。印刷会社も一緒になって部数を伸ばし、印刷の仕事量を増やすということです」

浦本は食い下がる。仲井戸はレジュメに目を落としたまま静観している。

「いや、理念的な話は分かるけどな、その『特別プルーフ』の製本代は丸ごとうちが持つのか？　どこに頼む」

「豊澄印刷で製本します」

「うちは製本機を持ってないだろう。言ってる意味が分からんぞ」

毛利部長は首を傾げた。

「特別プルーフの作製には、デクノを使います」

満を持して切り出した。毛利部長の反応がはっきりと変わった。レジュメを眺めていた仲井戸も顔を上げた。

「おお、デクノか。それならば確かに、うちで製本まで完結できるか……」

毛利部長は、デクノの存在すらすっかり忘れていたようだ。

「印刷から製本までを一台で完結できるマシンは、国内で他に類を見ません。ただ、単行本では実用化できず、くすぶっています。部長、デクノの最近の稼働率はどのぐらいか、ご存じですか」

「そういえば知らないな。どのぐらい動いている」

印刷営業マンは稼働率に敏感だ。毛利部長は食いついた。

「データ無し。稼働率を算出するまでもないということです。先週、どこかの高校の同窓会記念誌を刷ったそうですが」

仲井戸が「そこまでひどいのか……」と呟いた。

「今回の案で成果が上がれば、デクノの活用策としても有効です」

インクジェットデジタル輪転印刷機のデクノは、ＰＤＦデータから印刷を行うため刷版不要。四色刷りでもコストをかけずに印刷できる。

「うちの経営陣は金食い虫のデクノをどう位置づけるか、頭を抱えています。デクノの稼働率が上がるプロジェクトとして提案すれば、我々の思惑を通せるかと」

思いがけず、仲井戸が援護射撃をしてくれた。

「直近の効果としてはデクノの有効活用。豪華版プルーフによって単行本で重版の実績が上がれば、中長期的には文庫化の際の部数のプラス要素にもなります。そうすれば、二年後、三年後の各印刷機の稼働率にも好影響が期待できます」

浦本も、仲井戸に負けじと稼働率で押してゆく。

毛利は目を閉じ、無言で何度か頷いた。それから「よし」と目を開いた。

「浦本、いいアプローチだ。後は任せろ。上は俺が説得する」

「ありがとうございます」

毛利部長は「常務に話してくる」と出ていった。かつてブルドーザーと言われた営業の猛者だ。社内でもぐいぐいと押してくれる。

「仲井戸さん、助太刀（すけだち）ありがとうございます」

「全ては稼働率のためだよ」

仲井戸はそう言って少し笑った。

「それにしてもまさかデクノを持ち出してくるとはな」

「じつは、野末君の案なんです」

「野末君が？　面白いことを考えたな」

「ぼくは仲井戸さんや野末君のアドバイスをもらって、その通りに動いただけです」

「デクノの稼働率という切り口を持ち出したのは、浦本君のファインプレーだ」

「稼働率で攻めろという仲井戸さんの鉄則に倣いました」

今回の仕事は、複数の考えや思惑が、良い方向へ絡み合っている。

打合せを終え、浦本はデータ制作部の一画を覗いてみた。福原は席を外している。

プルーフを作るには、手書き原稿を入力したゲラのデータがなければ始まらない。

福原の作業状況はどうだろうか。入力作業に入って三日目。手書き原稿の入力はそもそも時間のかかる作業ではあるが、やや心配だ。

自席に戻って社内メールを確認すると、つい先ほど福原からのメッセージが入っていた。

〈できました。一言一句余さず〉

共有サーバーを確認すると、レイアウト済みのゲラデータが保存されていた。白岡リーダーチェック済みの完成版だ。福原に、社内メールでお礼を返す。

そこへ毛利部長が企画のレジュメを持って戻ってきた。

「浦本、常務まで内諾を取った。デクノの晴れ舞台だと焚きつけたら、常務の目の色が変わったよ。稟議上げてくれ」

曾我部や奥平の思い、豊澄印刷の小さな挑戦を乗せた企画が動き出した。

※

デクノによる印刷・製本作業を見るのは初めてだ。

野末はデクノ堂の建屋で、キュウさんの作業を手伝っていた。

建屋の中は人気がなく、がらんとしているせいか、少し肌寒い。

「ロール紙の装着を確認しました」

デクノは輪転機だ。一巻き一万メートルほどのロール紙に印刷し、折機へ送出。一折ごとに紙を切断してゆく。

「キュウさん、足りないデータとかありませんか」

野末は心配になって尋ねた。デジタル印刷のため、データを読み込み、インクジェットで印刷する。物理的な版は不要だが、野末にはそれが今ひとつピンと来ない。

「面付け済の本文データと、表紙用の画像データだけあればいい。あとは、こいつが勝手にやってくれっから」

キュウさんは調整パネルの前に立ち、デクノを見上げた。

「デクノボーや、いい夢見させてくれ」

起動させると、巨大な軀体からは想像しがたい繊細な稼働音が建屋の中にこだまする。静かな稼働音は彼の売りの一つだ。

「これ、稼働を始めてるんですよね」

「ああ。静かだろう。デカい図体してるくせに、大人しい奴だからな」

カラーの表紙をまとったプルーフが一冊、また一冊と排出口に現れた。仕事は極めて遅いが、印刷から折丁、丁合、製本まで、全て一人でやってのける。

のんびり屋で愚直な工員を思わせる、丁寧な仕事だ。

「ようやく五十部完成か。あと四百五十部だ。マイペースな野郎だなあ」

こんな気前のよい豪華版のプルーフは見たことがない。通常なら制作費用が嵩むところだが、ワンストップのデクノだからこそ、低コストで対応できる。

仕事に面白さを求めることなど、お門違いだと思っていた。だが今は逆だ。面白いことでもなければ、やっていられない。

野末は、製本ラインから流れてくる小冊子の列に向かって念じた。

行け。

息の詰まるようなこの閉塞した毎日に、少しでも風穴を開けてくれ。

「久々の仕事の割には調子がいいじゃないか。上機嫌だな」

キュウさんは流れてきた完成品を一部手に取り、出来を確かめた。

「変わらないですね、キュウさんは」

「何がだ」

「どうして物言わぬ機械に話しかけるんですか」

野末は答えを分かっていながら訊ねてみた。

「仕事仲間だからさ。印刷職人は、印刷機と一緒に仕事をするもんだ」

十年前と変わらない答えが返ってきた。

「キュウさん、デクノは文庫の小部数重版にも対応してましたよね」

「ああ。数百部の小刻みな重版なら、時々やってるがね」

「最大で、一日にどのぐらい造れますか」

「そうだな、マイペースな奴だから、文庫で七、八千だな」

デクノはキュウさんの言葉にゆっくり頷くかのように、裁断工程のブックトリマーで一冊一冊、特別プルーフの三辺を切り揃えている。

「単行本なら、何冊行けますか」

「うーん、どうかな。こいつは単行本を造ったことがないからな」

「『ペーパーバック・ライター』は単行本でありながら造本設計は文字通り、ペーパーバック仕様、しかも白地に黒の一色刷りです」

「そいつはまた、慶談社も大胆なことをやるもんだな。部数はいくつだ」

「四千です。カバーは無し、表紙はコート紙、本文用紙は上更紙です」

「それならいけるかもな」

「デクノは、ペーパーバック文化の国で生まれた機械ですよね」

「ああ、日本に連れてこられたのが、こいつの不遇の始まりだ」

デクノことDCN5963は、海外では多用されている。海外では造りの簡素なペーパーバックの書籍が多く、デクノで全工程を完結させられる。

一方、日本の単行本は造りこんだデザインのものが多い。そのため、きめ細かな処理が苦手なデクノはなかなか活用されず、半ば失業状態に陥っている。

「受け入れた俺たちも、アレルギー反応を起こしているのかもしれません」

野末はデクノが導入された当時の気持ちを思い出す。

人の手をほとんど介さず自動で本ができてしまう。そんな出来過ぎた話があるものかと鼻で笑った。手間をかけて仕事をしてきた印刷会社の人間の自負が、デクノを拒んだのかもしれない。

「使えない奴だと決めつけ、今までのやり方を正当化したかったのかもしれません」

デクノよ、俺はお前をバカにしていた。俺も、工場や本社の多くの人間たちも、お前の長所を知ろうともせず、金食い虫扱いしてきた。見返してみろ。

野末は管理棟へ移り、浦本の社用携帯に電話をかけた。

〈お疲れ様！　こっちもいま野末君に電話しようと思ってたところだよ。折り入って相談がある〉

野末は身構えた。また無理難題でも押し付けられるのだろうか。

「何の話だ」

〈『ペーパーバック・ライター』の単行本、デクノでやれないかな〉

野末は薄気味悪くなり、受話器を握り締めた。

「こっちも今、その相談をしようと思っていたところだが」

〈本当に？　奇遇だね、シンクロだね〉

「ぜひ上に提案してほしい」

〈もう部長から常務まで話が上がってるよ。デクノの稼働率が上がる話だから、通りやすい〉

「そんな大げさな話になっているのか」

〈今回の『ペーパーバック・ライター』をモデルケースに、他の単行本でも提案できないか、考えてみようと〉

デクノとキュウさんの仕事が報われるかもしれない。

〈ペーパーバック仕様の単行本という、新しい選択肢を世に提示するんだ〉

夢見がちな物言いは相変わらず癇に障るが、今回ばかりは浦本に感謝しなければならない。

「よろしく頼む」

浦本のことを「伝書鳩」だと蔑視していた。野末はその伝書鳩に、思いを託した。

浦本は軽快に礼を言うと電話を切った。

※

引越しの段ボール箱が残る新居からの出勤には、まだ慣れていない。

池袋駅から徒歩十五分の住宅街にある木造二階建ての借家に移って四日目の朝だ。土曜日に由香利と二人で区役所に婚姻届を出してめでたく家族となったものの、家の中はまだ片づいておらず新婚生活を楽しむ状況ではない。

「うう、寒くなってきたなあ」

十一月下旬の土日祝日を使って転居を済ませた。引越しの混乱の中、夏用の掛け布団で眠ってしまったため、朝起きたら体が芯まで冷えていた。

浦本は衣装ケースからなんとかワイシャツを探し出し、ようやく着替えを終えた。

由香利は既に着替えて、食卓でメロンパンをかじっている。

浦本は由香利と対照的に、朝食を一切摂らない。

身支度を整えると、スマートフォンからＳＮＳをチェックした。『ペーパーバック・ライター』というキーワードで検索する。

〈曾我部瞬の『ペーパーバック・ライター』。慶談社から届いた豪華版プルーフにびっくり！　読んでみて二度びっくり〉

〈プルーフのまま店頭に並べたくなる〉

「いい記事あった？」

由香利にはこの『プルーフシフト作戦』の企画は話してある。

「書店員さんたちの呟きが増えてきた。プルーフの話題で盛り上がってる」

「やったね」

白黒のプルーフが大量に送られてくる中、カラーの豪華版が混じっていたら印象に残るのではないか。その手応えを直に感じたくて、浦本は毎日ＳＮＳをチェックしている。

「でもなあ……このやり方が本当に良いのか、時々疑問に思うんだよな……」

元はといえば浦本の発案で始まった話だ。会社では「これでよいのか」なんて口が裂けても言えない。こんな時は家族でありかつて仕事相手だった由香利だからこそ、相談できる話もある。

「私はアリだと思うけど」

「でも、お菓子メーカーに置き換えると、サンプルのパッケージを派手にして商品は安く仕上げるようなものだろう」

「ちょっと違う気がするけど、まあ、半分は合ってる」

「じゃあ、もう半分は合っていないということ？」

由香利は「端的に言うと」と前置きし、べっこうの眼鏡を人差し指で押し上げた。

「その『ペーパーバック・ライター』という本自体が、サンプル品みたいなものだって考えればいいんじゃないかな。まずは手に取ってもらうための作戦として」

「いや、それは違う。心血を注いだ作品をサンプル品だなんて」

「サンプル品に心血を注ぐのはおかしい？」

由香利に問われて言葉に詰まる。彼女は時々こうやって裏を読むような発想をし、浦本の思い込みを打ち破ってくれる。

「本は読まれてなんぼ。お菓子だって、食べられてなんぼ。大翔製菓はＢ級感を逆手に取る戦い方でＰＲしているから、ガクちゃんのアイデアは大アリだと思うよ」

飾り棚にはパッケージの切り抜きや、おまけ玩具のコレクションが並んでいる。

「ハードルを低くして手にとりやすい商品を作る。うちの会社はいつもそうだよ」

十円のチョコレート菓子から面白玩具菓子まで、大翔製菓の菓子には大手メーカーの商品にはない〝ペーパーバック感〟が漂う。

「由香利の会社は商品も宣伝も、狙いが具体的に定まってるよね」

「世間からはそう見えるかもしれないね。でも、現場の人間としては正直なところ、狙いは定まっているような、定まっていないような」

「どういうこと？」

「本当のところは、狙ったところに届くかどうかはやってみないと分からない。ただ、誰かの手元に届けることは常に意識してるかな」

由香利はメロンパンの最後のひとかけを口に入れ、言葉を継いだ。

「タンポポの綿毛をフーって吹くような気持ちかな。どこかへ届いて、咲いて欲しいと思いながら。つまりは一個のチョコレート菓子が、手に取られますようにと」

「さすが、メーカーの広報宣伝部員は言うことが違うなあ。誰かの手に届くところまで具体的にイメージしてるわけだ」

「印刷会社もメーカーでしょう？」

「あ、ああ、そうだけど」

「じゃあ本が読者の手元に届くまでのことを考えてもおかしくないよ。いや、考えて当然」

「なるほど……ありがとう」

行ってきますと言い残して出かけようとしたところ、由香利に呼び止められた。

「お弁当、自分の分と一緒に作ってみた。よかったら持っていって」

由香利に言い負けたような、励まされたような、ない交ぜの気持ちで家を出た。

仲井戸が言っていた。君の言っていることは大企業のイメージ広告みたいで具体性がないと。

由香利と話していて、仲井戸の言葉の意味が腑に落ちた。

より具体的に考え、動け。シンプルだが忘れがちなことだ。

印刷会社の未来を憂う前に、今日明日の印刷機の稼働率を確保すること。あるいは「印刷会社はメーカーだ」と言うならば、その想いを日々の仕事に体現すること。

浦本は今回の企画で具体的に考え、行動している。

だからこそ迷い、不安に駆られる。

具体的に考え、行動すると、己の力がどれほど小さいか思い知る。

つれづれに考え事をしながら池袋駅前に差し掛かると、社用の携帯電話が鳴った。

条件反射的に身体に緊張が走る。

応答すると、迷宮(めいきゅう)出版の編集者からだった。

〈浦本さん、昨日もらった『サラリーマン探偵団(たんていだん)』の再校ゲラだけど、一括置換した

でしょう〉

憮然とした表情が目に浮かぶような声色だ。

「なにか、手違いがございましたでしょうか……」

〈変わったらいけないところの漢字表記まで、全部変わってるんですよ〉

具体的には、校正の指示に従って文中の主語の「私」を全て「わたし」とひらがなにしたところ、「私立探偵」の表記まで全て「わたし立探偵」に変わってしまったというトラブルだ。

「大変申し訳ございません……すぐに出し直しさせていただきます」

DTPオペレーターの初歩的な作業ミスだが、得意先の手に渡る前に営業がチェックして拾っておくべきだった。

〈浦本さんに怒るのも筋違いかもしれませんが、ちょっとひどいですよね〉

「いいえ、営業としても確認が不足しておりました。すぐ対応させていただきます」

〈いいですよ、時間も無いし、こっちで赤入れて著者に送ります。ただ、あまりにひどかったので、一応お知らせしておきます〉

一括置換による「私」という文字の誤変換。なぜ発見できなかったのだろう。

舞い込んでくるトラブルはいつでも、嫌になるほど具体的だ。しばしば無力感に駆られるが、逃げずに向き合わなければならない。

仲井戸が「夢」だと言った「日々の仕事を手違いなく終わらせること」はある意味、本当に難しく、夢のような話なのかもしれない。

浦本は出社してすぐデータ制作部へ出向き〝わたし誤変換事件〟を報告した。すると、リーダーの白岡絵里子の柔和な笑みが「サッ」と消えた。

白岡は作業担当者を確認し、本人を呼び出した。

「一括置換には気を付けるよう、何度も言いましたよね。『私』という使用頻度の高い漢字を一括でひらがなに置き換えたら、どのようなことが想定されますか」

白岡の席の前に立たされたのは意外にも、正確無比でならす福原笑美だった。

「申し訳ありません」

「謝れとは言っていません。どのようなことが想定されるかと訊いています」

「主語の『私』以外の『私』もひらがなになる可能性があります」

「想定はできていたのですね。では確認はしましたか」

「確認したつもりですが、至りませんでした」

普段は物腰の柔らかい白岡だが、仕事のミスに対しては背筋も凍るほどに厳しい。しかも感情的に怒るのでなく理詰めで追及するため、余計に恐ろしい。

「どのように確認しましたか」

「目視でくまなく確認したつもりでしたが……」

「その確認方法は最善だったと思いますか」

「他のオペレーターに再確認を頼むなど、ダブルチェックをするべきだった、でしょうか……」

白岡は「それもひとつの対策ですが……」と前置きして言葉を継ぐ。

「一括置換で『私』をひらがなに変えたなら、今度はひらがなの『わたし』で自動検索をかけ、誤変換がないか確認する。少なくともこの手順は踏むべきでしょう。どうですか」

福原はもう、ぐうの音も出ない。浦本は横で見ていて、いたたまれなくなる。

「白岡さん……ぼくも確認が行き届いていませんでした。大変申し訳ありません」

「浦本さんは黙っていてください。確認が至らなかったのは責任者である私です。それとは別に、誤変換を誤変換のまま提出したのは彼女自身です」

もはや浦本が割って入る余地はないようだ。心苦しいが、この場はいったん離れることにした。

昼休み、由香利が作ってくれた弁当を持って、休憩室に入った。

窓際のカウンター席では福原がサンドイッチをかじりながら、机上に目を落としていた。

浦本は隣の席に座り「おつかれさま」と声を掛ける。応答がない。落ち込んでいるのだろうか。

何か言葉を掛けようと思案を巡らせながら弁当箱を開けた。

「奥様の弁当ですか」

隣から無感情な声が飛んできた。福原が横目で浦本の弁当をじっと観察している。

「びっくりした、なんで分かるの」

「整理整頓されたレイアウト、同じサイズで切りそろえられたパン、添えてあるサラダの心づくし。かつ浦本さんは三日前、結婚生活に備え新居に移ったとの情報から、奥様だと推定しました」

福原は横目で浦本の弁当を見ながらにこりともせずに言った。

新居に移ったことはまだ営業部内にしか報告していない。おそらくアルバイトの君代さんがあちこちで喋ったのだろう。

「それにしても、白岡さんは相変わらず厳しいね……。あんなに追い詰めなくてもいいのに」

「同情は無用ですから」

「これは……申し訳ない」

「明らかに、私に非があった上での厳しい指摘ですから。ありがたいことです」

福原はきっと唇をかみしめた。ミスがよほど悔しかったのだろう。

「一件、業務連絡です。『ペーパーバック・ライター』再校の修正、午後には完了できそうです」

「おつかれさまでした。大変だったでしょう」

「はい。正直、夢にまで出て来ました。奥平さんの癖字に追いかけられる、恐ろしい夢です」

著者校正では、著者が書き込んだ修正点を編集者が本ゲラに転記し、印刷会社に渡す。したがってDTPオペレーターは、編集者の赤字に従って修正することになる。

「確かに、奥平さんも独特の字だね」

「はい、電光掲示板の文字のような、異常に整った文字です」

曾我部は再校のゲラにも大量の修正を書き込んできたという。

「奥平さんも、あれだけの著者修正を引き写すのは壮絶な作業だったでしょう。作家と、編集者と、豊澄印刷の期待を背負った作品。私にとっても光栄な仕事です。最後まで気を抜かずに確認します」

やはり彼女にとってこの仕事は天職なのだと、しみじみ感じた。

「仕事のミスはこれからの仕事で挽回します」

「福原さんなら大丈夫だ」

頼もしい同僚の言葉に安心し、浦本はサンドイッチを頬張った。

全国各地の書店に散っていった五百部の豪華版プルーフの噂は口コミで広がった。物語を読んだ複数の書店員たちがチェーンの垣根を超えて販促の準備に乗り出すなど、刊行前から支持を得た。

由香利が言っていた、新商品を送り出す時の「タンポポの綿毛を吹くような」気持ちを浦本は実感していた。風に乗って飛んでゆき、花を咲かせて欲しいと願うような気持ち。

クリスマス間近の晴れた日の午後、慶談社の編集部に立ち寄ると、奥平がこちらへ向かって手招きしてくる。何だろう。恐る恐る近付くと、奥平はパソコンの画面を指差した。

「有志の書店員さんたちが合同で『ペーパーバック・ライター』のパネルを作ってくれることになりましたよ」

全国各地各店、十数人の書店員から寄せられたコメントが吹き出しで並び、真ん中にはプルーフの表紙の画像がレイアウトされている。『ペーパーバック・ライター』の発売と同時に店頭で展開してくれるのだという。

浦本は有志書店員のコメントの中に、知っている名前を見付けた。

〈三河屋書店　池袋駅前店　森田和代〉

書棚に『長篠の風』の手作りポップを付けてくれていた、あの書店員だ。

「浦本さんのアイデアのおかげで、ぼくらの想いがきっちりと届いている」

各地の書店に散らばった豪華版プルーフは、少しずつ芽を出し始めていた。

「曾我部さんの作品そのものが、力を持っているからでしょう」

「その通り。でも知ってもらうきっかけがなかなか作れなかった。目を惹くプルーフが、きっかけを作ってくれた。ありがとう。浦本さんに頭が上がらないよ」

奥平が大げさに感謝の言葉を述べる。相当嬉しいようだ。

「まだこれからです。単行本が読者の手元に多く届いたら、改めて喜びましょう」

「なるほど。まだ一喜一憂している時じゃない。ぼくが引き締めなければならないところだ」

奥平は苦笑した。本当のところは浦本も嬉しかった。

具体的に動けば迷いや無力感を思い知ることも多いが、その先にささやかな達成感が待っていることもある。

「いよいよ年明け、印刷か。とにかく、よろしくお願いしますよ」

「印刷・製本ともワンストップでやらせていただきます」

豪華版のプルーフに、ペーパーバック仕様の単行本。あべこべな作戦だけに不安は残るが、やるしかない。

　午後は池袋のマイスター出版で新書『NOと言える脳』の打合せ。年明けの入稿・印刷のスケジュールなどを詰め、終わったのは十八時過ぎ。月明りの下、サンシャイン通りはクリスマスの飾り付けに彩られ、ジングルベルが流れている。このまま帰宅したいところだが、年末進行の折だからそうもいかない。

　会社に戻る前に池袋駅前の三河屋書店を覗いていくことにした。

　三階文芸書売り場の入口付近に、アクリル製のラックが設置されている。『チョイ読みコーナー』と題された一画に『ペーパーバック・ライター』の序章が小冊子になって置かれていた。

〈曾我部瞬を知らない方、序章を読めば分かります！　文芸書担当　森田和代〉

　著者や出版社の許可を得て一部を公開している旨、断り書きが付してある。

　売り場に森田和代の姿を探すが、見つからない。レジカウンターにもいないようだ。帰宅ラッシュの時間帯だから、会社帰りの客で行列ができている。

　軽食を摂ろうと、三河屋書店の一階にある喫茶店に立ち寄った。ホットコーヒーとチーズトーストをトレーに載せ、カウンター席に座る。

　隣の席に座っていた女性と目が合った。「おや」という反応。

「印刷会社の方、ですよね」

「はい。以前ご挨拶致しました、豊澄印刷の浦本です」

「あの時は名刺を持ち合わせていなくて、失礼しました」

森田和代はバッグから名刺入れを取り出し、名刺を一枚差し出した。

〈三河屋書店池袋駅前店　文芸書担当　森田和代〉

「先ほどシフトを終えたところで」

テーブルには、コーヒーカップの横にA４用紙の束が置かれている。

「原稿、ですか」

「とある新刊のゲラです。仕事を上がった後、時々ここで、小一時間くらいゲラを読んでから帰るんです」

森田は読んでいたページの角を折ると、隠すように裏返しにして伏せた。

三河屋書店池袋駅前店には、新刊のゲラやプルーフが大量に送られてくる。森田はそれにできる限り目を通し、面白いと感じた作品にはポップを付けたり、試読コーナーに置くことを交渉したりするという。

「通常業務の他にゲラやプルーフを読んで、その販促までされて、ものすごくお忙しいですね」

「まあ、仕方ないですよ。好きでやってることですから」

「この度は、『ペーパーバック・ライター』を応援していただき、ありがとうございます」

「あの本も、浦本さんが印刷を担当されるんですか」

「はい。プルーフも弊社で作らせていただきました」

浦本が答えると森田は「素敵なプルーフですね」と声を弾ませた。

「森田さんは、ずっと三河屋書店にお勤めなんですか」

「いいえ、息子が生まれる前までは、けやき書店に勤めていました。三河屋には、息子が大学生になって手が離れてから、パートタイムで入社したんです。どうしても書店で働きたくて。かれこれ五年になります。って言うと、歳がばれちゃいますか」

そう言って森田はアハハと笑った。

「昔は黙ってても本が売れたんですけどね、今はそういきません。でも、一矢報いたい」

一矢報いる。その言葉が浦本の胸に刺さった。

「そのために私の立場でやれることは、素晴らしいと思った本を一冊でも多く売り場から読者の手へ送り出すことです」

「見習いたいです。私の立場でやれることは、よりよい本を造ることです」

浦本は「本を造ること」と言い切った。森田は何も言わず頷いた。

「なんだか、浦本さんとお話をしていると、当たり前ですが印刷する方や製本する方もいるんだなあって実感します」

本を書く人、企画する人、作る人、配本する人、そして売る人がいる。普段は関わり合いがなくとも、浦本と森田の仕事は一本の道の上で繋がっている。そう実感し、また心強く思えた。

森田は携帯電話に目を遣った。

「そろそろ失礼します。夫が珍しく早く帰って夕食を作ってくれてるみたいなので」

「お邪魔して失礼しました。一矢報いましょう。『ペーパーバック・ライター』で」

浦本は言った。森田は「がんばって売りますよ」と腕まくりの仕草で応えた。

どうにか、読者の手元に届いてくれ。

歳は暮れ、『ペーパーバック・ライター』は新年の刊行を待つばかりとなった。

※

ふじみ野工場にはまだ松飾(まつかざり)が飾られている。

米国プレステック社製のインクジェットデジタル輪転印刷機・DCN5963を使った、初の単行本制作。

野末はこの仕事仲間の晴れ舞台に立ち会っていた。デクノ堂で作業にあたるのはキユウさんと野末、新人オペレーターの高野の三人のみ。

「順調だな。あと四時間もすれば四千部完成だ」

十五時から稼働を始めて四時間。ようやく二千部を超えたところだ。

「野末君、お疲れ様」

浦本が女性を一人連れて駆けつけてきた。取材だろうか。期待が胸をよぎる。デクノによる初の単行本制作ということで、浦本が広報に掛け合ってプレスリリースを出していた。

「申し訳ない。メディアからの取材は、一件も来なかった……。取材がなかった代わりという訳ではないけれど、ギャラリーを連れてきた次第で」

浦本の隣で女性が頭を下げた。

「お邪魔します。デジタルデータから製本までを一台でこなすインクジェット印刷機、後学のために一度見てみたいと思っていましたもので」

理屈っぽい喋り方を聞いて、野末は思い出した。以前、小暮洋一とのＷＥＢ会議でセッティングをしていた、データ制作部の福原だ。

顔にも声にも表情がない。だが、目は絶えずデクノのあちこちに向けられている。

「随分と物好きなお嬢さんがいるもんだな」

キュウさんがデクノに目を配りながら横から茶々を入れてくる。

「この『ペーパーバック・ライター』は手書き原稿で、福原さんが入力してデータにしたんです」

浦本からの紹介を受け、福原は黙礼する。

数百枚の原稿を手入力でミス無くデータ化するのは途方もない作業だろう。作業者を目の当たりにすると畏敬の念が芽生える。

「お疲れ様。せっかくだから、軽く案内しよう」

野末はデクノの工程に沿って福原を案内した。

デクノはロール紙をゆっくりと巻き取りながら、文字を印字し、四六判サイズの一折分ごとにカットしてゆく。

「普通の印刷機ならここが終点で、印刷を終えた紙を乾かしてパレットに積み、製本所へ運ぶ。だがデクノにはこの先がある」

この先は製本過程。デクノは製本機の折機に相当する作業もこなし、折丁を作ってゆく。

「刷版は不要で製本まで一括処理……製版・印刷・製本の三社が揃っているようなものですね」

「そのとおり。デクノは三社分の仕事を一人でやってのける」

デクノを紹介する語気が熱を帯びる。

製本工程の終点、完成した本がベルトコンベアに載って流れてくる。福原は立ち止まって、真新しい本の行列をじっと見つめた。

「恥ずかしながら、自分が作業に関わった本が工場で誕生する瞬間を見るのは、初めてのことです。これが、私たちが造った本」

福原の顔には相変わらず表情がないが、その目には光るものが見えた。

一周し終えて調整パネルの前に戻ると、キュウさんがデクノに向かって「いい調子だ。もう少しだ」と声を掛けていた。

福原は不思議そうにキュウさんを凝視する。

「キュウさんは、いつもああやって印刷機に話しかけてる」

野末が説明すると、福原はますます怪訝な表情でキュウさんを観察し始めた。その視線に応えるかのように、キュウさんは言った。

「仕事仲間だからだよ」

福原は「仕事仲間」と呟いたきり、首を傾げる。

「人間だけでは何千部、何万部もの本はできない。お嬢さんも、機械と仕事をしてるだろう」

「はい、いかにも」

「大事にすれば、機械は応えてくれる。仕事仲間だよ」

ゆっくりと、だが着実に出来上がってゆく『ペーパーバック・ライター』の初版本を、高野が十冊ずつ重ねて梱包機にかけ、パレットへと積んでゆく。

野末は手袋を付け、完成本の一冊を手にとった。

面白いものが見たい。

デクノで作った本をきっかけに、崖っぷちの作家が蘇る。キュウさんが陽の当たる場所へ戻る。

工場で造った本に対し、こんなにも売れて欲しいと思ったのは初めてのことだ。

「野末君、色々とありがとう。初のペーパーバック仕様の単行本。あとは売れるのを祈るだけだ」

「デクノが日の目を見るのは、工場の人間にとっても喜ぶべきことだ。今回ばかりは感謝したい」

「いや、色々な人のアイデアやアドバイスを、伝書鳩のようにただ伝えて繋いだだけだよ」

伝書鳩。かつて浦本に投げつけた言葉が、デクノ堂の壁に反響し、野末の胸に突き刺さる。デクノを役立たずと決め付けていた、自分の心に。

「重版、かかることを祈る」

ここで生まれたペーパーバックがささやかな奇跡を起こすことを、野末は願った。

夜二十一時、誰もいない管理棟に戻って残務を整理していると、野末の卓上の電話が鳴った。野末は「なんだよ」とひとりごちて受話器を上げ、応答した。

〈お忙しいところ恐れ入ります。そちらに、野末正義さんはご在籍でしょうか〉

男の声だ。名乗りもせずに不躾な電話だとは思いつつ、時々かかってくる押し売りの電話とも雰囲気が違う。

「私ですが」

野末は、警戒しながらも答えた。

〈突然のお電話、恐縮です。わたくし、ワールド印刷人事部のスエマツと申します。今、少しだけお話しさせていただいてもよろしいでしょうか〉

「なんでしょうか」

男は慣れた口調で手際よく用件を切り出した。

野末の目の前に突然、新たな人生の選択肢が提示された。

※

浦本は日々の仕事に向き合いながら、折をみてＳＮＳをチェックした。気になる情報はひとつ。

曾我部瞬の新刊『ペーパーバック・ライター』の売れ行きだ。

毛利部長も度々、売れ行きを訊ねてくる。デクノの活用策という、豊澄印刷全体の期待も背負っている作品だ。

書店での展開は、四千部の作品としては異例の盛況だった。一方で数字は思うように伸びない。

初版から一ヵ月後、曾我部瞬はついに引退宣言を出した。

SNSに連続投稿された曾我部の長文には、意外にも感謝の言葉が綴られていた。自分の本は多くの人に支えられて作られていたことを知った。最後にそれを知ることができてよかった、と。

浦本は慶談社の編集部に奥平を訪ね、詫びを入れた。自分の提案した『プルーフシフト作戦』が、実を結ばなかったと。だが、奥平は動じていなかった。

「浦本さん、謝ってもらっちゃ困りますよ。あの分からず屋は勝手に引退宣言を出しましたが、必ず撤回させてみせます」

「勝算は、あるんですか？」

「もう、勝ってますから」

奥平の声は、不敵なぐらい自信に満ちていた。

それから数日後、慶談社の奥平から電話で一報が入った。

〈浦本さん、曾我部瞬『死者の証言』の文庫が重版決まりました！　三千部、手配お願いします〉

あろうことか、引退宣言の後、文庫に重版がかかったのだ。

〈全国で、特定の書店員さんが『ペーパーバック・ライター』を強烈に推してくれた反響です〉

プルーフを読んで曾我部瞬という作家に注目した書店員が『ペーパーバック・ライター』と一緒に文庫の数々も並べて『曾我部瞬フェア』を展開してくれていたのだ。

単行本での重版にすぐには結びつかなかったが、読者がハードルの低い文庫から手に取り始めた。文庫旧作品の実売数が伸び、いくつかの作品で重版がかかった。

その後、一ヵ月程経って単行本『ペーパーバック・ライター』の重版千五百部が決定した。

約束どおり、重版を果たした曾我部は引退宣言を撤回。重版の報せを受けた時、曾我部瞬は奥平に詫びながら、泣き崩れたという。

豊澄印刷も『ペーパーバック・ライター』重版の報に沸いた。デクノの活路が見出せたこともあり、全社的な吉報として受け止められた。

浦本が電話で一番に報せたのは、部長でも営業部内でもなく、ふじみ野工場だった。デクノのオペレーター、キュウさんは〈そうか、そうか〉としみじみ喜んだ。

〈ありがとう、あんたとマー坊のおかげで、いい夢が見られたよ〉

「キュウさん、夢ではありません。現実になったんですよ」

四千部の初版、千五百部の重版。小さな一歩のようだが、豊澄印刷にとっては大きな一歩だ。またひとつ、印刷会社にできることが見つかったのかもしれない。

浦本は少し報われた気持ちで『ペーパーバック・ライター』第二刷の概算見積書を作成した。

第四章　『サイバー・ドラッグ』

「はい、おまたせ」

浦本家の日曜の昼の食卓は、由香利お手製のおでんだ。

「いやあ、こんにゃくの比率が多いねえ」

「こんにゃくは、おでんの主役だからね」

持論を述べながら、由香利は浦本の向かいに腰掛けた。

「ガクちゃん、こんなニュースがあったよ」

由香利が食卓の上にスマートフォンを差し出した。ニュースアプリの記事だ。

「『紙か、電子か。大作家が投じた一石』……?」

浦本は見出しをボソボソと読み上げた。記事の冒頭を少し目で追い、自分がこのニュースの当事者の一人であることを知った。

〈多くの作家が、サバンナ社の電子書籍読み放題サービス『サバンナ・フリーダム』に異議を唱える中、ベストセラー作家の諸見沢流一（もろみざわりゅういち）さんら数名による〝電子書籍応援

団〟と称する会が結成された。電子書籍の普及促進に対する賛同の意を表明しており、関係者の間に波紋を呼びそうだ〉

紙の本と電子書籍。この議論は以前から繰り返されてきた。だがこれまでは反対派の作家の声を取り上げるなど、否定的な議論が多かった。

浦本はそれらのニュースを目にする度、内心ほっとしていた。

今回は打って変わって、大作家の賛成の声が飛び込んできた。

由香利が「難しい顔してるね」と言いながら、大根とごぼう巻きを小皿に取り分けてくれた。

「いやあ……諸見沢さんも嫌なキャンペーンを始めたもんだ……」

印刷会社の営業としては複雑な気持ちだ。

「諸見沢流一さんって、慶談社からもたくさん出してるよね」

「ああ、新作を出す度に十万部突破だからね」

「じゃあ、ガクちゃんの会社でも諸見沢さんの本を造ってるの」

「もちろん。諸見沢さんの本は、豊澄印刷にとっても、最重要案件のひとつだよ」

豊澄印刷では初版部数が十万部を超える大口の案件は、仲井戸が担当している。

〈諸見沢氏は自身の作家生活三十周年の祝賀会で、電子書籍応援団の結成を宣言。

『デジタル化は時代の流れであり、電子書籍を愛用する読者が増えている今日(こんにち)、作り

手はそのニーズに応える必要がある。読書の入り口を広くすることは、文学全体にとってプラスになる』などと語った〉

浦本は記事を読み終え、押し黙った。

「ベテラン作家って、なんとなく紙の本にこだわりそうだけど、意外だね」

「いや、慶談社の担当編集から聞いた話だけど、諸見沢さんは新しもの好きで有名らしいから」

諸見沢はインターネットが普及し始めた九〇年代後半に、いち早くホームページを作って実験的な小説を連載した。当時は時代が追いついておらず、あまり注目されなかった。

最近では趣味で自らプログラムを組んでスマートフォン向けのパズルゲームアプリをリリースするなど、五十歳を過ぎた今も、好奇心の塊のような人だという。

「才能が有り余っている人って、いるんだね」

「ああ、諸見沢さんは時代に対する感度がすごい。作品にも、その時々の最新技術が登場する」

諸見沢流一原作で今年映画化された『ゼロワン・マネー』は、ネット上の仮想通貨を駆使して世界を翻弄する詐欺師の物語だ。諸見沢はコンピューターへの造詣も深く、過去にはサイバー・テロを題材にした作品も発表している。

「ガクちゃん、熱いうちに食べなよ」

浦本は大根を箸で取り、かじった。熱い汁が噴き出す。口の中で大根を転がし、飲み込んだ。

「今は紙と電子って、どのぐらいの比率なんだろうね」

「少なくとも文芸書についてはまだ、圧倒的に紙で読まれてる」

しかし諸見沢のような大作家の発言が注目されると、電子化への流れが加速する可能性がある。

「単純に考えると、電子書籍が増えればその分紙の本が減るよね」

由香利は恐ろしいことをさらりと口にし、こんにゃくをかじった。

浦本は「俺の仕事も減っちゃうな。失業しちゃったりして」と笑い飛ばしてみる。

「そしたら私がガクちゃんを養うから大丈夫だよ」

「その時はよろしくお願いします」

冗談の応酬をしてみたものの、内心は穏やかでない。

「だけど、電子書籍になると本当に印刷会社の仕事は無くなるの」

「完全には無くならない。電子書籍の多くは印刷会社が作ってるし、うちにも電子書籍の部署があるよ。ただ、電子はデータを一度組んだら終わりで、重版という概念がない。一度きりの受注仕事になる」

「ということは、仕事は激減するということか……。やっぱり私が養わないとダメかなあ」

「まあ、なんだかんだ言っても、急に紙の本がこの世から消えることはないから」

半ば投げやりに言ってみたが、こういう現実から目を逸らした消極的な楽観が危険だということは分かっている。

紙の本は、読書人口の減少と電子化という二つの逆風に直面している。

「他の印刷会社はどうしてるんだろうね」

「家族経営の小さな印刷会社は、後を継がずに廃業しているよ」

浦本がワールド印刷に勤めていた三年前でも、近隣の小さな印刷所が相次いで会社を畳んでいた。今はもっと加速しているはずだ。

「大手に絞られるのか……ワールド印刷とか」

ワールド印刷はディスプレイや電子端末の素材、住宅の内装素材、ＩＣカードや証券類、物流業界のための梱包資材の開発など、数え切れぬほどの商材を扱っている。

紙媒体の印刷物からデジタル分野への進出にも抜かりなく、近年では企業に長年保存された大量の書類を電子化し、大容量のクラウドサーバーで保管するサービスなども展開している。

「豊澄印刷は、新しい事業をやらないの。紙の本は減っていくわけでしょう」

由香利は第三者の立場から素朴な疑問を鋭くぶつけてくれる。

「デザイン部門を自社で持ったり、新しい展開はしてるよ。あまり手広くはできないけどね。ワールドみたいな人手も資金もないし」

由香利がじっと浦本の目を見ながら訊ねてきた。

「ガクちゃん、後悔はしてない？」

「何を」

「ワールド印刷から豊澄印刷に移ったこと」

「後悔してないよ」

本作りに携わりたくて選んだ道だ。

「よかった。万が一本当に仕事がなくなっちゃったとしても大丈夫。私がいるから」

さきほど「私がガクちゃんを養うから」と冗談めかした時とは違い、語気は真剣で優しい。

「ありがとう。なんか気が楽になったよ」

すごい人と一緒になったものだと感嘆し、家族を持つ責任に一人で気負っていた己を恥じた。

「だけど、やっぱり豊澄印刷もパッケージ印刷に参入すべしですな。食品のパッケージばかりは、電子化できませんので」

由香利の冗談を浦本は笑って流したが、すぐに思い直す。

食品のパッケージは、電子化できない。その当たり前の事実に大きなヒントが隠れているような気がした。

「おや『ツブヤイター』でもちょっとした騒ぎになってるね」

由香利がまたスマートフォンを差し出し、教えてくれた。

最近のネットニュースは、ＳＮＳを通じてあっと言う間に拡散する。案の定、諸見沢流一の発言を取り上げた記事は、短文投稿ＳＮＳ『ツブヤイター』上で早くも議論を巻き起こしていた。

〈紙の本も電子書籍も、両方上手く使えばいい〉

〈本を持ち歩くのが面倒だと思う人もいる。諸見沢さんの意見には賛成〉

〈この作家は、街の本屋さんが次々と店を閉めている現状を、どう思っているのか？〉

識者と呼ばれる人々や読者が思い思いの声を投稿している。

文庫の売れ行きが好調の作家・曾我部瞬もこのニュースに言及していた。

〈高名な先生が何と言ったか知らないが、俺の書いた本は一冊たりとも電子書籍にはさせない。電子書籍など、本と呼ぶに値しない。万死に値する〉

「曾我部さんは相変わらず過激だな……」

誹謗中傷まで含んだ様々な投稿に対し、諸見沢は淡々と応じている。

〈物語を読んでもらうことに変わりはないので、ぼくは紙でも電子でもどちらでも歓迎したい。そういう考え方です〉

「確かに電子書籍は便利だよね。最近は『サバンナ・フリーダム』で漫画の名作が読めちゃうし」

由香利は席を立ち、テレビ台の横に立てかけてあるタブレット端末を手に取った。

外資系通販最大手のサバンナ社が、定額制有料会員向けに電子書籍の読み放題サービスを始めた。対象となる作品は十五万冊以上で、その中から何冊読んでも料金は月額千円。

「この前は『魔女のバカンス』を十五巻一気読みしちゃったよ。ありがたいけど、作家の人たちの生活は大丈夫なのかって、心配になるね」

由香利の言うとおり、作り手からは否定的な声も多い。勝手に自分の作品を『サバンナ・フリーダム』に登録された作家から、作品の削除依頼が相次いでいるという。

浦本も仕事のための偵察のつもりで試しに漫画を読んでみた。続きを読みたいと思ったらすぐダウンロードできる便利さに引き込まれ、自己嫌悪のような複雑な気持ちになった。

にわかに、社用携帯が鳴った。ディスプレイには〈慶談社文庫　岡部(おかべ)様〉と表示されていた。文庫出版部に配属されたばかりの男性編集者だ。

「緊急、緊急」

着信音の中、由香利がけだるそうに連呼する。午後から買い物に出掛ける予定だが、電話の内容次第では出社する羽目になりかねない。

浦本は「ごちそうさま」とおでんの残りの汁を飲み干し、応答ボタンを押した。

初校のゲラ出しスケジュールの確認だった。浦本は胸をなで下ろし「ただいま確認しますので」と弾んだ声で答え、タブレット端末を起動させた。

そういえば、紙の手帳を使わなくなったのはいつ頃からだろう。


四日後の朝、出社すると、常務席の側で毛利部長と常務が立ち話をしていた。

この二人は難しい話をする時、なぜか立って議論する。

「何かあったんですか？」

浦本は、先に出社していた仲井戸に尋ねた。

「俺も来たばかりだから分からない。ついさっきまで降旗（ふりはた）さんも一緒に話してたけど」

降旗は電子書籍制作部の部長だ。何の話だろうか、考える間もなく毛利部長が席に戻ってきた。

「今から臨時の幹部会議だ。仲井戸と浦本、忙しいと思うが、すぐに終わるから来てくれ」

「幹部会議って、私たちは幹部じゃありませんが」

「後で説明するから、とにかく」

会議室へ向かう間、歩きながら「新しい仕事の件で同席してもらう」とだけ説明を受けた。

会議室は長机がロの字形に組まれており、机上には一枚の資料が配付されていた。奥に座る常務を筆頭に、営業本部と製造本部の各部長、チームリーダーまで十五名程が居並ぶ。

浦本は机上の資料に目を落とし、思わずのけぞった。

「おおっ。諸見沢さんのニュース……」

この前の日曜日に由香利とおでんを食べながら読んだ記事のコピーだった。

諸見沢作品の営業担当は仲井戸だ。この会議に仲井戸が呼ばれた理由は分かった。しかし自分はなぜ呼ばれたのだろうか。分からないまま会議は始まった。

冒頭、毛利部長が至急の報告事項として発言した。

「諸見沢流一が慶談社から刊行する次回作『サイバー・ドラッグ』は、紙と電子の同時リリースとなった」

隣に座る仲井戸は毛利部長の言葉を冷静に聞いていた。電子書籍との同時リリースは、昨今では珍しくない。

「さらにもう一点」

毛利部長の報告は続く。

「サバンナの読み放題サービス『サバンナ・フリーダム』にも同日登録したいとのこと。慶談社から今日の十時にプレスリリースが出ます」

これには出席者一同がどよめいた。

「新作を？　『サバンナ・フリーダム』に？」

浦本は身を乗り出した。仲井戸もさすがに驚いた様子で周囲を窺っている。

読み放題の『サバンナ・フリーダム』には主に旧作や絶版本の復刻版などが登録されている。一ページ読まれるごとに、サバンナ社から出版社への対価が発生する仕組みだ。新作はあまり登録されていない。

諸見沢ほどのベストセラー作家の新作が登録されるのは異例のことだ。

「なぜ急にそんな話になったのですか？　諸見沢さんの新作は慶談社にとってもドル箱ですよね。それなのに『サバンナ・フリーダム』でページの切り売りをするなんて」

データ制作部の白岡絵里子が憤る。彼女は諸見沢作品の熱心な読者だ。

「諸見沢先生ご本人から慶談社に『新作を実験的に提供してみたい』と強い要請があったそうだ」

常務が口を開いた。

「諸見沢さんの取り分も減る可能性がありますよね」

白岡が心配そうに尋ねる。

「心配すべきは、うちの取り分ではないでしょうか」

仲井戸が口を開いた。皆の視線が仲井戸に集まる。

「例えば、電子書籍に流れる分を見込んで慶談社は単行本の初版を減らす。重版部数も減り、印刷機の稼働率は下がる」

仲井戸の言う通りだ。重苦しい沈黙が流れる。

「それは……やってみないと分からん」

答える常務の口調は、どこか投げやりだ。

「いずれにせよ、慶談社はこれをきっかけに、他社に先んじて電子書籍に重きを置く方針を打ち出したということだ。関連会社の我々もこれに倣うこととなる」

常務が鷹揚な調子で皆に告げた。それから、毛利部長へ目配せする。

「ついては、電子書籍の統括営業担当者を置きます。その役には営業第二部の浦本を充（あ）てます」

青天の霹靂だった。浦本は隣に座る毛利部長に「初めて伺う話ですが」と小声で耳打ちした。

「今ここで伝えた。引き受けてくれるか」

毛利部長は怒ったような、しかしどことなく懇願するような声で言った。

〈とりあえず承諾しとけ〉

そんな合図とも取れる。浦本は「承知しました」と答えた。

「浦本さん、よろしく」

額の広い眼鏡の小男が、居丈高に言った。電子書籍制作部の部長、降旗だ。

「今回の企画、電書制作部として全力で対応します。超人気作家の新作が読み放題の『サバンナ・フリーダム』に登録される。これは大きな転機です」

降旗は身振り手振りを交えながら熱弁をふるい始めた。こんなに声の大きな男だっただろうか。

「近年までは正直なところ、紙の本のおまけのような位置付けで電子書籍を作り続けてきました。だけど、私は最初から分かっていましたよ。ユーザーは正直だ。便利なものを選ぶ」

普段は青白い降旗の顔が紅潮している。

「現にコミックの電子書籍市場は拡大の一途。既に売上の一〇％を超えてきています。電子書籍先進国のアメリカでは約二〇%です。それに比べて、文芸書は遅れている」

「遅れているという言い方は適切でないと思いますが」

データ制作部の白岡が険のある声で反論する。

「いや、遅れているんですよ。紙をありがたがる風潮が根強く残っている」

降旗は白岡を見据えて言い返した。

「我々が考えるべきは紙か電子かの議論ではなく、豊澄印刷が生き残るための策です」

仲井戸が割って入る。

「生き残るためには紙の世界から飛び出すべきだと言っている」

降旗は机上に置いてあった電子書籍リーダーを手に取った。

「これに、あらゆる本を収められる。トラックで大量の紙を運び、大量のインキと電力を使って印刷するのと、ファイルをサーバーにアップロードするのと、どちらが合理的でしょうか」

「合理的であれ何であれ、電子書籍の売上はまだ全体の一〇%程度だ」

毛利部長が口を開いた。

「その比率は近いうちに逆転しますよ。この五年で紙の書籍の売上が一割縮小する一方、電子は二・五倍に拡大しています。今や電子書籍化された作品は百万点を超え、タブレット端末の普及率も二〇％を超えて伸び続けている。電子を軽視し続ければ、豊澄印刷は生き残れない」

「軽視？　電子書籍制作部は増員している。力を入れているだろう」

毛利部長は降旗を宥める。

「いや、もっと力を入れるべきです。我々印刷会社は、毎日膨大な紙を使って本を刷っている。読者の手に届くまでいくつもの会社がマージンを取っていく。この際、正直に言いますが……」

降旗は一同を見渡し、ひと呼吸置いてから言った。

「既得権益の塊ですよ」

資料に目を落としていた面々は一斉に顔を上げ、降旗に向かって抗議めいた視線を投げた。

「降旗、いい加減にしろ」

毛利部長が降旗を睨み付ける。

「書籍の主流はあくまでも紙だ。電子書籍は一部の読者のニーズに応えるもの」

「おっしゃるとおりです。電子書籍はまだまだ浸透していない。なぜだか分かりますか？」

降旗の問いに、毛利部長は取り合わない。仲井戸が「簡単です」と声を上げた。

「電子で本を読む必要性が乏しいからでしょう」

仲井戸は降旗を凝視して言い返す。

「ほお、読者は本を読む手段を必要性で選ぶものだろうか」

「必要ならば使うし、必要でないなら使わないでしょう。他に何がありますか」

「利便性だよ。多くの読者がまだ電子書籍の利便性を知らない」

「知られていないのはなぜでしょう。結局、その利便性が評価されていないからですよね」

普段は冷静な仲井戸が、声を荒らげる。降旗は口元をゆがめて「いやいや、それは違う」と呟く。

「出版業界も印刷業界も、読者や世の中に対して、電子書籍という選択肢を真剣に提案していませんよね。それはなぜか。変化が怖いからでしょう」

浦本は、自分の意識に潜む恐れを降旗に言い当てられたような心地がした。

「近い将来、印刷会社から印刷機は消えます。紙への固執を捨てた者だけが生き残る」

毛利部長が「ふざけんな」と席から立ち上がった。

「自分が何を言っているか分かってんのか。本はな、版を組み、紙とインキで造るもんなんだよ。『ダウンロード』だ？　俺から言わせればそんなものは本じゃねえ！」

常務が「まあまあ」と割って入る。

「今日はお開きだ。間もなく慶談社からプレスリリースが出る。浦本君、よろしく頼むよ」

常務が浦本に向かって片手を挙げた。

「あ、はい。かしこまりました」

浦本は何をどうよろしくすればよいか分からぬまま答えた。

毛利部長は足早に会議室を出て行った。浦本は慌てて後を追う。毛利部長の背中には、湯気が立ち上らんばかりの怒気が漂っている。

席に戻っても、毛利部長は憮然とした表情のままパソコンの画面を睨んでいた。聞きたいことが色々あるが、話しかけられる雰囲気ではない。

様子を窺っていると、毛利部長のほうから「悪かったな」と声を掛けてきた。

「事前に説明している時間がなかった」

「いえ、仕方ありません。昨日今日の急展開ですし」

毛利部長は背もたれに身体を預け「ふう」と溜息を吐いた。

「ついかっとなっちまった。なんだかんだ言って俺もこれ使ってるし」

毛利部長はタブレット端末を取り出し「『ダウンロード』もしてるし」とボソボソ

呟く。どうやら喧嘩腰になってしまったことを後悔しているようだ。

浦本は毛利部長のこういう人間臭いところが嫌いではない。

「まあ、降旗さんも相当過激なこと言ってましたから、お互い様ですよ」

「時代の変化も、それに対応しなければならないのも頭では分かるんだが、感情がついてこない」

毛利部長はもどかしそうに言った。それから仲井戸に向かって言った。

「電子書籍の話はともかく、まずはいつも通り、いい本を造ってくれ」

「部長、いい機会なので『サイバー・ドラッグ』は単行本も浦本君に任せたいと思うのですが」

「そうだな、いい機会だ。浦本にも大きい仕事を任せようと思ってたところだ」

「いや、ありがたく、光栄な話ですが……」

仲井戸に追いつけ、追い越せと仕事に励んではいるものの、実際に重要案件を振られると尻込みしてしまう。これではいけない。

息を吸い込み、ひと思いに言った。

「了解しました。喜んで」

「よし、浦本に任せた。諸見沢流一作品初の『サバンナ・フリーダム』登録というでかいオマケまで付いてる。頑張れよ」

第15回小説現代長編新人賞受賞作

『檸檬先生』

大人気漫画『ブルーピリオド』の著者
山口つばささんが装画を手掛けます!

あらすじ

私立小中一貫校に通う小学三年生の私は、数字に色が見えたりする「共感覚」を持っていた。普通の人と同じように絵画や音楽を楽しむことができず、クラスメイトから蔑まれていた。自称芸術家の父親は世界中を旅して回り、一方の母親は風俗店で働くまでして生活費を稼いでいる。困窮した節約生活の中、唯一心安らげる場所は放課後の音楽室。ある日、その音楽室で中学三年生の少女と出会う。彼女は檸檬色の瞳をもつ孤独な共感覚者であった。現役高校生作家が描く、淡く、儚い青春譚。

珠川こおり(たまがわ・こおり)
2002年、東京都生まれ。小学校二年生から物語の創作を始める。高校受験で多忙となり一時執筆をやめるも、高校入学を機に執筆を再開する。小説現代長編新人賞への応募は、今回が2回目。本作『檸檬先生』で第15回小説現代長編新人賞を受賞。

2021年5月24日発売予定

予価:本体1,430円(税込) ISBN:978-4-06-522829-6 四六判

檸檬先生
第15回 小説現代長編新人賞受賞作
珠川こおり
©山口つばさ

何やら分からないが、とにかく少し前向きな雰囲気になってきた。

「ところで部長、電子書籍統括営業というのは、何をすればよいのでしょうか」

毛利部長は浦本の目をじっと見つめ返してから言った。

「俺にも分からん」

「なるほど。自分で考えろ、ということですね」

もう一度訊ねてみるが、毛利部長は何も答えず、おもむろに席を立った。

「一服してくる」

具体的に何をすべきか、浦本は考える。そこへ仲井戸が「考えなくていいよ」と言った。

「何もしなくていいんだよ」

仲井戸曰く、急ごしらえの電子書籍統括営業なる職名は、慶談社に対して「電子書籍にも力を入れてゆきます」というポーズなのだという。

「部長の立場上、表立っては言えないのだろうが、俺が察するところはそういうことだ。だから浦本君は、今までどおりに仕事をしていればいい」

名ばかりの肩書きを与えられたということなのか。

「といえども、名刺だけは作り変えておかないとね」

仲井戸は言った。浦本は合点がいかなかった。

「名ばかりの肩書きを与えられて、何もしなくていいなんて、おかしいですよね」

「浦本君に損な役回りをさせて申し訳ない。部長はきっと俺には頼み辛かったんだと思う」

「どうしてですか」

「正直なところ、俺は電子には極力関わりたくない。名ばかりの肩書きだとしても御免こうむりたい。部長の言うとおり、あれは本ではないと思っているから」

仲井戸が好き嫌いで仕事を選ぶとは、意外だった。だが思い返せば、会議での降旗に対する態度も、電子書籍への拒否反応のように思える。

「そうは言っても、電子から目を背けられない状況が迫っています。取り組まざるを得ないのではないでしょうか」

「具体的にどう取り組む。それに、何か取り組んだところで豊澄印刷は救われるのか」

仲井戸には常に、豊澄印刷にとってためになるか否かという視点がある。

「電子書籍の伸びなど、すぐに頭打ちになる。今までどおり、最小限の仕事で続ければいい」

浦本もこれまで、心のどこかでそう言い聞かせていた。しかし電子書籍統括営業担当という形ばかりの肩書きを与えられたことで、図らずも向き合う覚悟が芽生えた。

「伸びが頭打ちになるという根拠は、何かありますか」

「人間は有機体で、古来から、有機物の紙で書物に親しんできた。一定の割合で電子化は止まる」

「それは仲井戸さん個人の見解で、根拠になっていないと思いますが」

やはり仲井戸は目を背けているのではないか。営業として豊澄印刷を守るという使命を強く思う余り、電子書籍のことになると冷静さを失っているように見える。

「仮に電子が伸長したとして、どうなる。降旗さんの言うように工場から印刷機を消すか」

「そんなことは一言も言ってません。紙と電子書籍は必ずしも引き算の関係ではないと。補い合う部分もあると思いませんか」

「また理想論でごまかそうとするのか。電子が増えれば紙が減り、うちの仕事も減る。シンプルな話だ。現実を直視できない人間は、辞めたほうがいい」

「現実を直視していないのは、仲井戸さんのほうじゃないですか」

言ってしまった。議論が喧嘩に変わりそうな、不穏な空気が漂う。そこへアルバイトの君代さんがマフラーを外しながら入ってくる。

「ごめんね、埼京（さいきょう）線が遅れちゃってまいったわ。それにしても寒いわね。鼻息まで凍っちゃう」

窓の外には暗灰色の雪雲が空を覆っていて、今にも降り出しそうだ。

「おはようございます。君代さん、すみませんが、名刺を作り変えるので三百枚発注お願いします」

「ガクちゃん、出世でもしたの」

浦本は、今の名刺にボールペンで「電子書籍統括営業担当」と書き加え、君代さんに手渡した。

「名ばかり『電子書籍統括営業担当』です」

心の中では、名ばかりで済ませていいわけがないと思いながら、自嘲する。

午前十時、慶談社からのプレスリリースが配信された。

〈諸見沢流一の新作、発売と同時にサバンナの読み放題サービスに登録〉

このニュースに対し、ネット上では瞬く間に賛否の議論が沸き起こった。

当事者の一人であるはずの浦本は、どう向き合ってよいか分からぬままだ。

由香利の持たせてくれた弁当を持って休憩室に入ると、カウンターに福原がいた。

「今日は諸見沢さんのニュースで大騒ぎですね」

福原はハードカバーの本に目を落としたまま言った。

「その大騒ぎのせいで電子書籍統括営業担当なんていう新たな任務を命じられたよ」

「どんな仕事でしょう」

「それが……何をすればいいか、分からないんだ」

福原は「それはまずいですね」と呟く。

「福原さんは、どうして紙の本を読むの？」

「これはまた、唐突な質問ですね」

福原は本から目を離し、怪訝な表情で訊き返してくる。

「紙の本を読む理由を考えることで、電子書籍とどう向き合うべきか、ヒントが見つかるような気がする」

福原は「なるほど」と宙に目を遣り、考え込む。

「おそらく、子供の頃から本は紙で読むものだったからです。これでは理由になってませんね……」

確かに当たり前過ぎる答えかもしれない。だが数えきれぬほどの本を読んできた福原の口から発せられた言葉だ。浦本は「子供の頃から」とオウム返しに呟き、心に留めた。

「液晶画面で読む本との比較も踏まえて、もう少し考えてみます」

真顔でそう言うと、福原はハードカバーの本に再び目を落とした。

※

「笑美、武蔵屋(むさしや)さんが来たわよ」

日曜の朝、玄関から母親の呼ぶ声がする。福原笑美は自分の部屋の外に積み上げられた段ボール箱に向かって「ありがとう」と声をかけた。

「毎度！」

駅前の古書店・武蔵屋書店の店主が室内に入ってくる。本との別れは名残り惜しいが、お迎えの使者だと思うことにしている。

「よろしくお願いします」

武蔵屋書店の店主が指差し確認しながら段ボール箱を数える。

「全部で十八箱。お嬢ちゃん、今年もたくさんの蔵書をありがとうね」

「もうお嬢ちゃんという歳ではありませんから」

「お嬢ちゃんはお嬢ちゃんだよ」

店主は絵本から新書や実用書まで広く本を愛する人で、福原が小さな頃から接してきた数少ない人間の一人だ。古書店が新刊の売上減に拍車を掛けている今日、少し後ろめたい思いもあるが、子供の頃からの縁で毎年本を引き取りに来てもらっている。

福原は部屋から運び出されていく本たちを見送る。

部屋は入り口側を除く三方の壁が本棚に覆われている。単行本と文庫本を約六千冊収納できる。

福原は、埼玉県朝霞（あさか）市の古い分譲マンションのこの部屋で、本に囲まれて育った。

幼い頃から本を友として育ち、小学五年生の二学期を境に、友達は本だけとなった。

〈仲間に入れてあげる〉

クラスの人気者からの気配りを、福原は受け取れなかった。

そんな秋のある晴れた日の朝、下駄箱から上履きが消えていた。おぞましい日々が始まった。

本という心の支えがなかったら、救われないままに毎日は過ぎていただろう。

「だいぶスッキリしたわね」

母親が本棚の空白に目を遣りながら言った。

本棚を空けるためには、定期的に本を処分しなければならない。今年は千冊余を売りに出した。

「今年は思い切って空けてみた」

「レンタル倉庫でも借りる？」

母親が言った。彼女はいつでも自分の味方だ。

学校に行きたくないと恐る恐る打ち明けたあの日、母は「行かなくていい」と言ってくれた。頑張って行くように諭されるとばかり思っていたのに、あっさりと許された。張り詰めていた気持ちが緩み、わあわあ泣いた。

それから、大切なことは本から学んだ。中学校は「図書室に通う」と割り切って、三年間休まずに行った。通信制の高校で学びながら、本を造る仕事に就きたいという思いが強くなり、豊澄印刷に就職した。

「レンタル倉庫も考えたけど、やっぱり止めた。ある意味本の飼い殺しになるから」

新刊書店で本が売れて欲しいと思う一方、武蔵屋のような良質な古書店も必要だと思う。福原自身も就職する前は自分のお金がなかったため図書館や古書店も利用し、より多くの本を読んだ。自分が売った本が、お金のない学生さんなどに届いてほしいと願う。

武蔵屋の店主が段ボール箱を運び出していく中、福原は机の上の端末を手に取り、眺めた。

その気になれば、六千冊分の物語も、この端末にダウンロードして鞄のポケットに収められる。

それでも福原は本屋に通い、紙の本を読み続ける。

なぜだろう。浦本に問われてから理由を考えてみたが、見当たらない。

「あら、気のせいか聖域がだいぶ広くなってる」

母親が本棚の一画を指しながら言った。福原は頷く。聖域とは、手放せない本が並ぶ不可侵の一画。処分対象外の本として、部屋の奥の棚に並べてある。

「仕事で関わった本を並べてみたら、歯止めがきかなくなって」

先日も曾我部瞬の『ペーパーバック・ライター』を聖域のラインナップに加えたところだ。

「なるほどね。そのうち笑美が造った本で、本棚が全部埋まっちゃうかもね」

福原は人間が嫌いだった。でも、本に関わる人たちのことは好きになれた。厳しくも優しいリーダーの白岡、全幅の信頼を寄せて難しい仕事を振ってくる浦本、大切な蔵書を買い取ってくれる武蔵屋書店のおじさん。本に関わる人たちは、自分のことをひとりの人間として認めてくれる。それはきっと、自分が本を心底愛しているからだ。

本は福原に大切なことを教えてくれるだけでなく、人との絆を繋いでくれる。

「笑美ちゃん、どうしたの」

電子書籍端末をじっと眺めていると、母が言った。布巾で空いた棚を拭いてくれている。

「この端末に全部収めるのはどうかなって考えてた。でもやっぱりそれは違う」

厚み、重み、手触り。紙やインキの香り、ページをめくる音、表紙カバーのたわみ。五感の端々に伝わるもの全てが本なのだと思う。

「お嬢ちゃん、積み込み終わったよ！　じゃあ見積りして後日、買取り金額をお知らせするから」

武蔵屋書店の店主が千冊余の本をワンボックス車に積み終えて帰ってゆく。

なぜ紙の本を読むのか。浦本の疑問に対する明確な回答は思い浮かばない。

学習机に向かい、電子書籍端末を起動する。

もしも電子書籍がこの世から紙の本を消し去るのならば、自分はこの端末を忌み嫌うだろう。

なぜなら紙の本たちは子供の頃から自分を勇気づけてくれた大切なものだから。

でも幼い頃にこの端末と出会っていたら……。ふとそう思って再び本棚の聖域に目を遣ると、聖域の一番下の段にある一冊が福原の目に飛び込んできた。

〈笑美ちゃん、こっちへおいでよ〉

もう十何年もの間開いていなかったその本を、本棚から抜き出す。皺だらけの外箱には、愛らしいぞうさんと大きな家の絵が描かれている。

小さい子供が破いてしまわぬよう、用紙は二ミリほどの厚紙。角は丸くカットされている。

〈『ぞうさんのおうち』。まつみやたえこ〉

福原笑美の記憶の中でもっとも古い本。生まれて初めて出会った本だ。画の一枚一枚が脳裏に焼きついている。文章も記憶の奥底に刷り込まれている。

脳内で再生されるのは、母の声。ただ一行、本文と違う形で再生される。

〈うさぎさん、こっちへおいでよ〉

ぞうさんが小さなうさぎさんを自分の家に招くこの一行だけ、母は「うさぎさん」を「笑美ちゃん」に変えて読み聞かせてくれた。

母は空いた棚を拭き終え、布巾を畳んでいた。

「お母さん……ありがとう」

「どうしたの？」

「どうもしないけど……ありがとう」

どう表現してよいか分からず、咄嗟に頭を下げた。

「変な子ね。なんだか分からないけど、どういたしまして」

母も深々と頭を下げた。

本当は「本のある人生を与えてくれてありがとう」と言いたかった。だが全部を口に出してしまうとかえって伝わらなくなる気がして、ただ「ありがとう」と言うしかなかった。

福原は両手で『ぞうさんのおうち』を抱きしめた。この本に、浦本への答えを見出した。


月曜の朝、福原は普段より三十分早く会社に到着した。

営業部のフロアを訪ねると、浦本は既に出社していた。受話器を耳に当て、頭を下げている。

「ええ、大変申し訳ございません。乾燥の過程で変質した可能性も……」

色校正の色調が注文と違っているというクレームのようだ。

「浦本君の電話、ちょっと時間かかりそうだから、電話終わったら内線で呼ぼうか」

誰もが一目置く営業部のエース、仲井戸だ。教室の中ならば成績優秀で皆の信頼を集める学級委員。ソツがなく、合理的で、気配りができる。福原はこういうタイプの人間に警戒心を抱く。

「いえ、しばらくここで待ってます」

浦本がどんな仕事をしているのか、見ていたい。電話の相手との会話の断片が聞こえてくる。

「神経質な編集さんで、色校を出すと毎回だよ。色が微妙に違うからやり直せって」

仲井戸が声を低くして状況を説明する。

「何かミスがあったんですか」

「そういう訳じゃないけど、向こうも納得のいく物を作ろうとしてるからね」

「ミスも無いのに、あんなに謝らなければならないなんて、理不尽ですね」

福原は思うところを述べた。本造りの話になると平常心を取り戻せる。

「この編集さんは、誠意をもって対応すれば、最後は納得してくれるから」

福原には、仲井戸の言っている意味が理解できなかった。悪くないことをなぜ謝るのかという疑問に対し「納得してくれるから」では答えになっていない気がする。

「最終的に本が完成すれば、営業の仕事としては結果オーライだからね」

本を完成させるため、理不尽なことでも受け入れて進む。浦本の机の上の封筒に改めて目を遣る。膨大な量だ。これだけの仕事を同時並行でこなしながら、それぞれの本の完成というゴールに向かってゆく。目の前の作業に意識を集中させる自分の仕事とは全く違う性質のものだ。

仲井戸の携帯電話が鳴った。仲井戸はディスプレイを確認するなり、表情を強張らせた。

「ちょっと失礼」

仲井戸はひと言断ると、携帯電話を耳に当て、廊下へと出て行った。

そこへちょうど電話を終えた浦本が、背もたれに身体を預け両腕を伸ばした。上体を反らしたところで目が合った。

「おはようございます」

浦本は回転椅子を回して福原の真正面に向き直った。

「おお、おはよう。いつからそこに」

「五分ほど前からお待ちしておりました。お忙しいようだったので」

「申し訳ない、全然気がつかなかった」

「幼い頃から存在感が無いもので、あしからず」

「こんな早い時間に、どうしたの」

「浦本さんからの宿題の回答を持って参りました」

怪訝な表情で目を逸らす浦本。何のことだか分からず考えている様子だ。

「なぜ紙の本を読むのか。転じて、印刷会社の社員として、紙の本と電子書籍それぞれのあり方にどう向き合うべきか。昨日、一日考えてみました」

「せっかくの日曜を費やして……ありがとう」

「いえ、大変有意義な休日となりました」

福原は、トートバッグから『ぞうさんのおうち』を取り出し、浦本に差し出した。

「これは、私が物心ついてから初めて手にしたと記憶している本です。私の本棚の中でも永久保存版が並ぶ場所に今も保管されています」

「まつみやたえこさんだ！　俺も小さい頃に何冊か読んだよ」

「今は絶版となっていますが、半年前に電子書籍版で復刻されました」

まつみやたえこの作品は『こねこのポンたん』シリーズなど親から子へと読み継がれている名作揃いだが、初期の作品は絶版となっている。

「なるほど……。紙で復刻できなくても、電子版ならできる」

絶版した絵本で、今の子供たちに読ませたい名作があっても、部数が見込めなければ紙で作ることはできない。だが、在庫が発生しない電子版ならば復刻のハードルは下がる。

「これが『ぞうさんのおうち』の電子書籍版です」

福原はタブレット端末を開き、起動させた。オルゴール音の優しげな音楽がスピーカーから流れ出し、ナレーションがそれに続く。

〈『ぞうさんのおうち』。まつみやたえこ〉

「朗読も音楽も付いてるのか……すごいな」

「ベンチャー企業が、絶版された絵本を復刻するビジネスを始めています」

他の絵本作家の絶版本も、電子書籍で復刻されている。

「とある子供が生まれて初めて触れた〝本〟が、この液晶画面を通して読む〝本〟だったとしたら、その子にとってはある意味、かけがえのない〝本〟になります」

「確かに。たとえば自分たちが子供の頃はゲームといえばスーパーファミコンだったけど、今の子供はスマホのゲームだったりするんだろうなあ。なるほど」

浦本は持ち前の的外れな共感力で相槌をうちながら、話に耳を傾けてくれる。

「たとえ売れていない本でも、書店から姿を消した本でも、電子書籍ならネット上で、絶版されずに生き続けられる。一度この世に誕生した〝本〟に、半永久的な生命を与えてくれる。これが電子書籍の素晴らしい点ではないでしょうか」

「その視点はなかったなあ」

福原自身も『ぞうさんのおうち』を改めて手に取って、初めて気づいた。大好きだったこの本は紙では絶版となったけれどネット上で蘇り、生き続ける。

「電気を消した後、布団の上で液晶画面で読んだ記憶が〝本〟となり得るのかもしれません」

「そうだね。今の時代のお母さんたちが子供のために『ぞうさんのおうち』を電子書籍で買ってあげることもできる」

「私たちは、本のメーカーですよね。読者から必要とされるものを作る。この端末を通して人と物語との出会いが生まれるならば、作るべきです」

一読者としては、物心ついた頃から紙の本の重みや手触りを愛してきた。時代は移り、今は液晶画面でも本を読める。本を世の中に送り出す印刷会社の一員として考えた時、無数の読者に思いを馳せた。そして幼い頃の自分と同じく、これから本に出会う小さな読者を思った。

素敵な本と出会ってほしい。本のある世界に生まれた喜びを感じてほしい。

「私が生まれて初めて出会った本は、こういう形をしていました」

福原は胸の前に『ぞうさんのおうち』を掲げた。幼児の乱暴な扱いにも耐えうる頑丈な厚紙を使い、外箱に守られている。

「この先、生まれて初めて触れた本が電子書籍だという人が増えてくるでしょう。本が読まれなくなる中、液晶画面を通して本との出会いが少しでも広がるなら、それは素敵なことだと思います」

自分が愛してきた紙の本が減ってゆくのは辛くて、寂しい。

だが、もしこの世の本が全て電子書籍になってしまったとしたら、自分は電子書籍を作る。本を作っていたい。それが福原の辿り着いたひとつの答えだ。

「私は、本が好きです」

なぜだろう。口に出した瞬間、涙が滲み、声にならなくなった。

浦本は『ぞうさんのおうち』を手に取り、じっと見つめている。

「福原さん、ありがとう」

何かを思い出したように、浦本は急いで営業部のフロアを出て行った。

午後一番の定期便で、慶談社から、諸見沢流一の新作『サイバー・ドラッグ』の入稿データと指定紙が届いた。上下巻の大長編。

〈絶対に話しかけないでください〉

デスクの棚の上に立て札を掲げ、今日もまた、大好きな本のための仕事に取り掛かるのだ。

※

浦本は慶談社文芸編集部の打合せスペースで、仲井戸から仕事の引き継ぎを受けていた。

相手は諸見沢流一を担当する若手編集者・村瀬（むらせ）美穂（みほ）。慶談社のマスコットキャラクター・エンタネ君のプリントが入ったロングTシャツを着ている。エンタネ君は種の形をした頭に芽のようなちょんまげを生やした侍（さむらい）キャラ。ちょんまげの先には緑色の本が、双葉のようにページを広げている。

「改めまして、営業第二部で電子書籍統括営業担当となりました、浦本です」

浦本は仲井戸から紹介を受け、名刺を差し出した。村瀬は浦本の名刺を確認し、笑顔で応じた。

「浦本さんからそんなに改まってご挨拶されると、変な気分ですね」

「恐縮です。引き継ぎのけじめとして」

浦本は村瀬からの仕事を受けたことはなかったが、編集部に三日に上げず出入りしているため、普段から挨拶は交わしている。いつも快活に「おつかれさまです！」と挨拶してくれる村瀬には、良い印象しかない。

「けじめだなんて！　いいですよ、豊澄印刷さんは身内みたいなものですから」

「ありがとうございます、諸見沢さんが今後ますます電子書籍に注力されるということで、私、浦本が次回作の段取りを担当させていただくことになりました」

「心強いです。よろしくお願いします」

仲井戸から聞いた事前情報によれば、村瀬美穂は熱心な編集者で作家からの信頼も厚い。そして恐ろしく仕事が早いという。

「諸見沢さんの悪戯のせいでドタバタですよ。頭の中も机の上も、しっちゃかめっちゃかで」

言葉とは裏腹に、村瀬は「あはは」と楽しそうに笑っている。

新作『サイバー・ドラッグ』を『サバンナ・フリーダム』へ登録したいという諸見沢の意向を受けてからプレスリリースの発行まで要した時間はわずか二日間。村瀬自身が文案を用意して広報部の稟議を催促したらしい。

「でも安心しました。次の『サイバー・ドラッグ』は、仲井戸さんと浦本さんの二人がかりで万全の態勢を敷いてくださるんですね」

「いえ、浦本が担当させていただきます」

仲井戸が言うと村瀬は「冗談ですよ」と笑う。

「でも仲井戸さん、そんなつれないことを言わずこれからも引き続きよろしくお願いしますね」

仲井戸は微笑んで目礼で応じた。

「ところで電子に肩入れする方針って、豊澄さんとしては正直なところどうなんですか。あんまり気の進む話ではないですよね、電子書籍統括営業の浦本さん」

「いや、電子のデータを作る仕事もいただいているので」

浦本は言葉を濁した。

「私は個人的には電子って好きじゃないんですよ。でも編集としてはそうも言ってられず……」

村瀬がぼやきながらクリアファイルから取り出したのは、契約書の雛形だった。

「人気の作家さんたちに掛け合ってデジタル利用の許諾契約を取り付けてくるようにという指示が、編集部に降ってきてるんです」

著作権者である著者の許諾がなければ、電子書籍化はできない。だが文芸の人気作家には反対派も多い。そんな中、諸見沢ショックの影響で、慶談社内で電子書籍の数を増やそうという動きが活発化しているという。

「浦本さんも力を貸してくださるかね！」

「よろしくお願いします。私にできることだし、頑張りますかね！」

村瀬と話していると元気が湧いてくる。前向きな気持ちになれる。

「さて、どんな本を作りますかね……」

村瀬はエンタネ君のメモ帳とボールペンを取り出し、浦本に目を向けた。

「浦本さんは何か、今の段階でアイデアなどありますか。ゆるーいアイデアでもいいです」

「ひとつの案なのですが……」

浦本は頭の中に用意していた案を村瀬に説明した。

特製の外箱を付ける案だ。電子書籍への参入を打ち出す一方、紙の本では電子化できない価値を打ち出す。

「安価な電子書籍によって諸見沢作品と初めて出会う読者もいるかもしれません。一方で紙の本でしか得られない価値を際立たせられるとも考えられます」

隣で仲井戸が「止めろ」と言いたげな視線を送ってくるが、村瀬は身を乗り出してきた。

「紙の本と電子という次元で、どっちの方を読みたくなるか、ビブリオバトルを仕掛ける。どうでしょう」

浦本は、電子が増えれば紙が減るというジレンマに思い悩み、電子書籍統括営業担当の肩書きに葛藤していた。そんな時、福原がくれた答えにヒントを得た。電子書籍の恩恵と紙の本の恩恵を両方並べて世に問うてはどうかと思い至った。

逆風ではなく追い風と捉えれば紙と電子の両方の魅力を、より鮮明な輪郭でもって提示することができる。そうすれば、両者は打ち消し合う関係ではなくなる。

仲井戸は「理想論だ」と言うかもしれない。だが理想論か否か、やってみなければ分からない。

外箱の案は『ぞうさんのおうち』からヒントを得た。

「パッケージは電子化できませんから、そこに付加価値を」

この発想は、由香利の「お菓子のパッケージは電子化できない」という言葉から思いついたものだ。

村瀬は「なるほど」と大きく頷きながらノートにボールペンで「外箱」「電子化できない」と記した。

「たとえば外箱の背中を上下巻で二つ合わせると画がつながるとか、箱の裏に諸見沢さんのメッセージが印字されているとか」

「いいですね。考えようによっては、いい仕掛けが思い浮かびそうですね」

村瀬はエンタネ君のメモ帳に何かを書き込んだ。

アナログ、デジタル、対決。

「古き良き外箱付き重厚ハードカバー上下巻と、手軽にダウンロードできる電子書籍。読者は果たしてどちらを選ぶか、アナログとデジタルの対決。このぐらい煽れば諸見沢さんは乗ってくださるかもしれません」

「なるほど、ちょうど『サイバー・ドラッグ』はデジタル世界のお話ですしね」

「遊び心があるほうが、諸見沢先生の心も動かしやすいです」

村瀬は瞳を輝かせ、楽しげに言った。

「たとえば……これぐらいの豪華永久保存版にすると……」

嬉々として箇条書きでメモ帳に条件を書き出す村瀬。

「表紙は合皮紙で金の箔押し、外箱は特色で液晶では再現不可能な色にして……紙は淡クリームキンマリの90を使って厚みを出したいですね」

「上下巻だとかなりボリューム感が出ますね。厚過ぎないでしょうか」

「それでいいんです。手にズシンとくる重厚感ですよ」

「なるほど、敢えて重厚感を前面に出すんですね」

感心して相槌を打つ浦本の隣で、仲井戸は机の上の一点をじっと見つめたまま黙っている。

「定価は税抜きで二千三百円以内にしたいですね」

村瀬はメモ帳に書き込みながら想定価格を口にする。

「その仕様で二千三百円は……」

無理ではないかと言うよりも早く、村瀬が「やりましょう」と身を乗り出してきた。

「初版十五万部、上下巻で三十万部は見込めます。スケールメリットを取れば可能ですよね。諸見沢さんの金字塔となる本を作りたいんです。メディアにもたくさん記事を書いてもらいます」

村瀬はメモ帳に書き付けたキーワードをぐるぐるとボールペンで囲んだ。

「諸見沢さんとうちの部長は、私が説得します。浦本さんも共犯者ですよ」

「承知しました。頑張らせていただきます」

打合せを終え、浦本は気になっていたことを村瀬に訊いた。

「村瀬さんは、服も持ち物もエンタネ君ずくめですね」

「ああ、これですか。『エンタメは縁の種』。実はエンタネ君の原案って、私が描いたんです。これは私の正装ですから」

村瀬はTシャツのエンタネ君を指でつまんでみせ、屈託なく笑った。この人はきっと心底、今の仕事が好きなのだ。だからこの人と話をしていると、自分も頑張ろうと思えるのだろう。

「あ、そろそろ出かけないと。浦本さん、またよろしくお願いします！」

村瀬は言い残すと小走りでホワイトボードの行動予定表に駆け寄り、予定を書き込んだ。

〈諸見沢氏　打合せ　NR〉

NRはノーリターン。直帰するという意味だ。村瀬は髪をヘアゴムで後ろに束ね、エンタネ君シャツの上からひらりとジャケットを羽織った。

挙動のひとつひとつが活力に満ちていて、見ているだけで元気がもらえそうな気がしてくる。

「奥平さん、寝癖付いたままですよ。ファッションですか」

村瀬はバッグにノートパソコンを入れながら、はす向かいの席に座る奥平を冷やかした。

「はいはい、さっさと出かけろ」

奥平は悪態で返したが、顔は笑っている。

村瀬は「すいませんでしたー」とおどけてみせると、小走りで出かけていった。

「まったく、落ち着きが無い奴でしょう」

奥平が苦笑いで村瀬の背中を見送る。

「パワーに圧倒されますね」

浦本は昂揚した気持ちで答えた。力をもらったような昂揚感だ。

「モロタンを三年も務められるのは、村瀬ぐらいしかいないんですけどね」

モロタンとは、諸見沢担当の隠語だ。編集者たちの間では恐怖のモロタンという位置づけらしく、各社とも担当者が頻繁に代わる。

「あいつぐらい元気でないと、モロタンは務まらない」

奥平は遠い目をして言った。奥平もかつてモロタンだったが一年で外され、その後に村瀬が担当している。超ベストセラー作家の担当を外された奥平は悔しいに違いないが、村瀬には妬みやそねみを買わない資質があるのかもしれない。

「浦本さんは村瀬担当、ムラタンですね。仲井戸さんから厄介な仕事を押し付けられたわけだ」

仲井戸は苦笑いでかぶりを振る。

「いえいえ、大変光栄なことです」

浦本が恐縮すると、奥平が「いやいや」と大げさに声を潜めた。

「うちの村瀬、おっかないですよ。気をつけて」

浦本には言っている意味が分からなかった。快活で頭の回転が速く、打合せをしていても楽しい。人当たりも良く、どこにも「おっかない」要素が見当たらない。

豊澄印刷までの帰り道、浦本は気分が昂揚していた。一緒に本作りを考える編集者と出会えた。

「村瀬さんって、おっかないんですか？　すごく感じのいい方ですよね」

「ああ、村瀬さんは使命感にあふれた編集者で、一緒に仕事をしていて楽しいと思える人だ」

そう言って仲井戸は深い溜息を吐いた。

「楽しいのに、なんで溜息なんか吐くんですか？」

「浦本君は、まんまと罠にハマってたよ。非常にまずい」

「どういうことですか。とても罠をしかけるような人には見えませんが」

「村瀬さんの場合は、悪気がないということが、最大の罠だ」

仲井戸のあべこべな説明に、浦本は首を傾げた。

「上製本外箱付きで二千三百円以内。気前の良い提案をした挙句、コストまで約束させられた」

「いやいや、約束はしていませんよ。あくまでもひとつの案として、議論をしただけです」

「村瀬さんの中ではもう、約束したことになっている」

「業務部から発注を受けるまでは、契約上の約束をしたことにはならないじゃないですか」

「その通り。契約の上ではね」

仲井戸は「契約の」を強調して言った。

「仲間同士の約束、だったらどうなる」

「いいものを追求しつつ、コスト的に無理な面があれば真摯に伝えます」

仲井戸は「正論だ。だから間違っている」と首を振る。

「彼女は仕事上の約束を違ってでも守る。口約束であってもだ。逆を言えば、こちらが約束を破ることは絶対に許さない」

だから村瀬は「おっかない」ということなのだろうか。

「村瀬さんは豊澄印刷を仲間や同志のように思ってくれている。ありがたいことだが、非常に恐ろしい編集者だ」

「何が恐ろしいのか、やっぱり分かりません」

「一緒に仕事をして楽しいお客さんというのは、時に一番恐ろしいお客さんでもあるんだよ」

「では仲井戸さんはこれまで、村瀬さんとの仕事をどのように進めてきたんですか」

浦本は訊ねた。恐ろしいとか、罠にハマるとか、脅すようなことを言うならば、前任者である仲井戸が村瀬とどう対峙してきたか、知りたかった。

「こちらからは何も提案せず、村瀬さんのイメージを忠実に再現してきた」

浦本は釈然としない。確かに造本設計はもともと印刷会社が関わる領域ではない。だが印刷・製本を含めた本造りに対しては、提案できることはあるのではないか。

「彼女は文芸のマスコットキャラクターを発案して通してしまうような人だぞ。いつでも有り余るほどのアイデアを持っているから、周りが何も言わずとも自ずといい本ができる」

余計なことはするなということだろうか。

「忠告はしたよ。仲間や同志のように思ってくれるからこそ恐ろしい。ただ、浦本君には浦本君のやり方があるだろうから、任せる」

最後は突き放された。

その夜、村瀬から一通のメールが入っていた。

〈諸見沢さんにお話ししました。今まで外箱付きの本は出したことがないので、すごく喜んでいましたよ。紙の本と電子書籍の競演という構想も面白いとのこと。ぜひやりましょう！〉

メールの最後に箇条書きで造本設計に関する案が記されていた。「ざっくりとしたイメージですが」と前置きされた案は、紙やインキの種類、帯の色やコピー、表紙カバーの構想、章扉のイメージなどが示されたきめ細かなものだった。デザイナーとも早速打合せをしてきたという。

早くも仕様の外枠が出来上がってしまった。確かに、恐ろしく仕事が早い。

だが浦本が感じるのは恐ろしさよりも、村瀬という編集者と本を作ることへの昂揚感だった。

※

豊澄印刷花見大会の案内チラシは、野末家の座卓の上に置かれたままだった。

幸太と陽太を半ば強引に連れ出し、大宮公園へ。沙織だけは「体調が優れない」との理由で、家に残ると言う。

「行ってきます」

玄関のたたきでスニーカーを履きながら台所へ向かって声を掛けたが、沙織からの応答は無い。

ふじみ野駅から電車を乗り継いで大宮公園駅まで約一時間。幸太、陽太はそれぞれ黙って本を読んでいた。二人とも相変わらず歴史漫画を愛読している。幸太は『源義経』、陽太は『徳川家康』。二人が興味を持って読めそうな人物を、沙織が選んでやったのだろう。版元は慶談社ではない。学明館(がくめいかん)の偉人伝シリーズだった。

「他に何を読んだ？」

「豊臣秀吉とか、足利尊氏とか……」

陽太がおどおどしながら答えた。明らかに野末の顔色を窺いながら話している。

二年前に買ったおそろいの青のフリースは毛玉だらけになり、袖も丈も短くなっている。そろそろ買い換えてやらなければ。これからはもう、普通の生活ができるのだから。

しかも野末が望めば、もっとゆとりのある生活を手に入れられる。

野末はワールド印刷への返事を保留していた。携帯電話から件(くだん)のメールを開く。

〈件名：印刷製造部マネージャーの募集について〉

ワールド印刷人事部が提示してきた条件は、浦和工場のラインマネージャー。課長待遇で年収は今の三割増となる。特色の調合で機械化できない領域があり、かつ色調を紙の上に再現できる熟練オペレーターも不足しているため、ジロさんと野末をセットで引き抜きたい思惑らしい。

金のためだけならば二つ返事で引き受けるはずだ。

しかし、どうしても心に引っかかるところがあった。

最初は本の印刷を指揮する立場だが、事業展開の中でその後の配置は変わりうるという。

自分は本を造り続けていたいのかもしれない。

幸太と陽太は電車に揺られながら、大宮公園駅に着くまで歴史漫画を読みふけっていた。

やや雲のかかった淡い青空の下、大宮公園は大勢の花見客で賑わっている。

満開の桜並木の下、豊澄印刷の一行はブルーシートを敷いて宴会を始めていた。ざっと見渡して五十人以上はいる。工場と本社の人間が酒席を共にするのは、年に一度のこの花見ぐらいだ。

「しっかり者の奥さんだ！　浦本には丁度いいな」

浦本が他の社員たちに絡まれている。浦本の隣にはべっこうの眼鏡をかけた女性が座り、困ったような笑みを浮かべていた。

そういえば浦本は新婚だったか。自分も新婚当時の十年前、この花見に沙織を連れてきて、ジロさんら工場の仲間に散々冷やかされた。

あの時、沙織は困惑しながらも、目が合うと笑い返してくれた。

十年前のことを思い出しながら、野末はブルーシートの隅のほうに座る場所を探した。幸太と陽太は野末の後ろから隠れるようにして付いてくる。人の多さに戸惑っているのかもしれない。

「あ、野末さん、お疲れ様です」

工場の後輩・高野が目ざとく野末の姿を見つけて声を上げた。

「おい、ムツゴロウ！　そんな隅っこに座ろうとしてんのか」

ジロさんにも見つかり、野末は靴を脱ぐと仕方なくブルーシートの輪の中に入って腰を下ろした。もじもじとためらっている幸太と陽太に向かって手招きすると、恐る恐る入ってきた。

車座の真ん中に並んでいる缶ビールを手に取り、プルタブを上げる。

「はいはい、今日三度目の、乾杯！」

ジロさんが場を盛り上げ、乾杯の声が上がった。はす向かいに座っていた浦本が、缶ビールを持っていざり寄ってきた。

「野末君、こちら、妻の由香利です」

「いつも浦本がお世話になっております」

浦本の妻は正座して静かに頭を下げた。飄々とした雰囲気の女性だ。

「ふじみ野工場の野末といいます」

浦本が、野末の隣に座る幸太と陽太に目を向けた。

「あらまあ、双子くんか。そっくりだね！　こんにちは。お名前は？」

二人が一番苦手とする、馴れ馴れしい大人の典型だ。陽太は黙り込み、幸太だけがぼそりと「こんにちは」と答えた。

「みんな会社の……友達？」

幸太が恐る恐る野末に尋ねた。

「そうだ、そうだ。みんなパパの会社のお友達だ。パパはむっつりしてるけどお友達いっぱいで捨てたもんじゃねえんだぞ」

ジロさんが後ろから野末の肩をポンと叩き、仮設トイレのほうへよたよたと歩いて行った。

浦本の妻が幸太と陽太にお菓子を差し出した。

「うちからの差し入れです。お子さんも結構参加すると聞いたので」

「チョコカプセルですか」

野末は子供の頃に何度か買ってもらったことがある。幸太と陽太は引き寄せられるかのようにチョコカプセルに顔を寄せた。

「今はカプセルが普通のチョコからクランチチョコに改良されて、ガリチョコカプセルです」

幸太と陽太はそれぞれガリチョコカプセルを手に取ってしげしげとパッケージを眺めている。切り詰めた生活で、玩具菓子など買ってやれなかった。

「他にもたくさんあります」

浦本の妻はボストンバッグからレジ袋を取り出した。

「あ、ガリチョコバー！　山田も驚く新食感、だ」

黙っていた陽太が身を乗り出した。そういえば二、三年前、二人でテレビCMの真似をしていたことを思い出す。社員の男を会社のゆるキャラに仕立て上げて作ったCMだった。

「知ってるんだ、嬉しいなあ！　ありがとう」

浦本の妻は心底嬉しそうに声を上げた。

「彼女、大翔製菓の広報宣伝部で仕事してるんだ」

浦本が横から補足する。

「自分たちが作ったものが店に並んで、食べられたり使われたり、喜ばれたり。何度見ても嬉しいです。メーカーの醍醐味ですよね」

浦本の妻は、野末がメーカーの人間だという前提で話をしているらしい。

〈印刷会社はメーカーだ〉

浦本の青臭い矜持には、菓子メーカーに勤める妻の存在も影響しているのかもしれない。

データ制作部の女性社員らが浦本の妻にあれこれと話しかけ、異業種トークに花が咲く。

そうこうしているうちに、幸太と陽太がそわそわし始めた。彼らの視線の先を確認すると、大きな桜の樹の根っこの側で、何人かの子供達が固まって遊んでいた。

二人の視線を察したかのように、おさげの女の子がこちらに向かって歩いてくる。

「あっちで由香利お姉さんからもらったお菓子のおまけ、みんなで見せ合いっこしてるよ」

おさげの女の子はしゃがんで幸太と陽太に語りかけた。歳は小学校の高学年ぐらいだろうか。顔を見た瞬間、誰の子供かすぐに分かった。

「仲井戸さん譲りのソツの無さだな」

野末は、幸太と陽太の手を引いて戻ってゆく女の子の背中を見送りながら笑った。

「ソツのないお父さんも、あの通り相変わらずだ」

浦本が指差した先、仲井戸は隣のシートで工場の社員たちと談笑して関係を築いているようだ。

「仲井戸さんに負けじと、っていう訳ではないけれど、こちらもちょっとだけ仕事の話を」

ビールを飲み終えた浦本が、紙コップに日本酒を注ぎながら切り出した。

「諸見沢流一の新作が、この間ゲラになったよ。工場のみなさんにはまた手間をかけてしまうかもしれないけれど、よろしく」

「諸見沢案件は、仲井戸さんが担当じゃないのか」

「そうか、野末君にはまだ言ってなかったか」

浦本はダウンジャケットのポケットから名刺入れを取り出し、名刺を一枚野末に差し出した。

〈営業第二部　電子書籍統括営業担当　浦本学〉

「これと諸見沢流一の新作と、どう関係がある」

「次の新作は、発売と同時にサバンナの電子書籍読み放題サービスに登録される」

「その話は知ってるけど」

野末も含め、印刷工場の面々はこの話に冷ややかだった。本能的に受け付けないと言っても過言ではない。野末には、電子書籍は自分たちの仕事を奪う外敵のようにしか思えなかった。

「これからは電子の時代というわけか。熱心なことだ」

野末は皮肉を込めて言った。だが浦本は「そういうことではない」と首を振る。

「両方の選択肢を競わせるような形で提示するんだ。紙の本には、紙の本だけの良さがある。それを突き詰めてみるチャンスでもあると思う」

重厚なハードカバーに加え、外箱を付けるという。

「また余計なことを考えたか……」

野末は心底苦々しく言った。外箱の印刷など、やったことがないからだ。浦本は
「詳しくはまた追い追い」と、一旦話を切った。

するとと携帯電話の着信音がけたたましく鳴り響いた。

「緊急、緊急」

浦本の妻がうんざりした様子で言った。浦本は土日もよく電話で捕まっているのだろう。

「おっと、ちょうど今話していた件が……」

浦本はディスプレイを見ながらぶつぶつ呟き「浦本でございます」と応答した。

〈おつかれさまです！　慶談社のムラセです〉

携帯電話から女性の大きな声が漏れ聞こえてきた。

「お世話になっております」

浦本は一瞬で営業モードに切り替わり、携帯電話を耳に当て頭を下げる。それからブルーシートの外に置いてあったスニーカーを突っかけ、喧騒の外へと歩いていった。

「最近、あんな感じでしょっちゅう女の人と電話してるんですけど、本当に仕事なんですかね」

浦本の妻は淡々と言った。口元に笑みを湛え、疑っている様子はない。

「そういう隠し事ができるような器用な人間ではないと思いますよ」

野末は紙コップに半分ほど残っている日本酒をひと息に飲み干した。浦本の妻は「どうぞ」と『一ノ蔵』の一升瓶を手にして空いた紙コップに注いでくれた。

「彼がワールド印刷にいる時に知り合ったんですか」

「はい、そうです。浦本は大翔製菓のパッケージ印刷を受注していたので」

「ワールドから豊澄に移る時、どう思いましたか」

直接言葉にはしないが、ワールド印刷の手厚い待遇や安定を捨てた浦本をどう思ったか聞きたかった。

「嬉しかったですよ。彼は本を造りたいと、ずっと言っていましたから」

「でも本はどんどん売れなくなっていますけどね」

「まあ、どうせ仕事するなら、好きなものを造っていたほうがいいですから」

浦本の妻はそう言って日本酒に口をつけた。

時に危なっかしい浦本の仕事の裏には、家族の理解があることを知った。

「彼がワールドにいたから知り合って、彼が豊澄に移ったから今ここで一緒に花見をしてる。縁がいくつも繋がって、今ここにいるんだなあって思います。豊澄印刷、いい会社ですよね」

「そうですね。いい会社です」

口に出してみて嘘ではないと分かった。

「本が売れなくなったら、パッケージ印刷もやったらどうかっていつも冗談で言ってますけど、そうしたら今度は本の外箱を印刷すると言い出して、さっきの話に繋がります」

電話を終えた浦本が「ただいま戻りました」と笑顔で帰ってきた。

幸太と陽太がふざけ合っているうちに隣のグループのブルーシートに入りそうになっていた。

「おい、そっちに入るなよ」

野末が注意すると二人は途端に表情を硬くし、しおらしくなった。また仲井戸の娘に手を引かれ、大きな桜の樹の下へと戻っていく。

「野末君は若くして二人の子供の親になって、ここまで育てて、すごいよなあ」

浦本は幸太と陽太のほうへ目を遣りながら感嘆する。

「逆だよ。俺みたいなクズでも人の親にはなれちまうっていうことだ」

「いやいや、何をそんなご謙遜を」

浦本が野末の紙コップに日本酒を注いでくる。

「いや、人の不幸を人知れず喜ぶような……クズみたいな人間だ」

「ちょっと待った、野末君、急にどうしたんだよ」

義弟の死にほくそ笑み、子供やモノに当たり散らすクズ。酒の勢いでそこまで口に出しかかったところで、背中をドンと突く者がある。

「辛気臭いこと言って深刻ぶってんなよ、このむっつりムツゴロウ！」

ジロさんだった。すでに泥酔状態だ。缶ビールを片手に陽気に笑いながら、また別の社員に絡んでゆく。

「さっき話していた仕事、気兼ねなく振ってくれ」

「野末君がやってくれるのか。それは願ったりだ」

「目の前の作業に追われている間は、ごちゃごちゃしたことを一旦忘れられる」

「その感覚、なんとなく分かる気がする」

浦本は無邪気な笑顔で喜び、日本酒をぐいと呷(あお)る。

「ただ、条件がある」

「お、野末君に言われると、とてつもない条件だったりして。いや、何なりと」

「その仕事は俺に、一号機でやらせてくれ」

野末は浦本の目をまっすぐに見て言った。

「条件って、それだけ？」

「それだけだ」

「そうは言っても、一号機は柴田さんが仕切ってるだろう」

「柴田さんに掛け合って、俺に作業させてもらう。だから諸見沢流一の次回作の印刷は、営業部から生産管理部に根回しして、一号機に割り振って欲しい」

野末は、紙コップの日本酒をぐいと半分ばかり飲み、理由を話した。初めて操作した機械が一号機だったこと、今の一号機はもうすぐ更新のため解体されること。

「最後にもう一度、一号機と一緒に仕事をしたい。印刷機は仕事仲間だからな」

「すごく素敵です」

浦本の妻が身を乗り出して感嘆した。

「野末君、うちの奥さん、こういう話に弱いんだ」

野末はふらつく足で立ち上がった。

「柴田さん！」

隣のシートの柴田に向かって呼びかける。柴田は「あいよ」と応じた。

「一度俺に、一号機を使わせてください。お願いします」

野末は立ち上がって、深々と頭を下げた。だいぶ酔いが回ってきているようだ。

「あいよ！　話がよく分からんけど、ＯＫ」

「おやおや、困りますねえ。そういう話は生産管理部を通していただかないと」

生産管理部の古関が紙コップを片手に定番の「困りますねえ」で割って入り、笑いに包まれる。

「なんだか知らねえが、ムツゴロウが珍しくやる気出してんぞ。かんぱーい」

夕闇が迫る午後五時、ジロさんの音頭で皆が「乾杯」を唱和する。ぼんぼりが灯り始めた桜並木の下、野末は紙コップの純米酒を呷って息を吐いた。

※

「浦本さん、できると言ってくれましたよね。できますよ。頑張りましょう」

慶談社の打合せスペースで、浦本は村瀬美穂の気迫の前に追い詰められていた。

浦本が慶談社の業務部に出した概算見積額は、上下巻各十五万部の合計三十万部で七千三百万円。業務部から見積を受け取った村瀬は、浦本に至急の呼び出し電話を寄越したのだった。

「申し訳ございません、どうしてもこの価格未満ではお見積りが出せないので」

村瀬は机の上の造本設計書に目を落としたまま表情を曇らせ、黙り込んだ。

本の価格は紙やインキ、印刷・製本代の他、取次や書店の取り分、作家への印税分、出版社の販売管理費などを織り込んだ上で一定の利益が見込めるよう設定される。

本体価格設定にあたっては、業務部から編集に損益分岐点が示される。分岐点が高ければ、本体価格も高く設定しなければならない。

上下巻それぞれ十五万部で本体価格二千三百円をターゲットにして印刷・製本コストの上限額を算出すると、約六千九百万円。

提示した七千三百万円ではオーバーしてしまう。

「浦本さん、約束してくださいましたよね」

村瀬の声に失望の色が滲む。実際には契約上の約束は何もしていない。

「あの……よい本を作りたい気持ちはもちろん変わりません。ですから……」

「何が障壁になっているんでしょうか。紙代を交渉すれば、もう少し原価率も下げられますよ。業務部と相談しましょう。米村を説得しますので、これから一緒に行きましょうか」

村瀬はあくまでも、為せば成るというスタンスを崩さない。

「外箱が無ければ六千九百万円未満でお出しできるのですが……」

「それはできません。諸見沢さんと約束しましたから。外箱付き上製本の上下巻セットと電子書籍との競演、アナログとデジタルの激突ですよ」

「ではたとえば、価格設定をもう少し上げるということはできないでしょうか」

もはや業務部の米村の範疇だが、浦本は提言した。二人で米村のところに押しかけても結局、同じことを言われるだろう。

「定価二千五百円を超えると購買意欲が急激に下がる可能性があります」

村瀬は顎に右手を当てた。お互い造本設計書に目を落としたまま、重苦しい沈黙が流れる。

「ワールドさんはできると言ってましたよ」

沈黙を破った村瀬の言葉に、浦本の背筋は凍りついた。

「ワールドさんから合見積を取られているのですか」

「いいえ。ただ昨日、織田君のところにワールドの営業さんが来たので、金額抜きの造本設計書をチラリと見せてみただけですが」

新人編集者の織田は一年前からワールド印刷を使っている。ワールド印刷は織田との関係を足がかりに、他の編集者が持つ大口案件も獲ろうとしているらしい。

「上限額を伝えたら、その場で『できます』と」

受注を奪取するための出精値引きもあるだろう。いくら最新鋭の設備を揃えたワールド印刷といえども、村瀬の言う上限額の六千九百万円ではほとんど利益が出ないはずだ。

「私は豊澄印刷さんにお願いしたいです。ずっと一緒にやってきた仲間ですから。外箱を付けてみようというアイデアだって、浦本さんにいただいたものです」

村瀬はまっすぐな瞳で浦本を見据えて言った。

「でもワールドさんならできるという状況だと、なぜワールドから見積書を取らないのかという話になるんですよ」

自分の提示したアイデアが採算との不整合を招き、失注を招きかねない事態になっている。

「少々お時間をください。もう一度、社に持ち帰りますので」

もし村瀬がワールド印刷から正式に見積書を取れば、豊澄印刷は失注するかもしれない。

「大丈夫です。私は、豊澄印刷さんを信頼してますから！」

前向きな言葉が今は逆に胸に痛く突き刺さる。交渉は平行線のまま、結局浦本がもう一度話を持ち帰る形で終わった。

帰社して毛利部長へ経緯を報告した。話をするうちに、毛利部長の表情がみるみる険しくなる。

「なんでもっと早く相談しなかった！」

「申し訳ありません……！」

浦本は毛利部長に深々と頭を下げた。

村瀬が諸見沢や慶談社内各部署との調整をあっという間にまとめ、気が付いたら造本設計と価格設定の狭間で立ち往生していたというのが本当のところだった。

「ワールドは村瀬さんとの取引実績を作るためになりふり構わず出精値引きをしてくるでしょう」

「間違いないな」

「大口案件の失注を防ぐためには、豊澄印刷としてもある程度価格面で……」

「絶対にダメだ！」

毛利部長は浦本が言わんとすることを先回りし、否定した。

「うちの体力でワールドと同じ土俵にあがって価格の叩き合いなんかやってみろ。勝てるわけがないだろう！　全社員の給料を半分にしたって負けるぞ」

毛利部長の言葉どおり、ワールド印刷との間には体力差がありすぎる。

「うちがワールドに勝てる要素はどこだ」

「本造りに特化してきた技術と経験、慶談社に対しては長年の信頼関係です」

これだけは確信を持って言える。豊澄印刷の営業として、浦本は自社の技術を信じている。

「そういうことだ。勝負のしどころは、価格の叩き合いではない。いいか、浦本。無理なご奉仕価格の先に待っているものは何か分かるか」

「次もご奉仕価格が前提になってしまう……」

「それだけではない。品質の低下、信頼の失墜、仕事の失注、行き詰まってまた無理な値引きに手を染める。無限の下降スパイラルだよ」

印刷業界に限らず、値引きの消耗戦で疲弊して消えていった会社は多い。

「俺も立場上こんな偉そうなことを言わざるを得ないが……担当の頃は、一生懸命なお客さんに釣られて、今回みたいなミスをよくやらかしたよ。なあ、仲井戸」

「はい、私も値引きの安請け合いで痛い目に遭いました」

仲井戸が苦笑しながら答える。

「なんとか今の概算見積りで納得していただくんだ。万が一失注したら、俺が責任を取る」

ここまで言われたら、浦本はぐうの音も出ない。毛利部長は自らの責任問題になる危険を冒してでも、安易な価格競争からは降りる覚悟だ。

「明日もう一度、誠心誠意話してこい。俺も一緒に行くか」

「いいえ。私だけで行かせてください」

浦本は村瀬にもう一度トライしたかった。まだ言葉を尽くして話せていないと感じている。すると向かいの席で仲井戸が立ち上がった。

「私が一緒に行きます」

「いいえ、まずは私が一人で」

浦本は半ば意地になってかぶりを振った。

「村瀬さん担当の前任として同行したい。横で見届けるだけだ。浦本君のやり方で、村瀬さんを説得してみるんだ」

「わかりました、ありがとうございます」

その日の夜、浦本はどのように話せば村瀬に本当の思いを余さず伝えられるか考え続けた。

ふじみ野工場へ電話をかけ、遅番の野末を呼び出した。

「忙しいところ申し訳ない。野末君、助けてくれないか」

浦本は、諸見沢作品がワールド印刷に奪われかねない危機にあることを説明した。

「明日もう一度慶談社に行って、今の見積額で納得してもらえるよう説得しないといけないんだ。同席してもらえないだろうか」

ふじみ野工場の社員が営業のプレゼンに同席するなど通常ならありえないことだ。

〈俺が行って、何かの役に立つのか〉

「今回のカバーはＤＩＣ３８０の特色に銀粉入り。インキの機械調合で簡単に再現できるような色ではないと思っている」

〈ＤＩＣ３８０で、銀粉入り〉

野末は受話器の向こうでカラーチャートを確認しているようだ。ＤＩＣ３８０は深緑を基調とし、鬱蒼と広がる樹海を想起させるような色だ。『サイバー・ドラッグ』の装幀仕様書で、カバーはＤＩＣ３８０に銀粉をまぶしてサイバー世界のイメージを付加するデザインになっている。

〈確かに、機械調合だけでは無理だな。インキを乗せる相手が合皮紙なら、なおさら難しい〉

「ワールドは安値でできると言っているらしい」

〈ジロさんに言ったらぶん殴られるぞ……〉

野末は失笑とともに毒づいた。

「今回は諸見沢流一が『サバンナ・フリーダム』への参入をぶち上げる話題作だ。金額だけで印刷会社を乗り換えるべきではないということを分かってもらいたいんだ」

〈分かった。明日の午前十一時、本社へ行く〉

次の朝、野末はカーキ色の作業着姿で本社に現れた。

「礼服以外のスーツはロクなのを持ってないもんで、これが俺の正装だ」

「いいね、その心意気。俺もしゃきっとしなくちゃ」

浦本は身の引き締まる思いで、自分もネクタイの結び目を締めなおした。

「野末君、悪いね。工場のほうは大丈夫か？」

仲井戸が野末に声を掛ける。

「今日は遅番だから大丈夫です。終わったらすぐ工場に向かいます」

浦本は仲井戸、野末と共に概算見積書を持って慶談社の文芸編集部を訪ねた。昨日出したものと金額欄の数字は変わっていない。一円たりとも譲歩しない、覚悟のゼロ回答だ。

話せば分かってもらえると意気込んで村瀬と対峙したが、概算見積書を挟んで重苦しい沈黙が流れるばかりだった。

野末は所在なげに膝の上に手を置いたまま白紙のメモ帳に視線を落としている。

「困りました」

村瀬が溜息混じりに呟いた。ワールド印刷との合見積もやむなしということか。

「実は、うちの浦本は以前、ワールド印刷に勤めていたんです」

仲井戸が唐突に浦本の前歴を持ち出した。

「え？　そうだったんですか」

浦本は話していいものかためらいながらも、頷いた。

「はい。ですから当然、ワールドの凄さは十分に分かっているつもりです」

「浦本さんはなぜ豊澄さんに移られたんですか」

「本を造りたかったからです」

浦本は豊澄印刷に転職した経緯を村瀬に話した。

「本を造るということにかけては、豊澄は負けません。しかし、豊澄がなくなってしまえば、私たちは本を造ることができなくなります」

浦本は、豊澄印刷は安易な価格競争に乗らないという意志を込めて言った。

「今回特色指定されているＤＩＣ３８０の銀粉入りは、合皮紙の上に再現するのが非常に難しい色です。ふじみ野工場の野末からご説明します」

野末にバトンを渡す。野末はじっと一点を見つめたまま、なかなか説明を始めない。慣れない場に連れてこられて、固まってしまったのだろうか。

「今回の特色については……」

野末は机の上のカラーチャートを指差しようやく話し始めたかと思いきや、また止まった。

「ワールドさんには、今回指定された色調の機微までを忠実に再現することはできません」

野末は唐突に結論から言い切った。できないとまで断言した。説明になっていない。

「野末君、なぜ再現できないか、どういう点が難しいとか、ご説明を……」

浦本が促すと野末は「細かな説明は必要ありません」と語気を強めた。

「自分は、少し前にワールドさんから転職の誘いを受けました」

仰天の発言に、隣で静観していた仲井戸と思わず顔を見合わせた。

「あれ、もしかして浦本さんも仲井戸さんも、初めて聞いたパターンですか」

村瀬がキョロキョロと交互に二人の表情をうかがっている。

動揺する浦本と仲井戸をよそに、野末は続けた。

「特色の職人も、ワールドさんからの誘いを受けました」

「えっ！　ジロさんも」

浦本はすっかり素に戻って素っ頓狂な声を上げてしまった。

「ワールドさんは特色インキの機械調合で効率化を進めています。ただ、微妙な色調は職人の手でないと出せない。そして、印刷機を通してそのインキを紙に出してみた時の色調も、職人との仕事に熟練したオペレーターでないと忠実に再現できません」

浦本は言葉を失っていた。

ジロさんや野末の技術を、ワールド印刷が欲していると知り、誇らしかった。

「機械調合ではできない部分がある。だからこそワールドさんは豊澄印刷から職人を引き抜こうとしています。給料は三割増を提示してきました」

「それで、野末さんはどうされるんですか」

「断りました」

村瀬の問いに野末は即答した。

「三割増でも断ったと？　どうしてですか」

「本を造っていたいからです」

またもや即答だった。本を造っていたいからです。浦本は胸の奥底から急激にこみ上げてきたものを、すんでのところでこらえた。

「ワールド印刷はあらゆるものを印刷しているので、将来はどこのラインに配置されるか分からない。でも豊澄印刷にいる限りは、自分は本を造っていられる。そう判断したからです」

村瀬はしばしの間押し黙り、エンタネ君のメモ帳に「本を作る」と書き付けた。

「浦本さんがワールドから豊澄に移った理由も……？」

「はい、本を造りたかったからです」

「ふむ、なるほど。分かります。私も同じ気持ちです」

「しかし豊澄印刷が無くなってしまったら、本を造ることはできなくなります」

浦本は繰り返し訴えた。一定の利益を出し続けてこそ、本を造り続けることができる。そのためには安易な値引きは、たとえ一時的に顧客のためになるとしても、自戒しなければならない。

「弊社は職人や熟練のオペレーターの技術で、本造りを続けています。どうか、この金額で見積書を出させていただけないでしょうか」

伝えるべきこと、いや、伝えるべきこと以上のものを伝えた。

「二千、四百八十円……やってみるかなあ……」

村瀬がエンタネ君のメモ帳に数字を書き込みながら、絞り出すような声で呟いた。

「次の装幀会議で、社内を説得します。ワールドからの合見積は取りません」

伝わった。

「ありがとうございます。よろしくお願いします」

浦本は深々と頭を下げた。仲井戸も「よろしくお願いします」と頭を下げた。

「いやいや、浦本さんたちのお話を聞きながら私、反省しました……」

「反省、ですか……。反省すべきは私のほうですから」

「いいえ。豊澄さんは仲間だという甘えから、肝心の金額を詰めないまま仕様決めに突っ走った私のミスでもあるので。危うく仲間の首を絞めるところでした。すみませんでした！」

村瀬は机に両手を突き、深々と頭を下げた。

「その代わり、約束してください。最高の品質で本を完成させると」

「もちろんお約束します」

「よし、方針は立ちました。やりますよ。外箱付き上製本上下巻で四千九百六十十円！」

村瀬はいつもの快活さを取り戻し、エンタネ君のメモ帳をパタリと閉じた。

慶談社を出て、豊澄印刷へ戻る道すがら、浦本は野末に礼を言った。

「野末君、本当にありがとう……！」

「俺はたいしたことはしていない。ちょっと暴露話をしただけだ」

一歩後ろを歩いていた仲井戸が「心臓が止まるかと思ったよ」と苦笑いした。

「野末君、ああいう大事なことは外部の人に話す前に、先に身内に話そうよ」

「話すつもりもなかったので」

「じゃあ、なんで話す気になった」

仲井戸の問いに、野末は首を傾げながら答えた。

「なんででしょう。自分の選択が正しかったのか、確かめたくなったのかもしれませんね」

「それで、確かめられたのか」

浦本は訊ねた。

「正しいかどうかは分からないけど、後悔していないことは分かった」

「それならよかった。正しくなくても、後悔さえしていなければいいと思う」

本を造りたい。同じ気持ちだから。

「昼飯でもどうだ」

仲井戸の誘いに、野末はかぶりを振った。

「これから遅番のシフトに入るので、ここで」

野末は作業着姿のまま、有楽町線護国寺駅へと向かって歩いていった。

「村瀬さん、大丈夫ですかね。説得すると言ってくれましたけど」

「もう大丈夫だ。彼女は仕事の約束は必ず守る」

「すごいですね……」

「だから仲間も、自分と同じように献身的な仕事をするとみなしている。担当者個人同士ならある程度成り立つけれど、会社同士の話になるとそうもいかない」

「だから何も提案せず、村瀬さんの考えをそのまま形にすることに徹していたわけですか……」

受身に徹し、無理なことがあれば真摯に無理だと伝える。

仲井戸は村瀬の性質を知った上で、想定される危険を回避しながら仕事を進めていたのだ。

「俺は相手に合わせるのは得意だが、相手を変えることはできない。村瀬さんは今回の一件で自分の弱点に気付いたんだと思う。浦本君だからこそできたことだ。同じ営業部の人間としては、見ていて胃がキリキリするけどね」

「いつもすみません……」

「今回は、浦本君の勝ちだ」

仲井戸に言われてこんなにも嬉しいことはないが、同時に買い被られた感もある。編集者の性格までふまえて仕事を進めるしたたかさは、仲井戸に遠く及ばない。

※

村瀬美穂が「悲しいお知らせ」と前置きして掛けてきた電話には、さほどの切迫感はなかった。

〈いやあ、大変なことになっちゃいました。でも正直、担当としては安心してるんですけどね〉

村瀬は紙の本を売りたいという本音を隠しきれない。電子書籍統括営業担当としては、どう反応してよいか戸惑う。

「うちの社内に、がっかりしそうな者がひとりおりまして……」

電話を終え、浦本は電子書籍制作部へ向かった。降旗に状況を伝えるとみるみるうちに顔が紅潮し、話を終える前に大爆発してしまった。

「サバンナは何を考えてるんだ！」

豊澄印刷本社の二階フロアに、降旗の怒声が響く。

浦本はどう言葉をかけようか思案しながら、降旗の席の傍らに立っている。

昨夜、読み放題サービス『サバンナ・フリーダム』から慶談社の登録作品がひとつ残らず消えてしまった。

「これではまた振り出しに逆戻りじゃないか」

降旗は机に両肘を突き、薄い髪の毛を両手でかきむしった。

「降旗さん、悔しいですが仕方ないと思います……。読者のニーズに対して『サバンナ・フリーダム』の仕組みが追いついていなかったんですよね」

慶談社は先週、サバンナ社の読み放題サービス『サバンナ・フリーダム』に、漫画『アクエリアスの剣』全十五巻を一括登録した。『アクエリアスの剣』は漫画界の巨匠・芦沢修司（あしざわしゅうじ）が遺した伝説の名作。月額千円の定額料金の中であの名作を一気読みできる。瞬く間に話題沸騰、登録されるや否や、サバンナ社が慶談社への支払いに計上していた予算の半年分を、たったの三日でオーバーした。これを理由に、サバンナ社は、慶談社の登録作品を『サバンナ・フリーダム』から一斉に削除したのだった。

サバンナ・フリーダムの収入は読者からの月額千円の定額料金。一方でサバンナ社が出版社に支払う対価は読まれたページ数に比例する従量制。読者の利用が多過ぎると、サバンナ社の支払いが収入を上回り、赤字になるという弱点がある。

作品を提供する出版社は当然、多く読まれるほど収益が増える。だがサバンナ社としては定額料金の範囲内で利用してもらわなければサービスが成り立たない。

「文芸書でも電子書籍化の気運を盛り上げる絶好のチャンスだったのに……」

慶談社作品が全て削除されたことにより、諸見沢流一の新作の登録も自動的に破談となる。電子書籍読み放題サービスにおける文芸書の目玉は幻となったのだった。

「裏を返せば、みんなそれだけ電子書籍を使うようになったということですよね」

「漫画だけに限った話だ。まだ後進の文芸書は、今回がチャンスだったんだよ」

半分涙声になりながら、再び頭を抱える降旗。

「読み放題サービスの話がなくなっただけです。諸見沢作品はこれからも電子書籍で発売され続けることに変わりはありません」

「それじゃダメなんだよ。読み放題サービスで、大人気作家の最新作が読めるっていう画期性が起爆剤になるはずだったんだ」

あまりの落胆ぶりに、どう言葉をかけようか迷いながら、浦本は降旗の机の上にある作りかけの資料に目を落とした。

「電子書籍の普及促進は喫緊の課題である……。普及促進って、そんなに大事なことでしょうか」

「おい、それが電子書籍統括営業担当の言葉か？」

「多くの人に利用されることが第一なのかということです。必要としている人のところに、ちゃんと届けばよいのではないでしょうか」

降旗は浦本の目をまっすぐに睨み返しながら押し黙った。

「降旗さんは、なぜこの仕事をしているのですか」

「やれと言われたからだよ。十年前まであいつらと同じ紙の本の版を作ってたのに、ある日突然電子書籍を作れと」

降旗は隣の書籍チームの島を顎で示しながら、投げやりに言った。

「当時はまだ、電子書籍を使ってる人間なんて微々たるものだった。発足当時の電子書籍制作部はたったの三名。ほとんど使われる見込みのないものを毎日作り続けてたんだ。はっきり言って、空しかったよ」

浦本には、降旗の気持ちが分かるような気がした。どうせ作るならば、より多くの人に使われるものを作りたい。それは商業的な成功とは別次元で、自分の仕事が少しでも人の役に立つものであってほしいという願望。人間の根本にある願望なのかもしれない。

「今みたいに専用端末もなかった時代だ。パソコンの画面で読むわけだが、まあ流行らないよな」

使われるもの、役に立つものへの憧れ。降旗から迸るハングリー精神の源はここにあったのだ。

「時代が変わるのを待つしかなかったよ。もっと専用端末が普及してくれれば、もっと販路が拡大してくれれば、もっと多くの作品が電子化されれば……ってな」

「降旗さんたちが黎明期の電子書籍を地道に支え、十年経って状況は変わりました。専用端末も広く行き渡り、電子書籍で読書を楽しむ人も増えています。その証拠に、三名でスタートした電子書籍制作部は今や十二名です」

浦本は整然と作業する部員たちを指した。時折、浦本と熱くなる降旗とのやりとりを横目でちらちらと窺っていた。

「ああ、みんなよくやってくれている。だから、どうせなら自分たちの作っているものが世間で重宝されているという実感の中で仕事をしてもらいたい。そのためにも、もっと普及して欲しい。普及促進は第一なんだよ」

きっと降旗は使われないものを作り続けてきた日々の空しさや悔しさを、明日への夢に変えているのだろう。

「頼むよ、電子書籍統括営業担当。って、この肩書き、長いな……」

近いうちに印刷機はなくなるなどと過激なことを言うのも、夢の裏返しなのかもしれない。そう感じた途端、この気難しい中年男に親近感が湧いてきた。

「ぼくもある日突然、電子書籍統括営業担当を命じられました。何をすればいいか分からないし、面倒くさいと思いましたよ」

「それは災難なことだ。悪かったな」

「でも、電子書籍に与えられた役割を知って、変わりました」

福原の言葉を思い出す。必要とする人がいるなら、全力で作るべきだ。

「電子書籍によって読書の機会に恵まれた人たちはたくさんいるはずです。必要としている人がいることは間違いない」

仕事のため海外で生活する人が、日本の新作漫画や新作小説を読みたくなった時、クリックひとつですぐに手に入れられる。

「読みたいと思った本が、すぐにその場で読める。絶版になった本を電子書籍限定で復活させることもできますよね」

すると降旗は「ありがたい励ましの言葉だ」と冷笑を浮かべた。

「それはいわゆる上から目線ってやつじゃないのか」

「上から目線？」

「そうだ。ゆるぎない紙の王国で生きる者の目線じゃないか。やはり本は紙で読むものだ。でも電子書籍だって時には役に立つ、ってか？　冗談じゃない。俺の志はそこまで低くない」

「降旗さん、ぼくは電子書籍統括営業担当です。うちの営業の中で一番電子書籍のことを考えている人間です」

毛利部長や仲井戸には「何もしなくていい」と言われている。だが、取ってつけたようなこの肩書きは、浦本に新たな気付きを与えてくれた。

「ほお。じゃあ聞くが、仮に紙の本が電子書籍にとって代わられる危機が訪れたとする。それでも同じことを言っていられるか？」

降旗は挑発するように語尾のトーンを極端に釣り上げる。

「先のことは分かりません。ただ、今は両方とも誰かに必要とされていることだけは確かです」

「必要としている人間がどれだけいるか。そこが肝心だろう」

「数の問題ではなく、確かに必要とされているものを私たちは作っています。そこに空しさは無いと思います」

紙の本と電子書籍、諸見沢流一の作品と曾我部瞬の作品。数の差はあれども、必要とされていることに変わりは無い。だからこそ作る。営業の立場からは「ビジネスとして成り立つ範囲内で」と付け加えるべきところだが、今はあえて置く。

「自分の携わった本が書店で誰かの手に取られるところを想像するようにしています。そしてこれからは、ダウンロードされるところを想像する楽しみが増えました」

〈印刷会社もメーカーでしょう？〉

由香利の言葉が胸の奥で反響する。誰かの手に届くところまで想像するのは当然のことだ。

すると降旗は、呆れたような笑みを浮かべながら呟いた。

「印刷会社はメーカー、か」

降旗の口から唐突にこぼれた言葉に、浦本は驚いた。

「いや、ホームページで見たんだよ。俺は悪くないと思う」

「ありがとうございます」

浦本は少し気恥ずかしい心地で礼を述べた。

「その言葉に偽りはないようだな」

それから降旗は「さて」と誰にともなく呟き、部員たちを見渡す。

「滝山（たきやま）さん、『サイバー・ドラッグ』の本文だけど、作業は順調？」

「はい、順調ですが」

若い女性オペレーター、滝山が静かに答えた。

「ありがとう。読み放題サービスの件は無くなっちゃったけど、諸見沢作品が電子書籍でも発売されることには変わりないから頑張ろうな。諸見沢作品は旧字体が多いから、文字化けに気を付けて」

それから降旗は両手を大きく広げて伸びをしながら「ああ、読み放題！　返す返すも残念だなあ！」と笑顔で恨み節をこぼした。

※

ふじみ野工場は大仕事を前に静けさを湛えていた。パレットに積まれた紙の柱が、フォークリフトによって次々と場内に運び込まれてくる。

諸見沢流一の三十周年記念作品『サイバー・ドラッグ』上巻の印刷作業が、間もなく始まろうとしている。

三百二十ページの本文を十五万部、上下巻合計で三十万部印刷する。四六判の紙にして百五十万枚。昨今では三十万部を超える大部数は年に数えるほどしかない。

一号機の印刷速度は一時間に約二万枚。今回は一号機から三号機を同時並行で稼働させ、上巻と下巻を二日がかりで印刷する。

野末正義は刷版を一号機の印刷部にセットし、ブランケット胴を交換した。それから、インキ壺がブラックインキで満たされていることを確認する。

「頼んだぞ」

長年の相棒だった一号機の躯体を、ぽんと右手で叩いた。

パレットから両手で紙を摑み取り、指で弾いて空気を送り込む。どんなに経験を積もうとも、どんなに印刷機が進歩しようとも、この作業の重みは変わらない。

「野末さん、手積みならぼくがやりますから」

後輩の佐藤が慌てて駆け寄ってきた。

「いや、最初だけでも俺にやらせてくれ」

一掴みずつ紙の間に空気を送り、給紙部に紙を重ねてゆく。

「一号機、稼働します」

野末自身がスイッチを入れる。一号機はそれに応えて唸りを上げ、間もなく紙を給紙部から印刷部へ送出し始める。

野末はかつて一号機の機長を五年間務めた。一号機とともに仕事をする日々の中、印刷オペレーターとしての技術を磨き、自信を深めていった。配置換えで五号機の機長となった今も、一号機には古くからの仕事仲間に対する親しみと愛着がある。

今日は現機長の柴田に代わって野末が指揮を執る。一定のリズムを刻む紙送りの音、ローラーの間を滑る紙の音。一号機の音だ。

紙を充塡し、インキを補充し、刷り上がった紙を時折確認し、印刷の不具合に目を光らせる。

人も機械も小休止を入れながら、粛々と印刷は続く。

上下巻合計三十万部の本文を印刷するという膨大な仕事は、機械のみでも人間のみでも成し得ない。両者が一体となってこそ成し得る業だ。

印刷開始から六時間。一号機は安定稼働を続けていた。

熱くなった一号機は小気味よい稼働音を立てながら、大作家が紡いだ渾身の物語を紙に焼き付けてゆく。

「今日は調子がいいな」

野末は声を張り、働き続ける一号機を鼓舞する。

「野末君！」

稼働音の向こうから声がした。浦本だった。作業着を身にまとい、小走りで駆けてくる。

「あんたも暇な奴だな」

「早めに上がれたもんで、何でもいいから手伝わせてほしい」

とはいえ、時計はもう二十一時を回っている。

「わざわざ来てもらっても、何もないよ」

「掃除でもなんでもいいから、作業に加わりたい。一号機との最後の仕事だろう？」

この案件は本来、最新の五号機で対応すべきものだった。だが浦本は一号機に作業を割り振るよう生産管理部に掛け合うなど、方々に調整してくれたのだった。

「そこのカゴにヤレ紙が溜まったら、場外の置き場に運んでくれ」

「了解……それだけ？」

浦本の心意気に報いたい気持ちはあるが、素人に任せられるような仕事などそう多くはない。

「あとは、今日の仕事を、よく見ておいて欲しい」

苦し紛れに口を衝いて出た。

「いやいや、ただ見ていても邪魔になるだけだよ。さすがに申し訳ない」

「よく見て、お客さんに伝えて欲しい。お客さんの声を俺たちに伝えるだけじゃなく、行く先々で俺たちの仕事ぶりをお客さんに伝えてくれ」

浦本は場内をゆっくり見回して「なるほど」と呟いた。

「分かった。しっかり見て帰るよ」

浦本は携帯電話を取り出し、カメラ機能を使って写真を撮り始めた。

次に、外箱の印刷にかかる。怪しく光る蜘蛛（くも）の図柄を厚紙に印刷し、表面加工は光沢感を抑えたマットPPをかける。本文用紙やカバーのアート紙とは勝手が違う。

「うーん、今日は、ちと湿気（しけ）っぽいなあ」

ジロさんが厚紙を一枚手に取ってぼやく。特色インキの量も、粘度も、厚紙に合わせて調合してある。無論、試し刷りも何度か繰り返し、事前にチェックもしている。

それでも、紙はその日その時々の湿度や温度など微妙な環境の変化に影響されるため、実際に印刷にかけてみなければ分からない。厚さ約〇・五ミリの厚紙は、より多くのインキを吸収する。乾燥させた後に退色してしまうこともある。

まずは昨日の試し刷りと同じインキ量の設定で、十枚ほど出力してみた。

「ジロさん、確認お願いします」

ジロさんはその十枚を校正台の上に重ねて載せ、パラパラと捲る。すぐに表情が曇った。

「このままだと、乾いたら間違いなく薄くなる。印刷機の設定を調整し直すか」

野末が調整板でインキの量を調整し、刷り出しを行い、ジロさんがそれを確認する。慶談社が仕掛けた「デジタル対アナログ」という煽り文句が、ジロさんを奮い立たせていた。

野末も慶談社が電子書籍にいよいよ力を入れ始めたと知り、拒絶感を抱いた。だが自分たちが拒むか否かに拘らず、時代は動いていることを改めて思い知った。

本はいつの日か消えて無くなってしまうのだろうか。

慣れない作業着に身を包んだ浦本が、場外から空のカゴを持って戻ってきた。

「いやあ、すごい作業量だなあ！　初版十五万部ってのは久しぶりだね」

「ああ、骨は折れるが、あの辺はいい眺めだ」

野末は場内の奥のヤードを指差して言った。パレットの上に林立する紙の柱は、場内でひと晩乾燥させた後、製本所に送りこまれる。

「これだけの本を、必要としている人がいるんだから、凄いよなあ」

「諸見沢クラスだと、これでも足りなくて重版がかかるんだろ」

「そうだよ。こうやって改めて見ると、すごいことだよな」

浦本の素朴な呟きから、野末は別のことを連想した。

電子書籍にすれば場所を取ることもなく、輸送する必要もなく、データファイルひとつで無数の読者に物語を届けられる。ひと昔前には想像もし得なかったことが、今は普通に行われている。

そんな中で、膨大な紙の本を造り続けることに、どんな意義があるのだろう。

「相棒は機嫌よく仕事してくれてるようだね」

浦本が一号機の排紙部を覗き込みながら言った。

「ああ。スミだけの本文印刷なら、むしろ他の機械よりこいつのほうが安定してる」

事実として一号機はまだまだ現役で活躍できるだけの状態を保っている。

「まあ、言ってみたところで仕方ないことだが」

「慶談社の人たちにも言っておくよ。本文と外箱は、ふじみ野の工場で最古参の一号機と野末君が、最後の共同作業で印刷したものだと」

浦本は熱っぽく言った。野末が伝えて欲しいと言ったのは、自分たちの着実な仕事ぶりだ。相変わらずのずれた物言いに、思わず苦笑いがこぼれた。

「ありがたいことだ」

「諸見沢流一の三十周年記念作品『サイバー・ドラッグ』はこの一号機で印刷した。奥付には、この一号機の名も、野末君の名も刻まれる」

「まさか。『印刷所　豊澄印刷株式会社』。以上、だろ」

「豊澄印刷の文字の向こうに、全社員の名前が刻まれていると思う。奥付は本のエンドロールだから」

書店で本の奥付ばかりを見て回る息子たちの姿が胸に浮かぶ。

「なるほど。おめでたい発想だが、そう思って損はない」

遅番を終えて深夜一時過ぎに帰宅すると、いつも通り部屋の中は真っ暗だった。居間の蛍光灯を点けると、座卓にはラップのかかったとろろと冷奴が用意されていた。隅に歴史漫画が三冊重ねてある。幸太と陽太が読んでいて片付け忘れたのだろう。

野末は『徳川吉宗』を手に取り、奥付を開いた。

〈印刷所　豊澄印刷株式会社〉

奥付が本のエンドロールであるのならば、彼らはそこに父の名前を見出しているのだろうか。

翌日、野末は志願の早番で引き続き『サイバー・ドラッグ』下巻の印刷を指揮。本文用紙、カバー、外箱用紙とも二日がかりで印刷完了となった。

「よく頑張ったな」

野末は手袋を外し、最後の共同作業を終えた一号機の躯体をそっとなでた。

「終わったか」

キュウさんがゆっくりとこちらに向かって歩いてきた。

「上下巻三十万部の大仕事と聞いて、暇だから陣中見舞いにでもと思ったが」

そう言ってキュウさんは野末の隣に並び、一号機の印刷部を見上げた。

「この婆さん、まだ十分やれそうなのになあ」

「婆さん、ですか……」

「ああ、昔は活きのいい娘だったがな」

キュウさんが一号機のことを女性として扱っていたことを、今更ながら知った。

「じゃあ、デクノは」

「あいつは男だね。のんびり屋の肥満児だ」

再びキュウさんは一号機を見上げた。

「この婆さんとは、長い付き合いだった」

十一年前のあの日から、思えばあっという間だった。

初めて印刷開始のコマンドを送信した時の、あの恐怖感が昨日のことのように蘇る。猛烈な勢いで動き始めた一号機を見て、野末はすぐにでも機械を止めてしまいたいような衝動に駆られた。間違ったものを大量に吐き出しているのではないかという錯覚だった。事前の準備のどこかに不安があったわけでもなく、ただ漠然と自信がなかったのだ。

そんな時、キュウさんが、刷り上がった本文用紙を一枚持って「ほれ」と手渡してくれた。きっちりと両面にわたって一折目が印字されていた。

〈マー坊、お前とこいつの初仕事だ〉

そういえば、初めて造った一冊は、本屋へ買いに行ったのだった。

「ありがとうございました」

野末はキュウさんと一号機に向けて、ほとんど聞こえないように礼を述べた。

翌日、野末は『サイバー・ドラッグ』のカバーを四トントラックに載せ、箔押し屋へ向かった。

提携先の『箔来堂（はくらいどう）』は、箔押し一筋七十年の老舗。

一年前に更新されたヒンデンブルク社の箔押し機で、熱した金箔を赤地の合皮紙に圧着させ『サイバー・ドラッグ』の文字を次々と刻印していった。

凸版のシリンダで箔押しされた合皮紙は一回転して排紙部に排出される。

「これ、最高速度で回してますよね。大丈夫ですか」

野末は職人に訊ねた。速度の設定は慎重に、無理をせぬよう指示したはずだった。

「ああ、圧力と熱設定を何度もテストした結果、最高速で回してもちゃんと箔押しできてるから」

職人は自信たっぷりな様子で答えた。

「分かりました。信用してます」

野末は、職人の自信に満ちた言葉と箔押し機の実力を信じることにした。

「一時間に八千回転か。全力疾走だな。こけるなよ」

野末は箔押し機を見上げながら声を掛けた。

しばらく様子を見守り、順調な様子なのでいったん工場へ戻ろうと考えたその時、社長の怒声が響いた。

「おい、いったん機械止めろ！　早く！」

成果物に目を光らせていた社長が、一枚を手に取って険しい表情で言った。

「圧着が足りねえ……箔が浮いてるだろう」

社長が題字の金箔を指し示す。野末はそれを覗き込む。確かに、目を凝らしてみると金箔の表面にほんのわずかだが気泡のような膨らみができているように見える。

「何枚ぐらい押した？」

「五千枚弱ぐらい終わってるけど、これなら大丈夫だろう」

職人は出来上がった物をしげしげと眺めて、呟いた。

「大丈夫かどうか判断するのはお前じゃねえよ！」

社長は職人をどやし付けると、野末のほうに向き直った。

「野末さん、本当に申し訳ない……どうしましょうか」

金箔の圧着が足りないのは事実だが、剥離するほどひどくはない。今から五千部を刷り直して箔押し屋に再搬入すると、その分タイムロスになり、納期が危うくなる。

〈約束してください。最高の品質で本を完成させると〉

慶談社の編集者、村瀬の言葉が脳裏にこだまする。

「五千枚、カバーを工場で刷り直します」

野末は箔押し屋の社長に告げ、浦本に電話をかけた。

「『サイバー・ドラッグ』の合皮紙、予備はあるか」

〈五千なら大丈夫だと思う〉

「刷り直すぞ。工場への作業指示を頼む」

〈大丈夫か〉

「大丈夫じゃなかったらどうする。やるしかない」

受話器の向こうで、浦本はまだ決めかねている。五千枚の割り込みを入れるには、生産管理部に掛け合って他の案件を調整しなければならない。

印刷機のスケジュールをずらすために、綱渡りの調整を強いられることになる。

「慶談社との約束があるだろう。やり直そう」

〈分かった。すぐに生産管理部と相談する〉

「頼んだ」

生産管理部を介した調整を浦本に託し、野末はトラックで工場へ取って返す。

工場に戻ると既にジロさんがインキの調合を始めていた。

「ジロさん、もう作業始めてるんですか？」

「おお、最優先だ。割り込みでやっちまおうって、さっき話したところだ」

「営業と相談して、一号機の作業をずらした。生産管理部からの作業指示ももらってある。五千枚ならなんとか割り込めるよ」

一号機の機長の柴田が、どんと胸を叩いた。

「お前も浦本のにいちゃんも一生懸命やってるのに、職人がぐだぐだ言ってちゃ始まるめえ。なんとかしてやるよ」

そう言いながらジロさんは腰を落とし、インキを混ぜ続ける。

「おい、割り込み作業だからちゃっちゃと急げ！　気合入れてやるぞ！」

ジロさんの掛け声とともに「はいよ！」「了解！」と工場内に声がこだまする。

動き回る工場の面々を見て、野末は心から思った。豊澄印刷に残ってよかったと。

※

六月の人事異動を終えた慶談社は、各部署の顔ぶれも少しずつ変わっていた。そんな中、文芸出版部は大きな異動もなく、奥平も残留となった。

浦本は改めて挨拶をすべく、文芸のフロアを訪ねた。すると、いきなり怒声が飛び込んできた。

「だから言わんこっちゃないだろう！」

見ると、村瀬が部長席の前に立たされていた。

「諸見沢さんの三十周年作品に傷をつけたんだぞ。どういうことか分かるか」

文芸出版部の部長・春原（はるはら）は編集者時代に諸見沢流一の担当を務め、数々のヒット作を世に送り出してきた。

「申し訳ありません」

村瀬は直立の姿勢から、深々と頭を下げた。

「一ヵ月後に重版できるかすら分からないペースだぞ。諸見沢作品では前代未聞の事態だ」

出直したほうがよいだろうか。迷っているうちに、春原と目が合ってしまった。

「ああ、豊澄印刷さんじゃないですか。ちょうどよかった。単行本に外箱をつけようだなんて村瀬をそそのかしたのは、あなたですよね。一緒に聞いてもらいましょうか」

やはり単行本の売れ行きの話だった。発売後三日を過ぎ、想定されていた部数を大きく下回っているという。定価各二千四百八十円の上下巻となると、熱心な読者もさすがに躊躇(ためら)うのか。

「村瀬が『どうしてもこの仕様でいきたい』『諸見沢先生も喜んでいる』とかプッシュするもんだから、GOサインを出しましたがね、結果はこれです」

「部長、豊澄さんにクレームをつけるのは……。編集担当は私なので」

「ほお、ではこの結果に一人で責任を取れるのか」

責める春原に対し、村瀬は「時間をかけてでも大事に売っていきますので」と食い下がる。

「そんな悠長な話、聞きたくないね」

春原は鼻で笑うと浦本に向き直り、粘ついた視線を投げてくる。

「豊澄さん、いまどき外箱付きの重厚な上製本を上下巻で五千円も出して買う読者がどれだけいると思いますか？」

「電子書籍には実現できない付加価値を出せればと思いまして……」

「それは我々が考えることです。豊澄さんは我々が考えたとおりに本を刷るのが仕事ですよね」

それから浦本は村瀬と一緒にひとしきり説教された。豊澄さんには諸見沢作品をお願いできなくなるかもしれない、などと恐ろしい警告もいただいてしまった。

肩を落として会社に戻ると、白岡が「おかえり」と浦本のほうに手を振ってくる。

「浦本君、最高にいい仕事をしたわね。読者代表として感謝するわ」

白岡は引き出しから諸見沢流一の『サイバー・ドラッグ』上下巻を取り出し、机の上に置いた。

「昨日、ようやく手に入れたわよ」

外箱の真ん中に、黒マジックのサインと芋判の『流』の字があった。

「もしかして、諸見沢先生のサイン会、行ったんですか」

「昨日、大阪の三河屋書店まで」

「大阪ですか……今月、都内でも何回かサイン会がありますよ」

「平日ばかりで予定が合わないんだもん」

「サイン会、盛況でしたか」

「もう、すごい行列だったわ。諸見沢さんと握手して泣き出す女子もいたりして。ていうか、私も泣いたけど」

白岡はそう言ってまたはしゃぐ。この歓喜の様子を、村瀬にも見せてやりたい。喜びかけて、ふと我に返る。

「水を差すようで申し訳ないですが、本の売れ行きは芳しくないようで……」

「本当に？　こんな素晴らしい本なのに」

白岡は信じられないといった様子で言った。

「一方で……電子書籍のダウンロード数は好調に推移していると聞きました」

豊澄印刷には諸見沢作品の依頼が来なくなるかもしれない。そんなことも話した。

「やはり紙と電子は打ち消し合う関係だったということじゃないか」

仲井戸が割って入った。重版がかかっていない事実に、浦本には返す言葉もない。

「ただ、量的には打ち消し合っても、質的にはそうでもないようだ」

仲井戸はスマートフォンを差し出した。『ツブヤイター』の投稿記事だ。諸見沢流一の店頭サイン会情報が並んでいる。一ヵ月先までびっしりだ。

外箱付き上下巻を購入した読者にプレミアム感を提供すべく、全国各地でサイン会やトークショーが企画されているのだろう。

〈時間をかけてでも大事に売っていきますので〉

村瀬が仕掛けたに違いない。

「書店という場所で、本をその手に取った人たちしか得られない特別な体験を提供する。書店や紙の本の新しい価値にもなり得る」

今日は三河屋書店池袋駅前店で諸見沢流一のサイン会兼トークショーが開かれる。

聴き手は文芸書担当の森田和代だ。

森田は今日も街の書店で一矢報い続けている。

「電子書籍に取り組んでみて分かる紙の本の価値もあるのかもしれない。逆もまたしかり」

仲井戸は浦本を見ながら言った。

「そういう意味では、電子書籍統括営業担当は、必要なのかな」

「ありがとうございます」

答えは見えず、ジレンマは消えない。だが手探りでも今回のように、具体的に動いていたい。

「とはいえ、あくまでも印刷機の稼働率を下げない範囲でだけどね」

最後は仲井戸らしい一言に、皆で笑った。

夕方、慶談社の村瀬から一通のメールが届いた。

〈こっそり転送します〉

という断り書きで始まるメールは、諸見沢流一とのやりとりの一部だった。発売後の初動が芳しくないことを詫びる村瀬に対し、諸見沢はこう答えていた。

〈私は部数や文学賞は飽きるほど手に入れているので、もっと別のものが欲しくなるものです。村瀬さんが気にすることではない。工場の写真、見せてもらいました。三十年やってきて、恥ずかしながら自分の本がどうやって作られているか見たことがなかった。印刷所の皆さんに、よろしくお伝えください〉

浦本は、パソコンの画面に向かって思わず「ありがとうございました」と呟いた。

村瀬は、浦本が送ったふじみ野工場の作業風景の写真を、諸見沢に送ってくれていたのだ。野末の、一号機の、ふじみ野工場の誠実な仕事ぶりが、村瀬や諸見沢には確かに伝わっていた。

夜二十時、降旗が営業部のフロアに現れた。コートを着て鞄も携え、すっかり帰り支度を済ませた格好だ。

「うらもっちゃん、腹減らないか」

「そうですね。ぼちぼち……」

「そういえば、電子書籍統括営業担当さんの歓迎会もロクにしてなかったしな」

一杯飲みに行くか、というお誘いのようだが、素直にそう言わないところが降旗らしい。

急な仕事は無いが、溜まった書類を処分していたところだった。時々処分しておかなければ、すぐに紙の山にまみれてしまう。

「ああ、嫁さんが待ってるよな」

「いいえ、大丈夫です。むこうも遅くなるようなので」

由香利は今夜、会社の同期の集まりがある。浦本は外で食べて帰るつもりだった。

向かいの席では仲井戸が、パソコンの画面を睨んで作業に没頭している。降旗は恐る恐るの様子で声を掛けた。

「そちらはどうだ？　仕事切り上げられそうなら飯でもどうかなと」

「ご一緒します」

仲井戸は即答し、鞄を机の上に置いた。降旗は断られると踏んでいたのか、一瞬戸惑った様子を見せたが「よし、近場で飲んで帰ろうか」と応じた。

護国寺駅近くの蕎麦屋で軽く一杯という運びになった。カウンター席で降旗を間に挟み、仲井戸と浦本が両脇に座った。

ビール党の降旗はハイペースで杯を重ねた。

「おたくの部長に『電子書籍は本じゃない』って言われた時、腸が煮えくり返ったよ。でも気付いたよ。なんであんなに腹が立ったのか。俺自身が心のどこかでそういう負い目を感じてたからなんだって」

降旗が顔を真っ赤にして熱く語る。声が大きく、少々周りの目が気になる。

「いやあ、うらもっちゃんの言葉は心に染みましたよ。『必要としている人のところに、ちゃんと届けばいい』って。さすが電子書籍統括営業担当だ。よっ！　統括！」

「はい、今後ともよろしくお願いします」

浦本は内心、もう少し声を小さくして欲しいと願いつつ、笑って流す。

「電子書籍は紛れもなく本だ。その仕事の一端を担っていることを俺は誇りに思う」

今度はしんみりと語り始める。

「なあ、仲井戸ちゃんよ、本だよな、そうだろ」

降旗は仲井戸の背中をポンと叩いて同意を求める。

「印刷機の稼働率に影響しない限り、否定はしません」

「相変わらずの稼働率原理主義者だ」

降旗がニヒルな笑いを浮かべたところで、浦本の携帯電話が鳴った。ふじみ野工場からだ。また何かトラブルだろうか。身構えつつ電話に出る。

〈野末だけど、ちょっと聞きたいことがある〉

緊急のトラブルではなさそうだが、ただ事ではない様子だ。

〈一号機のことで、そっちに何か情報が入っていないか〉

なぜそんなことを訊くのか不審に思いながらも記憶を辿るが、特に思い当たることはない。

「強いて言えば、この間イントラの社内報に、一号機、引退前のラストスパート、っていう記事が載ってたよね」

〈なるほど。何も聞いてないか……〉

「一号機に何かあったの」

〈更新の話、どうやら無くなるらしいぞ〉

「どういうこと」

〈一号機は解体したらそのまま。つまり印刷機が一台減るということだ〉

「そんな話は聞いていない。新しい機械に更新するんだろう」

〈いや、工場長がムトウ工業の営業と話してるのを聞いちまったんだよ〉

ムトウ工業はふじみ野工場に印刷機を納入しているメーカーだ。

〈営業が帰り際に他の機種のご提案もさせていただけないか、とか泣きそうな顔で何度も頭を下げるのを、工場長が申し訳なさそうに断ってた〉

立ち聞きしてしまった内容について工場長に問い質すわけにもいかない。本社の営業なら何か知っているのではないかと考えて浦本に電話を寄越したらしい。

浦本は心ここにあらずの状態で電話を切り、席に戻った。

「どうした、深刻な顔して。仕事の呼び出しか？　人気者は大変だ」

降旗が、戻ってきた浦本に絡む。浦本は野末から聞いたままのことを話した。

重苦しい沈黙の後、仲井戸が引きつった笑みを浮かべながら言った。

「降旗さん、印刷機が一台減るらしいですよ。嬉しいですか」

仲井戸にしては珍しく冗談めかして平静を保とうとしているように見える。

「バカ言え！　印刷会社で印刷機が減る？　本当の話なら一大事だ。嬉しいわけないだろう」

降旗は真顔になってかぶりを振る。

「仲井戸ちゃんこそ、一台減れば稼働率が上げやすくなるんじゃないの」

冗談で切り返す降旗の表情からは、酔いがすっかり引いている。

「印刷機が減るということは、印刷機を動かす人間も減るということか」

仲井戸がポツリと呟いた。浦本は「まさか、まさか」と大げさに否定する。

いつかは来るかもしれないと思っていた事態が、足音を立てて迫っていた。

第五章 『本の宝箱』

印刷機が一台減る。疑心暗鬼の中、確かめる術(すべ)もないまま一ヵ月が過ぎようとしていた。

そんな中、イントラの掲示板に、ふじみ野の工場長から一号機の解体が延期になるとの通知が掲載された。理由は「より業務に支障が出ない時期を見極めて」「当面の間、現在の一号機を使い続ける」という曖昧なものだった。

確かめるなら今だ。浦本は毛利部長に訊ねた。

「毛利部長、今頃になって延期が決まったのはなぜでしょうか」

「使える機械ならできるだけ長く使えってことかな。まあ、うちもあんまり金がないんだろう」

「しかし、命にも等しい印刷機への設備投資を渋るほど、うちの財務状況はひどいのでしょうか」

毛利部長は「そんなに逼迫(ひっぱく)しちゃいないだろうが……」と歯切れが悪い。

「何かご存じならば、本当のことを教えてください。お願いします」

浦本は毛利部長の目をまっすぐに見据えて言った。毛利部長は視線をパソコンの画面に向けたまま押し黙っていたが、すぐに「ふう」と大きく息を吐いた。

「俺も隠し事は好きじゃないからな」

仲井戸も外回りの支度をしながら、毛利部長の言葉に耳を傾けている。

いつのまにか営業第一部の面々も、毛利部長に注目していた。

毛利部長は隣の島の営業第二部長・野々宮と顔を見合わせ「ここまでバレてるなら、話すほかないだろう」とこぼした。野々宮も頷いた。

毛利部長は周りを気にしながら「常務からの又聞きだが」と声を低くして言った。

「本当は予定通り今年の年末に解体し、更新はしないというのが役員会の方針だったらしい。だが常務がかなり強く抵抗した」

豊澄印刷は、事業の重心をこれまでの書籍や雑誌の印刷業務から、トゥモローゲート・デザインによるデザインや企画面からの提案へ徐々に移していこうという方針を打ち出している。それは社員たちにも周知の事実だ。

だがまさか印刷機が減るなどとは思ってもいなかった。

「要するに仕事が減ると見込んで印刷機も減らすというわけですか。じゃあコミックで新規取引を開拓しましょうよ」

営業第一部の中堅社員、山野が憤然と気勢を上げた。

毛利部長は「そう単純な話でもないらしい」と渋い表情で応じる。

「不確かな情報だが、印刷部数のロットを小さくしたい版元各社の意向も影響しているようだ」

「それは私も初耳です。小ロットに移行することと一号機を減らすことは、関係ないのでは？」

営業第一部の野々宮が横から毛利部長に訊ねた。

「おそらく、文庫の印刷にデクノをフル活用するんだよ」

紙の書籍の売上が減ってゆく昨今、初版も重版も、大部数を印刷するにはリスクが高い。そのため、小部数から低コストで印刷できるデクノを文庫でフル活用する方針が急浮上しているという。現にデクノの稼働率は『ペーパーバック・ライター』の成功事例をきっかけに急速に上がり、六〇％を超えてきている。

「印刷機を減らす方針は変わらないということですね。どうなるんでしょうか……」

浦本は毛利部長に訊いた。毛利部長は「分からん」と怒ったような口調で答えた。

向かいから仲井戸が「今考えても仕方ない」と割って入った。

「先のことは先のことで、追い追い考えよう。もう九時半だ、外回りに行ってくる」

仲井戸は社用車の鍵を手に取った。今日は出版社以外の得意先をまとめて回ってくるらしい。

「それに、考えるべきは『どうなるか』ではなく『どうするか』だ」

「どうするかと言っても……」

浦本は考える。大きな波に抗うことなどできるだろうか。

「一定以上の稼働率を維持していれば、上も考え直さざるを得なくなるだろう」

仲井戸の言葉からは静かな闘志のようなものが立ち上ってくるようだった。

「まずは今のお客さんを大事にすること。仲井戸が言っているのは、つまりはそういうことだ」

毛利部長の言うとおり、既存の顧客からの信頼を積み上げていくしかない。そのためには、目の前の仕事を手違いなく終わらせること。日々、一冊一冊の本をより良い形で造ることだ。

「では、私も慶談社へ行ってきます」

浦本は慶談社の業務部に立ち寄って来週の紙の搬入スケジュールを調整した後、編集部へ初校、再校のゲラを届けた。各担当編集者からの情報収集と御用聞きも兼ねる。

「おつかれさま。浦本さん、ちょうどよかった」

奥平がこちらへ向かって手招きしてくる。

「いま一条早智子さんから、本の本を作りたいという企画をいただいてるんですが」

一条早智子といえば子供から親世代まで広く読まれている名作『魔法学校シリーズ』を生み出したベストセラー作家だ。

「本の本、とはどんなものでしょうか」

「要するに、本を紹介する本です」

一条早智子が子供の頃につけていた読書ノートから、子供達に向けて珠玉の名作を紹介し、一冊の本にまとめるという企画だという。

いい仕事だ。直感し、心が躍った。

「実はこの話、他の出版社にも持ちかけたらしいんだけど、『今は新しい物語を一冊でも多く読者に届けましょう』みたいな体のいいことを言われたらしくて」

「なぜでしょう。すごくいいお話だと思いますが」

「うん、確かに一条さんの志は高く、尊い。でも……」

奥平は「部数が出ないでしょう」と声を潜めた。『魔法学校シリーズ』の一条早智子の名前をもってしても、本の紹介本では部数は見込めないという。出版社には旨みのある仕事ではない。

「でも奥平さんは、やる気でいらっしゃるんですよね」

「もちろん。こんな素晴らしい話、逃してなるもんですか。まだ社内調整も済んでないけど、ぼくはぜひやりたいと思ってますよ」

現在、奥平が一条早智子からイメージを聞き取り、案を作っているという。

「その件で今から打合せがあるので、浦本さんも一緒に聞いてもらえませんか」

「はい、ぜひご一緒させてください」

奥平に連れられて慶談社三階の打合せスペースへ降りると、そこにはグレーのスーツを着た長身の若い男が立っていた。

どこかで見た顔だ。相手も「おや？」という表情で浦本の顔をまじまじと見てくる。

「ああ！」

二人とも同時に声を上げた。

「あれ、二人とも知り合いなの」

奥平は、浦本と若い男を交互に指差して訊いた。

若い男はスーツの内ポケットから名刺入れを取り出した。

「ご無沙汰しております。改めまして、帝都(ていと)出版販売の天草と申します」

物腰も名刺の手渡し方も、以前とは印象がだいぶ違って見える。それから天草は、浦本との仕事の経緯を奥平に説明した。

「水臭いなあ、天草さん、元々は文友館の編集者だったの？　早く言ってくださいよ」

「いえ、隠していた訳ではないんですが」

天草は文友館を退職した三ヵ月後、帝都出版販売株式会社ことテイハンに入社し、現在は書籍仕入部に勤めているという。

「そうでしたか！　まさかこんな形で天草さんと再びお会いできるとは」

「浦本さん、その節は大変申し訳ございませんでした……」

天草は深々と頭を下げた。浦本は「そんな、大丈夫ですから」と頭を上げるよう促す。謝り方にも貫禄がついたように思える。

テイハンは取次の最大手。出版社から本を仕入れ、全国の各書店へ取り次ぐ。浦本は豊澄印刷に入社した直後、埼玉県内にあるテイハンの書籍物流センターを見学したことがある。約百万点、二千万冊の本を備える巨大な倉庫だった。本はそこで検品・在庫管理・仕分けされ、全国の書店やコンビニエンスストアなどへ配送される。

天草は再び、本に携わる仕事に帰ってきたのだ。だが取次で仕入れを担当している彼が、今日はどのような経緯で奥平との打合せに来たのだろうか。

「仕入れの他に、こんな広報誌を作る社内プロジェクトにも参加していまして」

天草が差し出したのは『新刊だより』という小さな冊子だった。

「主に書店さんで定期購読していただいている、本の業界誌です」

パラパラと捲ってみると、翌月の新刊紹介の他に、作家のインタビューや連載長編小説、読みきりの短編などが掲載されている。

「発行元はテイハン広報室『新刊だより』編集部となっていますが……」

「この雑誌自体は広報室が発行していますが、社内の有志で作ったプロジェクトチームから、広報室に特別企画を毎月ひとつずつ提案しています」

天草は『作家のオススメ本』というページを開いた。

「この『作家のオススメ本』は先月号の特別企画です。新人からベテランまで、色々な作家さんからアンケートを取って、オススメの本を紹介してもらいました」

書影と推薦コメント付きで、各作家が自分のオススメ本を紹介している。

「新刊だけでなく、既刊の良書にもスポットを当てたいので、こんなコーナーを設けました」

作家のオススメ本をただ載せるだけでなく、一人でも多くの読者に手に取ってもらいたい。そのため、在庫が十分に確保できていることを確認した上で掲載しているという。

「なるほど……。出版社と書店を繋ぐ取次ならではの試みですね」

「そうですね。競合する出版社や書店チェーンの間で、中立的な立場から本のために働けるのも取次大手の強みだと思うので」

天草の話に、浦本は「へえ」「ほお」と興奮しながら相槌を打つばかりだ。しかしふと思い直す。

「ところで、天草さんと奥平さんはどういうきっかけで繋がったのですか」

「実はこの企画、一条さんさえ良ければテイハンさんからムックの形で作るのが良いかなと最初は思ってたんですよ。それでテイハンさんに電話をしたら、天草さんが応対してくれたわけです」

奥平が内情を打ち明けた。

「テイハンがムックにすれば、出版社間の垣根みたいなものは気にしなくて済みますからね」

天草が補足説明をする。

マガジン(雑誌)とブック(本)との中間の形であるムックとして発行することを一条早智子に提案してみたものの、一条はあくまでも自分の作品として世に出したいのだという。

「結局、テイハンでムックの形にするという話は無くなりましたが、ぼくはこの企画に何らかの形で関わりたい。たとえば、読書ノートに出てくる本の書影を集める作業とか、在庫があるか、絶版になっていないか確認するとか」

読書ノートで紹介される数々の本は、多くの版元にまたがる。掲載にあたり、慶談社単独では他の出版社との調整が煩雑になる。その点を取次の立場から天草が支援するということらしい。

「本のための本ならば、取次として力になりたいと思って、お手伝いすることになりました」

「天草さん、本当に本が好きなんですね」

浦本は、また本を介して天草と共に仕事ができることを心強く感じた。

「ヤバい本を作りましょう。ぼくが仕入れて全国に届けます」

部数はそれほど期待できない。手間もかかる。だが奥平も天草も、何かに突き動かされてこの企画を実現しようとしている。

きっと、本のためになる本ができると信じているからだ。

興奮冷めやらぬ中、一旦本社に戻る。だが思考が現実に引き戻される。

社内では、印刷機が一台減るかもしれないという不穏な話が飛び交っている。そんな中、あまり部数も見込めない企画を引き受けるのは、商業的な旨味が薄い。

慶談社から発注があれば引き受けることにはなるが、毛利部長や仲井戸からは「余計なことをするな」「あまり首を突っ込むな」という類の釘を刺されるかもしれない。

先に味方を作っておこう。ぱっと思い当たるのは二人。浦本は二階フロアにその二人の姿を探した。二人ともいないようだ。

休憩室を覗いてみる。いた。ちょうど二人とも別々のテーブルで珈琲を飲んでいた。

「臼田さん、福原さん、ちょっといいですか」

厄介な相談事ばかりで申し訳ないと思いつつ、休憩中の二人へ手招きする。

奥平から聞いたばかりの企画の概要を話すと臼田はしきりに「へえ」「ほお」と興奮気味の相槌を打ち、顎に手を当てながら宙へ目を遣った。もう本のイメージを思い描こうとしている。

福原は浦本を凝視しながら、白い頬を紅潮させている。

「大作家が大上段に構えて読書指南をするのではなく、少女時代の読書ノートを通じて本との出会いの喜びを伝えるんです。そのノートの表紙には『本の宝箱(ほんのたからばこ)』と書かれているそうです。かつて出会った本との思い出が詰まった宝箱のような本。その宝箱を開けた人は、新たな本と出会う。どうでしょうか」

浦本は語りながら、自らを鼓舞した。面倒な仕事かもしれないが、本造りに携わる者の本懐ではないかと。

「いいですねー、本の宝箱。ちょっと散歩に出てイメージ膨らましてきます」

「リンカーンの演説にも似た、本の、本による、本のための本ということですね。ぜひお手伝いさせてください」

福原はテーブルの上に両手を組み、身を乗り出してくる。

この仕事はまさに、タンポポの綿毛を吹いて、風に乗せて運ぶような仕事だ。風に乗って飛んだ種はきっと誰かの心に舞い降りて、小さな花を咲かせるだろう。

※

本社二階の会議室で、福原笑美は夢見心地の中、打合せ資料に見入っていた。

資料の中に「取扱注意・持出厳禁」というゴム印の押された冊子がある。

あの『魔法学校シリーズ』の生みの親、一条早智子が子供の頃から記録してきた読書ノートのコピーだった。

「この読書ノートを、どうやって本にまとめるか……」

慶談社の奥平が一条早智子から聞いてきたレイアウトや装幀についてのラフな構想を示す。この構想を本の仕様に落とし込むための打合せだ。

題名は『本の宝箱』。読書ノートの表紙に書かれた題名をそのまま使う。

通常なら編集者の奥平とデザイナーの臼田で詰める段階だが、浦本と福原は志願して特別に参加している。奥平とは『ペーパーバック・ライター』の手書き原稿入力を福原が担当した縁もあり、ぜひ参加して欲しいという快諾を得た。

「書影や本の基本情報は必須ですよねー。そこは各ページ統一ですかね」

臼田が呟き、浦本が「統一感があったほうが読みやすいですね」と賛同する。

「本文には日記帳みたいな罫線をわざと付けてみるのはどうかと思うんだけど」

奥平もページ構成のイメージを説明する。自然発生的にブレインストーミングが始まった。

福原は、もっと必要なものがあると感じていた。

「このノートの該当部分の写真も挿れたほうがよいのではないでしょうか」

大作家・一条早智子も、かつては一人の本好きな女の子だった。彼女が物語を読んだ感動を、どのように記したか、直筆のノートを一部でもそのまま見せるべきだと思った。

奥平は「面白いとは思うけど……」と首を傾げる。

「少女だった頃の一条早智子さんが感じたことを生き生きと伝える手段のひとつとして、ノートの実写が効果的だと思います。その写真にコメントをいただいて、載せるのはどうでしょうか」

この『本の宝箱』に込めた一条早智子の想いは「本への恩返し」と「次の世代に本の素晴らしさを伝えること」。大作家だからこそ説得力を持って成しえる業だ。

慶談社や豊澄印刷の役割は『本の宝箱』を通して一条早智子からのメッセージをリ

アルに届けること。

「一条早智子さんのひと言コメントをキャプションに入れるなど、どうでしょうか。たとえばこの『不思議の国のアリス』のウサギを鉛筆で描いたページ。『私が思い描いたウサギはこんなに丸々と太っていました。皆さんはどんなウサギを思い浮かべるでしょう』とか」

福原はインデザインで画像とコメントをレイアウトする作業をイメージし、アイデアを述べる。

出すぎた真似ではないかという思いとは裏腹に、語気は強くなってゆく。

「なるほど……。いいかもしれない。一条さんに相談してみよう」

奥平が無地のノートにメモを取っている。

まさか自分のアイデアが憧れの一条早智子の前に差し出されるとは思ってもいなかった。

「装幀も叩き台程度には案を出して一条先生に提案しておきたい。『本の宝箱』というからにはずしりと重みのある体裁がいいと思うけど、臼田さん、どうでしょう」

「うーん、本自体を宝箱に見立てて鍵を付けちゃうとか。でも、さすがに無理ですよね」

「まあ、無理かどうかはともかく、発想の種としてはいいじゃないですか。突拍子もない空想から始まって試行錯誤するのが臼田さんの持ち味だから」

奥平が臼田の奇想に理解を示す。

「上製本で表紙の芯紙は目一杯厚めにして、本文用紙もある程度厚みがあって長持ちするコート紙などが良いですかね。保存版で長く使ってもらいたいですから」

浦本もすっかり制作チームの一員のような形で議論に参加している。

奥平が意見を取り入れながらラフの構想を組み立ててゆく。だが福原には、ひとつ気になることがあった。

「水を差すようで恐縮ですが、慶談社さんの中で、内諾のようなものは取れているのでしょうか」

福原が恐る恐る言うと、隣で浦本が小刻みに何度か頷く。おそらく営業の浦本からは、お客様に対して指摘しにくいことだ。

「内諾は取ってません。部長にすら何も話していません」

臼田が「さすが奥平さん、破天荒ですねー」と、のん気な声でのけぞった。

「話を詰めてしまう前に、せめて部内までは話しておかれたほうが……。うちも営業部内には先に話をしておきますので」

浦本が奥平に進言する。すると奥平はゆっくりと首を横に振った。

「先に一条先生と話を詰めて既成事実を作ってしまうことに意味があるんです」

奥平は不敵な笑みを浮かべた。組織のルールには疎い福原から見ても、明らかにまずい。

「大丈夫です。社内に対しては、一条早智子の名前を出して押しまくりますから」

一条早智子は朋友出版主催のフェアリー文学賞出身。これまで出版各社から百を超える作品を発表してきた一方、慶談社からの刊行は二十年以上前の三作品のみ。だがこの企画で信頼を勝ち取れば、慶談社の優先順位が上がると、奥平は見込む。

「ある意味、一条さんを人質に取って慶談社に決断を迫るようなものですね」

「いやあ、福原さん、恐ろしいたとえですね。でもそうかもしれません」

奥平は悪びれもせずに言い放った。

「ぼくが一条さんの原稿を取れるようになれば、豊澄さんも仕事が増える。悪くないですよね」

「頼もしい作戦ですが、奥平さん、大丈夫ですか……」

浦本がなおも不安げに訊ねる。

「ぼくを誰だと思ってますか。オウヘイですよ。慶談社の中でも最も厄介で横柄で、面倒くさい編集者ですから」

ハハハと笑ったのは奥平だけで、豊澄印刷側の一同は凍り付いている。

奥平は「どうしましたか？」とニヤニヤしながらこちらの反応を窺う。

「気にしなくていいですよ。オウヘイって呼ばれてること、だいぶ前から知ってましたから」

「社員一同、仕事熱心で厳しい奥平さんへの愛憎が入り混じっておりまして……」

浦本がハンカチで額の汗を拭いながら苦しい弁明をする。

「ということで、皆さん、とにかくよろしくお願いします」

最後は奥平に思いがけぬ形で上手く丸め込まれた。

だが浦本も臼田も、どこか楽しげに見える。

※

「夢で飯が食えるか？」

野末正義は仕出し弁当の白米を割り箸ですくいながら言った。まだ昼休み前、ふじみ野工場の食堂には野末と後輩の高野の二人しかいない。

「食えるかどうか、分かりません。ていうか……だからこそ、やってみたいんです」

高野は言葉をひとつずつ選ぶように言った。目の前の弁当には箸をつけていない。

押し黙る二人の間に、テーブルの上のスマートフォンから軽快なラップの曲が流れていた。

九月末をもって会社を辞めたい。

朝の始業前、高野は突然、野末に切り出した。

もっとも、人が会社を辞めるのはいつだって突然のことだ。突然言い出して、突然去ってゆく。今までも何人かのオペレーターが工場を去っていった。だが、辞める当の本人から事前に相談を受けたのは初めてのことだった。

自分もそういう類の相談を受ける立場になったのだ。重たい気持ちで、昼休み前の誰もいない食堂に高野を連れ出して理由を訊いた。

他にやりたいことがあるのだという。仕事を続けながらではダメなのかと訊ねたところ、高野はスマートフォンで動画を再生し、野末に見せたのだった。

だぶついたブルゾンを羽織り、ニット帽を被った男が、ラップの歌を唄っている。

高野は、この男は自分であり、これが自分のやりたいことだと言う。

「仕事を続けながらできないのか？　よくやってくれてるから、個人的には続けて欲しい」

「そう言っていただけるのはありがたいですが……」

「お世辞や社交辞令じゃない。本当によくやってくれてる」

高野の仕事ぶりは、新人としては申し分のないものだった。向上心があり、多少無茶をするところもあるが、それも責任感の裏返しだ。

紙の手積みから始まり、機械のメンテナンスや操作方法など、ひとつずつ教えてきた。そろそろ現場を任せられるレベルに育ってくれたと感じていた矢先のことだ。

「何か当てはあるのか。誰かが売り出してくれるとか」

「いえ、特にそういう当てはありませんが……毎日動画を投稿し続けるだけです」

「それならば、今と変わらないだろう。仕事を続けながらでも大丈夫じゃないのか」

「いえ、一本で勝負したいんです」

高野は弁当を見つめながら答えた。

印刷機が一台減るかもしれない。その憶測に戦々恐々としていたところへ「音楽をやりたいから会社を辞めたい」という驚くべき申し出を受けた。

叶うか分からない夢のために定職を捨てるなど、野末には理解できなかった。

ただ、画面の中で躍動する高野は、今目の前にいる高野とは全く違っていた。

MC与太郎と名乗った高野は、シンセサイザーで自作した音源に合わせ、世の中に対する些細な疑問を独特のユーモアと少し辛味の利いた皮肉に乗せて唄っている。

ラップの良し悪しについて、野末はよく分からない。

「このMC与太郎は、どのぐらいのレベルにいるんだ」

「それも分かりません。ただ、ここに書いてある再生数はひとつの目安です」

画面の下に小さく表示されている動画の再生数は十万回を超えていた。

「これだけ多くの人が見てくれているのは事実です。だからチャレンジしてみたくなりました」

かつて組んでいたバンドは解散し、音楽への夢は諦めたつもりだった。高野は職を探し、豊澄印刷に入社した。仕事の傍ら、趣味でラップの歌を動画サイトのマイ・チューブに投稿していた。

これが予想以上の反響を呼んだ。ＭＣ与太郎はネット上では広く知られる存在となった。

「ひとりで、自宅から、自分の音楽を発信できると分かりました。だから夢にもう一度チャレンジしたいんです」

「貯金はあるのか？」

余計なお世話と思いつつ、訊いてみる。

「まあ、実家暮らしなので、少しは……」

きっと高野は相談を持ちかけてきたのではない。もう心は決まっているのだ。

夢で飯が食えるか。これは自分に対する問いでもあったのかもしれない。

高野のことが、うらやましいのかもしれない。

壁掛け時計に目をやると、十一時五十分になっていた。正午になれば人が押し寄せてくる。高野の背中を押してやるか、もったい付けて「一旦預かり」とするか。

そうこうしているうちにジロさんが現れた。

「ムツゴロウと高野じゃねえか。フライングしやがって。工場長に言いつけるぞ」

ジロさんは自分のことを棚に上げ、こちらに向かって糾弾してくる。入り口近くの長机に並んだ弁当をひとつ手に取り、食堂備え付けの電子レンジで温め始めた。

ひとまず、高野との話は打ち切りだ。

「とりあえず、飯だ」

野末が促すと高野は「いただきます」と小さく一礼し、割り箸を割った。

「サボリーマンのお二人、ここの席、よろしいかな」

ジロさんは野末の隣に座り、大盛のトンカツ弁当に持参のレトルトカレーをかけた。ジロさんは痩せの大食いだ。隙あらばチャイムの前に食堂に一番乗りする。

「どうした？　二人とも小難しい顔して」

ジロさんは野末と高野の顔を交互に見ながら言った。

「ちょっと昼飯をかねた打合せをしていました」

「なんだ、サボってたわけじゃねえのか。これは失敬」

ジロさんが着席するとほぼ同時に、もう一人、フライング男が現れた。

「おお、珍しい顔がいると思ったら、キュウじゃねえか」

普段のキュウさんはデクノ堂の隅で弁当を食べ、昼寝をする。食堂に現れることは滅多にない。

キュウさんはカップ麺にポットからお湯を注ぐと、こちらへ向かってゆっくりと歩いてきた。

「おお、どうした、珍しいな。天然記念物かと思ったよ」

ジロさんの悪態は長年の付き合いがあればこそだ。キュウさんは笑ってゆっくりと着席する。

「カミさんが風邪で寝込んでて、今日は弁当がないもんでな」

そう言ってキュウさんは割り箸を割った。

「で、カップラーメンで済ませようってわけか」

「カップ天ぷら蕎麦だ」

キュウさんは蓋をめくってみせた。ジロさんが中を覗き込む。

「どこが天ぷら蕎麦だよ。天ぷらが見あたらねえぞ」

「捨てたんだ」

「なんだそりゃ。天ぷらのない天ぷら蕎麦があるか」

「油っこいものは食えないんだよ。もうすぐ六十になる年寄りが、よくそんなものを食えるな」

キュウさんはジロさんの大盛カツカレー弁当を指差して顔をしかめた。

「お前と違って、俺の胃袋は現役バリバリだからな」

そう言ってジロさんは持参のブルドックソースのキャップを取り、カレールーの上にまんべんなくかけた。三十代前半の野末から見ても胸焼けがしてくる。

「カツカレーはな、昭和の昔になんとかかんとかっていう凄い野球選手がどこかのレストランで、ライスカレーの中にトンカツをぶち込んでくれと注文したのが最初で……」

ジロさんは高野に向かってカツカレーの誕生秘話について講釈し始めた。

「マー坊、今日はカミさんの弁当じゃないのか」

キュウさんは蕎麦を一本だけ箸でつまんで食べた。

「うちもちょっと最近、具合が悪いので」

野末が答えると横からジロさんが「作ってもらえなくなったんだろう。そのうち愛想尽かされるぞ」と毒づいて、再び高野に向かってカツカレーの講釈を続ける。概ね外れていない。

「一号機がしばらく生き残るらしいな」

キュウさんが小声で呟いた。

「そうみたいですね」

「使えるだけ使って、後釜は来ないってことだろうな」

「やはりそういうことでしょうか」

「なんとなくの勘だがな」

先日、一号機の解体延期が発表された後、工場の社員たちの間では様々な憶測が飛び交った。現場の人間の直感としては、キュウさんの見立てと同じだった。

「そうそう、印刷機が減れば当然、人も減るよな」

カツカレーの講釈を終えたジロさんが、声を潜めて割って入った。

「そうなると俺たちみたいな年寄りは、いよいよお役ご免だ。前途ある若者に食い扶持を譲るのが最後の役目かもな。なあ、高野？」

高野は引きつった笑顔でちょこんと首を前に突き出した。

「でもジロさんみたいな特色の職人さんは、まだまだ必要だと思います」

高野はなんとか話を逸らそうとしているようだ。するとジロさんは「ところが、そうでもないらしいんだよ」とぶつぶつ言いながら席を立った。それから、食堂の中央にある新聞置き場から業界紙の『印刷ジャーナル』を持ってきて、紙面をテーブルの上に広げた。

ジロさんが指差した一面の大見出しにはこう書かれていた。

〈ワールド印刷　特色インキ調合設備を強化〉

最大手のワールド印刷がミタムラ工業製の最新の調合機を導入したという記事だ。

職人の引き抜きにもぬかりのないワールド印刷だが、機械化できるところは徹底的に進めている。緻密な作業には職人の手が必要とはいえ、調合機の精度は徐々に上がりつつある。

「全くよ、機械も仕事仲間だなんてのんきなこと言ってたら、仕事を持ってかれちまうな」

ワールド印刷の誘いを断ったジロさんは、豪胆に言い放った。

「まあ、そうなったら観念するさ」

キュウさんは達観したように呟き、麺をすすった。ふたりとも本の売上が右肩上がりの時代に日本の印刷業を支えてきた。自虐的な年寄りトークとは裏腹に、どこか楽観的だ。

「キュウさんやジロさんは、いいですよね」

野末は思わず口走っていた。

「何がだよ？」

ジロさんは弁当箱の底からカレールーの残りをスプーンでこそぎ取っている。

「もうすぐ定年でしょう。このまま逃げ切れるじゃないですか」

時代の波を憂いながらも、その波をまともにかぶることなくキャリアの終わりを迎える功労者たち。一方、やりたいことがあるからと去ってゆく自由な若者。その狭間で野末は取り残されたような心地がした。

　本を造っていたいから豊澄印刷に残る決心をした。後悔はないが、将来への不安は消えない。

「そうだな。いい時代にこの仕事に就いて、いい時代の終わりに去る。お前らには申し訳ねえな」

　そう言うとジロさんはブルーベリーの板ガムを二つに折り畳んで口に入れた。

　キュウさんとジロさんが食堂を出た後、野末は再び夢追い人と向き合った。

　目の前の高野は今、死んだ義弟の俊明と重なって見えている。

「引き留めても、決心は変わらないか」

　野末は隣のテーブルに聞こえないよう、声を低くして高野に問うた。

「はい。申し訳ありません」

　高野は恐縮した様子で、だがはっきりとした口調で答えた。

「分かった。折を見て、俺から上に話しておく。時期は九月末で大丈夫か」

「はい。引き継ぎもきっちりして、後に迷惑がかからないようにしたいので」

「そんなことより、これから先のことを考えたらどうだ」

　去っていく人間に対する投げやりな感情が表に出た。すると、高野は答えた。

「今居る場所で全力を尽くせない人間は、他の場所に行っても同じじゃないかと思います。だから最後まで手を抜きたくありません」

間違っていると思った。次の場所を見つけたなら、構わずそっちへ進めばいい。だが高野の気持ちには寄り添いたいと思えた。

「では俺も、最後まで手を抜かずに仕事を教えることにする」

「これまでもせっかく仕事を教えていただいたのに、申し訳ありません……」

「謝ることはない」

「はい……ありがとうございます」

「こちらこそ、ありがとう」

高野はなぜ礼を言われたのか分からない様子で怪訝な表情を浮かべている。

「いや、なんでもない。戻るか」

昼休憩の後、午後の業務を粛々と進めた。一号機の噂は人員削減の前触れかという疑心暗鬼の中、工場内の空気はどことなく重たい。

そんな中、夢を胸に秘めて自らの意志で工場を去ろうとしている高野は、活き活きとしていた。

「刷版の入れ替え、完了しました」

「おお、早いな」

理想を語る人間が嫌いだった。

その固定観念が変わりつつあるのを、野末は感じ取っていた。認めたくはないがきっと高野や、浦本のような人間と関わったせいだ。

彼らは遠い理想をただ語っているのではなく、今この瞬間に全力を尽くしている。死んだ義弟の俊明はどんな人間だったのだろう。病に冒される前は芝居に打ち込む傍ら、アルバイト先でも手を抜かない男だったかもしれない。

野末は彼のことを何も知らない。一度会っただけで疎ましく思い、見舞いにすら行かなかった。

子供たちが「俊明おじさん」と慕っていた理由、沙織にとってどんな弟であったか、最後に贈ってきたメロンの意味。何も知ろうとしなかった。

今日、家に帰ったら沙織に俊明のことを訊いてみよう。家族ともう一度向き合うきっかけになるかもしれない。

早番を終え、ツクツクボウシの鳴き声を聞きながら家路を辿った。七月下旬の今頃には珍しい、早鳴きのツクツクボウシだ。鳴き止む間際の声を幸太と陽太が「ウィーヨー、ウィーヨー、ウィーヨー、ジーッ」と真似していたのを思い出す。

家に着くと、居間で幸太と陽太がテレビを見ていた。沙織の姿が見当たらない。時計の針は六時半を指している。

「どうした？　二人だけか」

声を掛けると幸太と陽太は目を見合わせた。どっちが答える？　そんな探り合いをしているようにも見える。幸太が口を開いた。

「まだ仕事から帰ってこない」

「仕事？」

幸太と陽太はまた目を見合わせてから野末を見上げ、同時に頷いた。野末は沙織から何も聞かされていなかった。

「どんな仕事だ」

「ジム？　だったかな……」

玄関のドアの開く音、レジ袋のこすれる音がした。買い物袋を提げた沙織は幸太と陽太に向かって「ただいま」と声を掛け、居間の棚の上にバッグを置いた。

「仕事を始めたのか」

「悪いですか」

沙織は野末に目を向けず、買い物袋の中身を冷蔵庫に片付けながら言った。

「いや、いつから、どんな仕事を？　家族ならそのぐらい……」

「悪いのかって訊いてるの」

重苦しい沈黙が流れ、家の中の空気が張り詰める。古びた冷蔵庫が低く唸った。沙織が「お部屋に入ってて」と子供たちを避難させる。

「そのうち話はしようと思ってたので」

そう言いながら沙織は居間の座卓の前に正座した。

「弟の件では、他人であるあなたに大変ご迷惑をおかけしました。いなくなってせいせいされたことでしょう」

違う。否定したくても言葉にならない。

「私が働けるようになりましたので、生前に援助していただいた分は極力早くお返しします」

違う。濁流のように押し寄せる感情は言葉に変換できないまま、醜い叫び声となった。同時に、右の拳が漆喰の壁にめり込んでいた。

沙織は驚いた様子もなく、冷たい目で野末を睨んでいる。

「何やってるの？　殴れば？　そうしてくれたほうが私も吹っ切れるから」

「外で食べてくる」

震える声で言い残し、野末は家を出た。皮がすりむけて血の滲んだ拳を握り締め、足は自ずと工場へ向かった。

野末は遅番の社員たちに「積み残した事務作業を思い出した」と告げ、工場の管理棟で夜を明かした。

※

「この案件は仕事としての体をなしていない」

　先輩の言葉と言えど、聞き捨てならなかった。仲井戸に『本の宝箱』の件を話したところ、ひと言で一蹴されたのだった。

「どういうことですか。得意先から頼られて、相談を受けることがダメなんですか」

「編集者と同じ目線に立って本の仕様決めにのめり込むのは、印刷営業の仕事と言えない」

「きちんと利益も出る形で、本を造りますよ。ぼくはお客様である編集者の要求に応え、その向こうにいる作家さんの思いを汲み取って本を造ろうとしているだけです。何か問題がありますか」

「くどいようだが、本を作るのは我々ではない。作家や編集者だ」

「いいえ、造っています。こちらもくどいようですが、印刷会社はメーカーです」

　就職活動中の学生たちの前で初めて口にしたこの言葉は、浦本自身を導き、励まし続けてきた。今や仲井戸に何と言われようとも譲る気はない。

「いま君と話すことはもうない。これから外回りして直帰なので、失礼する」

鞄を手に取り、仲井戸は出て行った。

仲井戸に追いつけ、追い越せという意気込みで仕事をしてきた。違うスタイルで仕事をしてきたけれど、得意先である慶談社の、最も厄介な編集者から信頼を得るに至った。

なぜ頭ごなしに否定されたのか、分からない。

しばらくすると、社用携帯電話にメールの着信があった。仲井戸からだった。恐る恐る開くと、携帯メールにしては長い文面が目に飛び込んできた。

〈浦本さま
話すより、こうして文章で伝えたほうがよいと思い、メールにて失礼します。
私はやっぱり、印刷会社がメーカーであるとは思えない。でもよりよい本を世に送り出すために働きたいという心は同じだから。
そのために特に大切なことはおそらく限られていて、とてもシンプルだと思う。
■毎日の仕事を手違いなく終わらせること。
これができなければ我々は本を世に送り出す仕事を依頼してもらえなくなる。一番当たり前で、一番難しいことだと思う。今回の『本の宝箱』は、作家と編集者、そして浦本君のやりたいことが先行していて、危うさを感じる。できないことを安易に引き受ける、ましてや提案することは、後々の信頼失墜に繋がる。信頼は築くに難く、失うに易い。印刷営業は得意先の要求を受ける最前線の窓口であると同時に、無理な要求を食い止める最後の砦でもある。たとえば、デザイナーができると言ったことでも営業の立場から「できない」と言わねばならない時だってある。一歩引いた目で全体を見渡すのも、印刷営業の役目だと思う。

■印刷機の稼働率を維持し続けること。

稼働率が地に落ちれば、我々印刷会社は存在することすらできない。

中長期的な視点でも何でもいい。『本の宝箱』が、稼働率にどう影響するかを示したほうがよい。本を愛する人たちに届けることで少しでも読書のあり方が変わり、本を読む人が増える、などなど。まあ、これでは少し安直かな。

そしてもうひとつ。

■新しいことにチャレンジすること。

印刷会社はこれまでと同じことだけ繰り返していては生き残れない。新しい取り組みが必要になる。この点では浦本君に一日の長があるようだ。私も心がけたい〉

読み終えた浦本は固まったまま、しばらくの間動くことができなかった。

仲井戸は少しもぶれていない。そして仲井戸は浦本のことを否定してはいなかった。考え方が違うだけで、認めてくれているのだ。

浦本は返信を書きかけ、手を止めた。このメッセージへの感謝は、日々の仕事で示すのだ。

席を立とうとしたその時、後ろから肩をとんとんと叩かれた。

「暇そうだな」

後ろを振り返ると、野末が立っていた。Tシャツにジーンズというラフな格好で、リュックサックを背負っている。

「ちょっと考え事をしてただけだよ。今日は研修だったのか」

「ああ、嫌々来させられた割には、意外といい研修だった」

どの部署の社員も、本や雑誌の製造工程全般を目で見ておく必要があるという考えのもと、人事部が新たな社員研修のテスト運用を始めた。攻める人事担当者・広野麻衣がカリキュラムを組んでいる。野末は午後の半日をかけて出版社からのデータ管理や、データ制作部のレイアウト作業など、本社業務を一通り見学してきたのだ。

「営業の苦労も、少しだけ分かった」

「それはよかった。じゃあ、どんどん仕事を振ろうかな」

会話が途切れ、沈黙が流れる。野末の右手の甲にガーゼが貼ってあるのが見えた。

「その手、どうしたの？」

野末は右手をジーンズのポケットに突っ込んだ。

「紙で切った。仕事には支障ない」

また沈黙が流れる。野末は何かを伝えにきたのだろうか。

「いつだったか『飯でも奢る』とか言ってたよな」

「ああ、そうだったなあ！」

溜まった仕事を数え上げればキリがないが、世にも珍しい野末からの誘いだ。

「ちょうどいいね。約束を果たす時が来た」

浦本は取引先へのメール返信を済ませ、十八時過ぎに野末と共に会社を出た。

有楽町線で池袋まで出て、西口の焼き鳥屋に入った。

暖簾をくぐると、若い女性店員が応対してくれた。テーブルかカウンターのどちらが良いか訊かれ、野末はカウンターを選んだ。

「カウンター席二名様です！」

「はい、二名様！　ありがとうございます！」

コの字形のカウンターの中から威勢のよい声が飛んでくる。週半ばの水曜日だが店内はほぼ満席。仕事帰りの勤め人らしき人々で賑わっていた。

中ジョッキの生ビールで「おつかれ」と静かに乾杯するなり、野末が切り出した。

「嫁さんは元気か」

「ああ、その節はどうも」

「面白い嫁さんだ。家族の理解があるっていうのは、いいもんだな」

妙に意味深に聞こえる。花見の時も「俺みたいなクズでも親になれる」などと言っていたのを思い出した。どう返そうか思案していると、野末が溜息混じりに言った。

「最近、工場では心なしかみんな表情が暗い」

やはりふじみ野工場でも一号機を巡って憶測が飛び交っているらしい。憶測が憶測を呼び、早期退職の募集が始まるなどと、まことしやかにささやかれているという。

「まあ、人工知能が小説も書いちまう時代だ。下手すると、俺たちの仕事なんて十年先には無くなってるかもな」

野末が発する達観したような言葉に、いつもなら気圧されてしまうところだ。

「先のことなんて分からないよ」

浦本は、自分にも言い聞かせていた。自分も野末も、毛利も仲井戸も、臼田も福原も、降旗も……十年先にどうなるかなど分からない。

「でも少なくとも今は、自分たちがいなければ本は完成しない」

もしも今、世の中から印刷営業がいなくなったら、本造りはたちまち滞るだろう。たとえ作家や編集者たちが物語を生み出しても、本にならない。

無茶を言う編集者、仕様を急に変更する天才肌の装幀家、意のままにならない紙、工場や製本所のスケジュール。そんな不確かな諸々を印刷営業が横糸で繋ぎ、本というひとつの形に組み上げてゆく。

「たとえ伝書鳩でもいい。本のために飛び回るさ」

「根に持っていたか。悪かったな」

「いや、いい意味で、一流の伝書鳩になろうと思ってる」

自分にはデザイナーや印刷オペレーターやDTPオペレーターのように特定の技術があるわけでもない。だが本を完成させるためには、自分のような人間も必要なのだ。そんな思いを浦本は率直に語った。

「確かに、印刷営業は必要だな。今日も研修で色々と聞いて、身にしみたよ。だが俺たち工場のオペレーターは、じきに淘汰されるさ」

やはり一号機の話はふじみ野工場に暗い影を落としているようだ。

「先の心配をしても、目の前の仕事は押し寄せてくる。とにかく、やるしかない」

浦本はジョッキを目の前で掲げた。

野末はいつになく饒舌だった。杯を重ねるうちに、あっという間に時間が経っていく。浦本は家まで徒歩圏内だが、野末は飲んだ後に電車でふじみ野まで帰らなければならない。

「もうすぐ十時だな。今日は遅くなっても大丈夫なの」

「ああ。家に帰ったって、誰も待っていやしない」

野末はカウンターの上に淀んだ目を落としながら呟いた。やや呂律(ろれつ)が回らなくなっている。

「そんなことはないだろう」

すると野末は苦笑して首を横に振った。妻とは長い間まともに口を利いていない。息子たちは野末に寄り付かない。酔眼を漂わせながら、ポツリポツリと語った。

「早く帰ったって俺の居場所はない。仕事の話でもしてたほうが、まだいくらか気が紛れる」

「じゃあ、いま一番ホットな案件のことだけど……」

浦本は『本の宝箱』の件を野末に話した。野末は口を挟まず聞いていた。

「一条さんは、全国の親子に少しでも読書のある人生を送って欲しいと願っている」

「いい仕事だなあ」

野末は右手にジョッキを持ったまま、絞り出すような声で言った。

「そうだろう？　でも手間はかかり、部数もあまり見込めない」

「会社の儲けは薄いか。だが、いい仕事だなあ」

野末はジョッキを傾けてビールを流し込み、また「いい仕事だなあ」と呟いた。

「きっと後々振り返っても『やってよかった』と思える仕事になる。『造ってよかった』と思える本になる」

手に取る人の数は少ないかもしれない。でも、どこかの親子が『本の宝箱』を開き、新しい本に出会えたら、どんなに素晴らしいことだろう。本と人との縁を繋ぐのが印刷会社の使命のひとつだとすれば、『本の宝箱』の制作に携われることは仕事冥利に尽きる。

「あ、あともうひとつ忘れてはいけない。よりよい形でこの本を世に送り出せれば、慶談社と一条早智子の関係はぐんと深まる」

野末は「へえ」と気の無い反応。大作家と慶談社の関係になど興味はないようだ。

「慶談社の仕事が増えると、うちの仕事も増える。印刷機の稼働率が上がるよ」

「仲井戸さんみたいなことを言うようになったな」

「ああ、仲井戸さんは目標の人だからね。追いつけ、追い越せと」

すると野末は「ふっ」と鼻で笑うような仕草を見せた。

「無理だね。あんたは仲井戸さんのようにはなれない」

野末は飲み物のメニュー表を手に取りながら言った。

「そんな身も蓋もないことを。まだ遠く及ばないけど、近いうちに……」

「あんたには、あんたのやり方がある。他人の真似をする必要はないだろう」

「もしかしてフォローしてくれてる？　なんだか気持ち悪いな」

「印刷会社はメーカーだ。本を造る場所だ。そう思うんだろう」

野末は呂律の回らない声でそう言うと「芋焼酎の水割り」とカウンターの向こうへ注文した。

仲井戸に追いつかなければいけないと思っていた。思い込んでいた。野末の何気ない言葉で、その思い込みから解放されたような気がした。

「そう言う野末君には、目指すべき先輩みたいな人はいないの」

「いないね」

野末は即答した。野末らしいと思った。だが少し間を置き、野末は言葉を継いだ。

「盗めるところは盗んだほうがいいけどな。どうしても真似できないところはある。ジロさんは紙の息遣いを聴いてインキを混ぜ、キュウさんは機械のその日その時のご機嫌を窺いながら設定を決める。職人芸の世界だ。一朝一夕で俺にどうにかできるもんでもないだろ」

「なるほどね。俺も頑張ってるつもりだけど、仲井戸さんみたいな冷静な判断も、ソツのない気配りもできないんだよなあ……」

盗めるところは盗みたい。だが確かに野末の言うとおり、如何(いかん)ともしがたいところはある。

「頼ればいい。俺はジロさんにはなれないし、キュウさんにもなれない。割り切って、できないことは頼る。俺は少なくとも今までそうやってなんとか工場の現場を回してきた」

「よし、ではピンチの時は、野末君に助けを求めるよ。いやあ、心強い」

冗談めかして言うと野末は「勘弁してくれ」と苦笑いで応じた。

浦本のスーツの内ポケットで社用携帯が鳴った。慶談社の文庫編集部からだ。

「ちょっとごめん」

野末に断り席を立ち、店の外へ出て応答した。明後日の予定だった著者校正の戻しが一日遅れるとの連絡だった。明日、生産管理部に報告し、データ制作部の作業スケジュールを再調整してもらおう。会社に戻るような大事ではない。

「こんな時間にも電話がかかってくるのか」

「ああ、今日は平和なほうだよ」

「営業も頑張ってるんだな。それが少し分かっただけでも、今日は来てよかった」

理解してくれるのは嬉しいが、今日の野末はどこか弱っているように見える。

「あんた、前に俺に訊いたよな。何のために仕事してるかって」

「おお、だいぶ前の話だな。酔っ払ってるのに、よく思い出したね」

浦本は思わず苦笑いする。今思えば随分と抽象的なことを訊いたものだ。あの時、野末は「金のためだ」と即答したのだった。

「あんたは何のために仕事してるんだ」

野末の問いに浦本は固まった。いざ訊き返されると、答えに窮する。

「本を造るためでもあるし、生活するためでもあるし、達成感のため……営業としては会社の仕事を切らさないため」

思いつく先からぶつぶつと並べてみるが、どれもしっくりこない。

「やっぱり俺も金のため、いや、これからは、家族のためだったり……」

子供が生まれて父親として働く未来に思いを馳せる。そうなると家族に対する責任が加わるだろう。

「どうした。ズバリひとつに絞れよ」

野末は挑発的な口調で言うと鳥皮をひと串頰張った。

「とは言ってみるものの、俺も最近、何のために仕事してるのか分からなくなった」

何のためか、何のためか、心の中で繰り返しているうちにふっと力の抜けた解が浮かんだ。

「結局、自分のためなのかもね……」

口にした途端、浦本は我ながら情けなくなった。だがほろ酔いの頭で正直に考えれば考えるほど、どうしても「自分のため」に収束してしまう。他の答えが偽りに思えてしまう。

野末は焼酎のグラスを持ったまま、カウンターの上に視線を落としている。

「違う、違う。なんて言えばいいんだろう……」

浦本が続けようとするのを野末が「いや、違わない」と遮った。

「そうだよな」

野末は急にしらふに戻ったような、憑き物が落ちたかのような表情で言った。

「自分のためだよ。自分のために働いていいんだよな。結局、今あんたが言った色々の、ひとつひとつを果たすことが、自分のためになる」

図らずも野末の賛同を受け、浦本は改めて考える。

仕事はお客様のため、家族のため、他の誰かのためにするもので、自分のためではないと思い込んでいた。心のどこかで、自分のためと他者のためは両立せず、他者のためには自分をある程度犠牲にすべしという前提を置いていた。だがそれは違う。誰かの役に立つこと、あるいは何かの役に立つことは、自分の幸福につながる。自分のために働いていいのだ。

「お飲み物ラストオーダーのお時間ですが」

若い女性の店員がラストオーダーを告げに来た。野末は既に痛飲している。これ以上飲ませると帰れなくなる。浦本は「お会計を」と答えた。

女性店員の名札には何色ものペンを使った手書きの文字が記されている。

〈まつのこはる　『オススメはポテトサラダです！』〉

アルバイトの学生だろうか、手書きの文字そのままの朗らかな雰囲気だ。焼き鳥屋で「オススメはポテトサラダ」というのもいかがなものかと思ったが、確かに美味かった。

野末は、まつのこはるに向かって「ポテトサラダ、美味かったよ。恐れ入った」と言って首をかくんと垂れた。「ありがとうございます！」と快活な声が返ってきて、野末は顔を上げた。

まつのこはるは機敏な所作で頭を下げると、レジへ向かっていった。

「あの娘も自分のために働いてんだな。大将もな、そうですよね！」

「あいよ、そうですね！」

唐突に訊かれた店主らしき男は、満面の笑みと威勢のよい声で答えた。

先ほどのまつのこはるが伝票を持って戻ってくると、野末が「ありがとね」と受け取った。

「割るといくらだ？　頭がぐらぐらして計算できねえや。俺が払っとく」

野末はリュックサックから財布を取り出した。

「そうはいかない。今日は奢るという約束だから」

「いや、ようやく自分の稼いだ金で、気兼ねなく飲めるようになったんだ」

「おいおい、話が違う。飲みすぎたかな」

「俺の金だ。好きに使わせてくれ」

野末は声を荒らげて財布から一万円札を三枚取り出し、カウンターの上に放り出してよろよろと立ち上がった。醤油(しょうゆ)の残った取り皿に札が舞い落ちた。

浦本は慌てて札を拾い上げ、おしぼりで醤油を軽く払った。

「おう、ヤレ紙になっちまったな。ヤレヤレ」

「ほら、戻して。こんなに飲み食いしてないし」

浦本は三枚の一万円札を野末のリュックサックのポケットに戻した。

「一応、稼ぎは人並み。家族四人、なんとか不自由なく暮らせるはずだったわけよ」

「どうしたんだ？　何かあったの」

「いやいや、ありがとう、ありがとう、俺にも、ささやかながら夢らしきものができたので、いや、ありがとう」

野末はかぶりを振って、一人で出口に向かってよろよろと歩き出した。浦本が「大丈夫か？」と後を追うと「おう、そんなに酔ってないから」とかぶりを振る。典型的な酔っ払いの応答だ。

「よお、伝書鳩。『本の宝箱』だっけか？　待ってるぞ。俺にも、あんたにも、家族がある。そうだろう？　印刷機も、待ってる」

話が支離滅裂だが、混濁した野末の意識の中では繋がっているのかもしれない。

「悪かったなあ、いやあ、悪かった」

浦本はレジの前の椅子に野末を座らせた。会計を済ませている間、野末はうわ言のように「悪かった」「悪かったなあ」と繰り返し呟く。

仕事仲間だから、野末の日常に手を差し伸べることはできない。仕事仲間だから、浦本に今すぐできることは、本を造る仕事で繋がった縁の中、より良い形で日々の仕事を共にすることだ。

誰かのためが自分のためになり、自分のためが誰かのためになる。そう信じ続けていられるよう、本を造る仕事にベストを尽くすことだ。

「とにかく、明日も頑張ろう」

「おう、任せとけ。俺が作ってやるよ。俺たちがな」

野末は垂れていた頭を上げた。

野末と飲んだ翌朝、テイハンの天草から浦本宛に封書が届いていた。『新刊だより』の今月号の見本が入っていた。

〈書影のデータ一式を、慶談社の奥平さんへお送りしました。『本の宝箱』に登場する本の中で、掲載NGの作品は無いことも確認済みです。よろしくお願いします〉

一筆箋に記された天草の文字は伸びやかで、自信を帯びているようにも見える。

日々生まれ、全国に散ってゆく本の交通整理をするだけでなく、本と読者との出会いに力を尽くしている。

浦本も負けてはいられない。

行動予定表に〈AM慶談社〉と記し、いつも通り慶談社へ。業務部に立ち寄り、淵田シゲルの新刊『逃亡家族（とうぼうかぞく）』の表紙に使う色校正用の紙の手配を確認した。

カバー表紙に使うエンボス紙『サガンGA』が関東一円の代理店で在庫僅少のため、宮城の工場から取り寄せになりそうだという。

気持ちも新たに仕事に取り掛かった矢先、いきなりピンチに陥った。

紙の搬入が一日遅れるだけで、印刷工程より後のスケジュールは玉突き事故のように崩壊する。

浦本は生産管理部に再来週の印刷機の空き状況を電話で問い合わせた。半日だけ一号機が空いていた。

綱渡りのようなスケジュール調整をなんとか済ませ、文芸編集部を訪ねた。奥平を捕まえて『本の宝箱』の進捗状況について聞かなければならない。

席にいるのは部長の春原のみ。春原は浦本を見るなり「誰もいませんよ。吉井（よしい）だったら、あの辺で仮眠してますが」と編集部中央のソファを指差した。

見ると、ベテランの男性編集者・吉井が毛布にくるまって眠っていた。きっと徹夜明けだろう。

「奥平さんはお出かけですか」

「あいつなら別館に行ってますよ」

春原はぶっきらぼうに言った。

「浦本さん、また手間のかかることを吹き込んでくれましたねえ」

奥平は今、慶談社別館の写真スタジオで撮影作業に立ち会っているという。

「聞いてませんでしたか？　おたくのデザイナーさんもいると思いますよ」

どうやら奥平と臼田の間で、デザインや装幀の話が進んでいるようだ。

慶談社別館の撮影スタジオの重い扉を静かに開けると、室内に数人のスタッフが詰めていた。

写真素材の撮影作業が進んでいる。被写体は一条早智子の読書日記の原本だ。茶色く変色した紙が、時の流れを物語る。

慶談社のカメラマン、町山（まちやま）が一眼レフのカメラを構え、何通りものカットを撮影していく。若い男性アシスタントがレフ板を両手に掲げ、角度を変えながら被写体に光を当てる。

町山がシャッターを切る度、モニターに写真が映し出され、次々と切り替わる。

そのモニターの前に臼田が立っていた。浦本は作業の邪魔にならぬよう、静かに中へ入り、臼田の肩を叩いた。

「あ、浦本さん、おつかれさまですー」

「臼田さん、写真撮影だなんて、なんで教えてくれないんですか」

「いやあ、浦本さん忙しそうだから、奥平さんとぼくで話を進めてたんですー」

人の好い臼田だが、糸の切れた凧（たこ）のように、どこへ飛んでゆくか分からない危うさがある。もっとも浦本は、彼のそんなところが憎めないのだが。

「ああ浦本さん、おつかれさま。ちょっと臼田さんを借りてました。すんません」

奥平が、顔の前で両手を合わせながらこちらへ近付いてくる。

「こんなに具体的な作業が始まっていたとは、知りませんでした……大丈夫ですか？」

浦本は奥平に訊いた。部長の春原は先ほどの様子から察するに、この企画をよく思っていない。

「まあ、企画会議では色々とお叱りを受けました。他社の既刊本を宣伝するのか、とかね。でも慶談社から一条さんの作品を出す絶好の機会だ。やりたいようにやらせてもらいますよ」

自分のために働く。奥平もまた同じだ。自分のための仕事が素晴らしい作品となって世に送り出され、誰かのためになる。

「実はもうすぐ、一条さんがスタジオを見にきます」

ちょうど神保町の朋友出版で新作のインタビューがあるため、帰りに立ち寄るのだという。

「それだけ『本の宝箱』に並々ならぬ思いをお持ちということですよね。嬉しいじゃないですか」

「嬉しいことではありますが、正直、ちょっと面倒くさいです」

一条早智子は装幀や文字の書体まで、造本設計に細かく関わる作家としても知られている。制作の現場を見に来られると、確かに面倒だ。

奥平は腕時計に目を遣り「そろそろロビーで待機しとかなきゃ」と呟いた。

約束の時間が近いようだ。慌ててスタジオを出てゆく奥平。

その後も町山は粛々と撮影を進めていく。時折モニターを確認しては、再びカメラを構える。

「この逆光のカット、逆にいい感じですねー。幼い頃のきらきらした印象と、幻想的な雰囲気」

臼田は本のイメージを想像しながら、モニターをじっと見ている。

「じゃあ、逆光で何枚か撮っておこうか」

町山がカメラを構え直したその時、スタジオの重たい扉が静かに開いた。

「一条さんがお見えになりました」

奥平の紹介を受け、黒いカーディガンを着た初老の女性が静かに頭を下げた。小さいのに大きい。そんな不思議なオーラを漂わせている。『魔法学校シリーズ』という壮大な世界の創造主。

「見せていただいてもよろしいですか？」

差し出された椅子に腰掛け、一条早智子はモニターに映し出される写真の一枚一枚を見ている。柔らかな物腰の中にも、妥協を許さない厳しさが見え隠れする。

「撮り直していただけますか？」

「どのあたりのカットでしょうか。例えば、表紙のカットが良くない、とか……」

奥平の問いに、一条早智子はモニターを見つめたまま答えた。

「全部撮り直してください」

フォトスタジオに、乾いた声が短く響いた。

撮った写真は五百枚を超えている。だが町山は理由も尋ねず「承知しました」と答えた。

「一枚目からやり直すぞ」

町山はアシスタントにそう告げ、淡々と撮影を再開した。

椅子に腰掛けた一条早智子は、撮影の様子をじっと見ていた。奥平が時折「モニターをごらんになりますか」と尋ねても「結構です」と応じ、ただ作業の様子を凝視するばかり。

　町山の額にはじっとりと汗が滲んでいた。レンズ交換のためにスタジオの端のほうに来た町山に、奥平が声を掛けた。

「やり辛いでしょう。打合せか何かの口実で一条さんを連れ出してみますよ」

　町山はレンズの表面を丁寧に拭いながら「心配無用だ」と答えた。

「俺にもプロの意地っていうもんがあるから。瞬きしないで見ててくださいと伝えてくれ」

　再び五百枚ほどを撮り終えたところで、町山が言った。

「ご確認いただけますか」

　しばらくの間、一条早智子は一枚一枚切り替わるモニター画面を見つめていた。

「確認しました。特に問題無しです」

「ありがとうございます。ちなみに最初の写真ですが、どのあたりがいけなかったでしょうか。今後の参考に……」

　町山は一条早智子に訊ねた。

「特にどの写真がいけなかったという訳ではありません」

「では、なぜ……」

「撮影の様子を最初から通して見たかったんです」

「それだけですか」

町山は憤りを隠せない様子で、表情を引きつらせている。

「物語を書いて、本の装幀を決めるところまでは何度も見てきましたが、本がどんな風にして作られているのかを知りませんでした。『本の宝箱』に取り組むこの機会に、本作りの舞台裏をこの目で見ておきたいと思いまして」

一条早智子が言った。

「作家さんも、本がどんな風に作られているか、驚くほど知らないんですよ。たくさんの人が関わって、大変な工程をいくつも経ているのに、ねえ、浦本さん」

奥平から急に話を振られ、浦本は慌てて名刺を差し出した。

「豊澄印刷の、浦本と申します。『本の宝箱』を担当させていただきます」

一条早智子は受け取った名刺に目を落とすと首を傾げた。

「印刷会社の営業の方が、何を担当されるのですか」

言葉に詰まった。福原ならば印刷の元となるデータを作るプリプレス、野末ならば本文・表紙などの印刷などと具体的に答えられるはずだ。

「各工程の進捗管理や連絡調整です」

ひと言でまとめてみたが、その言葉は我ながら悲しいくらい味気なく響いた。一条早智子も「そうですか」と気のない返事をしただけだ。

見てもらえたらいいのに。そんな気持ちが口を衝いて出た。

「印刷工場や製本所をご覧になったことはありますか？」

一条早智子は意図を測りかねているのか、怪訝な表情で答えた。

「いいえ、ありませんが」

「本造りの現場を一度、ご覧になってみませんか？」

「面白そうですね。ぜひ見せていただきたいです。よろしいですか」

一条早智子は浦本と奥平を交互に見ながら言った。

「もちろんです！　近いうちに、ご案内させていただきます。ね、浦本さん」

奥平が替わりに即答してしまった。奥平の目の奥にギラリとした光を感じた。

撮影を終えて一条早智子を見送った後、浦本はロビーの隅の椅子に腰掛けた。どのように毛利部長へ報告すべきか思案する。社内を案内するには、工場をはじめ各部署とも調整が必要になる。一時の感情に駆られて見学の提案を口走ったことを、早くも後悔し始めていた。

「浦本さん、素晴らしい提案ですよ」

ロビーに戻ってきた奥平が隣に腰掛ける。

「数々の物語を生み出した作家・一条早智子、本作りの舞台裏に初潜入。感動の印刷製本ツアー」

興奮した様子で語る奥平。

「奥平さん、待ってください。まずは社に話を通して検討させていただいてから……」

「やりましょうよ、浦本さん」

奥平は急に真顔になって言った。

「前にも話しましたが、ぼくは曾我部瞬のような作家を世に出したい」

浦本は頷いた。この姿勢には強く共感している。

「そのためにも、ベストセラー作家の売れる本を出して、編集部の中でも言いたいことを言えるよう、とにかく実績を作りたいんです。理想や希望を語る前に今日明日の実績を求められます、裏を返せば……実績があれば、堂々と理想や希望を語れる」

理想や希望を語る前に今日明日の実績……。仲井戸の言う、日々の仕事を手違いなく終わらせることにも通じる。

「でも、それと今回の工場見学の提案と、どういう繋がりがあるのでしょうか」

「少しでも一条先生の信頼度を上げて、慶談社から本を出してもらいたいんです。浦本さんの提案は、その助けになる」

「工場を見てもらうことで、信頼の積み上げになるでしょうか」

「作家にとって本は我が子のようなものでしょう。ところが、本が作られる現場をその目で見たことのある作家って、ほとんどいないんですよ。自分の本が真摯に誠実に作られているところを目に焼き付けてもらえば、きっと信頼度は上がる」

一条早智子ほどのベストセラー作家になると、多くの出版社が原稿の順番を待っている。慶談社がその中に割って入るのは大変なことだ。

「もちろん、工場をご案内したからといって、直接の決め手にはならないでしょう。でも『大きなかぶ』作戦ですよ。協力してベストセラー作家を引っこ抜くんです」

奥平は無地のノートを開いて、かぶの絵を描いた。一条早智子を慶談社が引っ張って、慶談社を豊澄印刷が引っ張って……。

「製本工程もあるので、報国社さんにもひと肌脱いでもらわないと」

単純に「うちで書いてください」と言うだけなら、誰にでもできる。そうではなく、少しでも信頼を積み上げて、原稿を獲りにゆくのだ。

「奥平さん、また少し見直しました」

思わず本音がポロリと出た。奥平は「『少し』は余計でしょう」と笑った。

「一条早智子の新刊なら、初版十万部は堅い。文庫化された後も定期重版が見込めますよ」

本造りの現場を見てもらうことが果たして本当に信頼の獲得につながるのか、浦本にはまだ分からない。だが浦本は奥平と共に挑戦してみたいと思った。

「分かりました。まずは社に戻って話を上に上げてみます」

得意先である奥平のため、ひいては自分のため豊澄印刷のためと心得、帰社した。

毛利部長に相談したところ、案の定叱りつけられた。

「一条早智子を工場に案内する？　その場でそんな安請け合いをしてきたのか」

「安請け合いではなく、勢い余って私から提案してしまったもので」

「案内役に人を張り付けて、二階のデータ制作部や工場のどの作業をどうやって見せるか、受け入れ態勢を整えなければならない」

「そのあたりの調整は追って相談できればと考えていました……」

本当は考える間もなく口走ってしまったのだが。

「順序が逆だよ。そもそも『本の宝箱』とやらの企画の話も初耳だぞ。見積はどうなってる」

毛利部長に問い詰められ、浦本は返答に窮する。仲井戸がこちらへちらりと視線を送り、顔をしかめた。まだ話していなかったのか、といった表情だ。

「申し訳ございません。後手に回ってしまい、諸々これからです」

浦本は奥平から聞き取った話だけをもとに、仮で作りかけていた概算見積書をクリアファイルから取り出して毛利部長へ差し出した。

毛利部長は「ん〜、なんというか……」と唸ってから語気を和らげた。

「面白そうな話だと思うよ。俺も担当の立場だったら、やってみたいと思うだろうよ。だが面白いだけじゃや、営業部を統括する立場としては首を縦に振れない」

毛利部長は「察してくれ」と言って窓の外へ目を遣った。

「直属の上司っていうものはな、上手く使っていいんだよ。やりたいことがあるなら、お偉いさん方を説得するための材料を俺に持たせて、けしかければいい」

毛利部長の男気に応えるには、それ相応の大義名分を示さなければならない。

「一条早智子さんは二十年以上、慶談社から本を出していません。慶談社は喉から手が出るほど欲しいに違いありません」

「そうだろうな」

「『本の宝箱』は部数こそ見込めませんが、一条さんの思い入れは強いと聞いています。慶談社との付き合いが復活し、今後も一条作品が慶談社から刊行できるようになったあかつきには、単行本で十万部、文庫化されれば定期重版も見込めます」

夢や希望を語るには、今日明日の実績が必要だ。浦本は今、その言葉に背中を押されていた。

「まあ、慶談社にとってはいい話だな。で、うちはどうなんだ」

「うちは一条さんの工場案内をエスコートし、慶談社に貸しを作るんです」

わざとあざとい言葉を選んだ。

「そして一条作品は豊澄で印刷するよう約束してもらいます。口約束にはなりますが、『本の宝箱』を良い本に仕上げ、著者の工場案内にまで協力すれば約束はより強固なものになるでしょう」

信頼関係を築くと言いたかったが、貸しを作って約束を守らせるという強い表現に変えた。

「できるのか」

「できます」

即答すると、毛利部長は「ふっ」と笑った。

「よく言った。まずは常務に話してみよう」

それから、常務席のほうを見遣り、席を立った。

「一号機の件も、白紙に戻せるのではないでしょうか。新規案件を取りにいけば、印刷機を減らすわけにはいかなくなりますよね」

浦本は付け足す。

「けしかけろとは言ったが、けしかけ過ぎだ」

毛利部長は優しげな笑みを浮かべながら、常務席へと向かっていった。

「上手くはないが、力のあるプレゼンだったよ」

仲井戸が音を立てずに小さく拍手を送ってくれた。

「ありがとうございます。でも仲井戸さんに褒められると、少し不気味です」

浦本は常務席のほうを見遣った。毛利部長が常務に連れられてフロアを出ていった。

「ひとまず部長に任せて、担当としては目の前の『本の宝箱』を手違いなく本にすることが先だ」

仲井戸は険しい表情に戻って言った。

概算見積を出すには、用紙編成表が必要になる。浦本は奥平に電話をかけた。業務部に話を通し、現段階での用紙編成表を出してもらうよう依頼する。

三十分ほど経って、毛利部長が戻ってきた。

「常務と話したよ。一条早智子の『本の宝箱』、概算で見積書を作って稟議を上げてくれ」

よい結果とは裏腹に、毛利部長の口調は重い。

「それと工場見学ツアーもＯＫが出た。工場長からも、ぜひ来て欲しいとのことだ」

「ありがとうございます」

浦本は礼を述べたが、毛利部長はうかない表情。

「慶談社が一条早智子の小説作品を刊行できるようになったあかつきには、印刷は豊澄に発注するよう約束を取り付けると、言い切ってあるからな」

「営業第二部として大見得を切ったんだ。大変なのは、ここからだぞ」

仲井戸が横から浦本に釘を刺す。

「営業第一部としても、一号機を減らされるのは心外です。大部数の新規案件の獲得に、山野君を充てます」

部長の野々宮が七三分けの前髪を手で撫で付けながら言った。

「ノノさん、よく言った」

「よし、ワールド印刷から分捕りにいきますか」

熱くなった営業第一部の山野が気勢を上げる。仲井戸が割って入った。

「いや、他社から分捕るより、既存顧客とのツテからしぶとく辿るほうがいいでしょう。手を広げ過ぎて今の顧客との仕事がおろそかになってはまずい」

仲井戸らしいアプローチだ。家業の製餡所の話を思い出す。

「コミックは山野さん、文芸と実用書は私が大部数の新規案件を探る。あとチラシやポスターなども秋から年末に向けて各取引先に提案してみます。浦本君は一条作品を確実に進めるという形でどうでしょう」

仲井戸が毛利、野々宮、両部長に提案する。

「いいでしょう。営業部総がかりで、一号機を守りましょう」

普段は素っ気無い野々宮が、力強く言った。

浦本は早速、ふじみ野工場の野末に電話し、『本の宝箱』と工場見学の件を話した。

「奥平さんは一条さんの作品を慶談社から刊行しようと必死だ。刊行が実現したあかつきには、うちに印刷を発注するよう、約束を取り付ける」

〈要するに成果が出れば、大部数の仕事を増やす足がかりになるということか〉

「そのとおり。印刷機を減らしたくないという思いはみな一致している。きっと大丈夫だよ」

〈現場を預かる者としても、感謝する〉

自分たちが乗っているのは沈みかけた船ではない。それを皆で証明してみせるのだ。


勇み立つ浦本の想いとは裏腹に、本造りは難航した。

「覚悟はしていたが、ここまで厳しいとはねえ……」

慶談社編集部の打合せスペースで、奥平は深い溜息を吐いた。一条早智子に却下された折見本に目を落としたまま、重苦しい沈黙が流れる。

上製本とすることは前提条件。それに加えて、一条早智子から数々の追加要求が提示された。

本の強度を最大限にするため、糸かがりで綴じ、永久保存版の重厚な造りにしたいという意向に沿い、表紙には本革の質感を再現したアレザンを使用することとなった。

一条早智子の要求は仕様に関することだけに留まらなかった。

〈先に完成版をイメージできる見本を見せてください〉

この要求に応えるには、折丁を重ねて表紙でくるんだ折見本を見せるほかない。通常であれば折見本は印刷工程に入る直前に作るものであり、事前に作家の確認を仰ぐなど異例のことだ。

慶談社からデザインや紙の素材、ページレイアウトなどについて一条早智子に案を示し、承諾を得た上で、満を持して折見本を作製したはずだった。

だが、折見本を見せた段階で「イメージしていたものと違う」とのクレームが返ってきた。

一条早智子は代表作『魔法学校シリーズ』などから想起する大らかなイメージとはかけ離れた、少しの妥協も許さぬ仕事人だった。

「一条さんの作品では、いつもこんなに手戻りが多いんですか」

浦本は苛立つ気持ちを抑えて訊いた。

「フォントにいたるまで妥協を許さないという話は前々から聞いていたけど、今回の

『本の宝箱』には、これまでの場合と決定的な違いがある」

「どのような点でしょう」

「タイムリミットがないんですよ」

小説であれば、一条早智子の新作を待ち望む読者に早く本を届けるため、刊行予定時期も公にした上で本の制作を進める。したがって、時間的な制約の中でベストを尽くすことになる。

だが『本の宝箱』は一条早智子が本への恩返しと位置づけた特別企画。本人が納得いくまで印刷できない。

「こだわろうと思えば時間はいくらでもあるということですね」

浦本は溜息混じりに呟いた。

「臼田さんは、大丈夫ですか」

「正直なところ、ちょっと休ませていただきたいです」

臼田は既にラフデザインを十回以上提示していた。カバーのデザインは、宝箱と鍵のイラストをあしらったシンプルな造りだが、この構図にこそ想いがこめられていた。

浦本が見たところでは、どれもラフデザインとしては申し分のない品質だ。奥平もその都度ＯＫを出していたが、一条早智子にチェックによりことごとく却下された。

先週ようやくＯＫが出て色校正と折見本にまで辿り着いたのだった。

「現実的な話、デザインや色校、折見本の制作費用がかさみ、採算割れのラインが見えています」

慶談社の部数決定会議を前に、奥平が予測する部数は初版一万部。スケールメリットはあまり期待できない。時間と労力に鑑みれば、採算割れになる。

どうにかして一条のＧＯサインを取り付けるべく、次の折見本へ向けて打合せを進めていると、頭上から低音が降ってきた。

「お疲れ様です」

ベテラン編集者の渡辺(わたなべ)だった。時代小説を主に担当している。

「浦本さん、お願いしている色校正、いつ出せますか」

「すいませんが、後にしていただけますか」

奥平は手元のノートに目を落としたまま、渡辺を制した。

「君には訊いていない。浦本さんに訊いている」

渡辺が声を荒らげた。

「だから、後にしてくださいよ。浦本さんは今、ぼくと打合せ中です」

「もう既に、だいぶ後にされてるんだが」

浦本は腋の下に汗を滲ませ「私の段取りが悪いもので、申し訳ございません」と恐縮する。

「浦本さんがそんなにお忙しいのなら、他の印刷所に頼みますよ。どうなんですか」

他の仕事をおろそかにして他社へ乗り換えられては、元も子もなくなる。

「大丈夫です、明日には色校をお渡しできます」

渡辺は「よろしくお願いしますね」と言い残して立ち去った。すると今度は入れ替わりに、アルバイトの男子学生が奥平のところへ駆けてきた。

「一条さんからＦＡＸが届いています」

男子学生は奥平にＡ４サイズの紙を一枚手渡した。

奥平は手に取るなり天を仰ぎ「嘘だろ……」と呟いた。奥平が手にした紙には、見開き二ページ分のレイアウトが手書きで示されていた。

二段組だった本文は三段組に変更、書影や写真の配置も現在の案とは全く違う。タイトルやキャプションの文字サイズ、フォントの指定までびっしりと書き込まれている。

「これでは……全面変更じゃないですか」

指示書きとは別に、左下にひと言、メッセージが添えられていた。

〈自分なりに勉強した上で設計しました。この通りにお願いします〉

確かに、指示書きの用語などからは、よく調べ上げた跡が見て取れる。本造りの過程に対する意気込みが昂じたのか、一条早智子は全てを自らの手で決めようとしているらしい。

「仕方ない、とにかく言う通りにやろう。言われたことをそのまんま本にするだけ」

奥平が投げやりな口調で言った。全て事細かに指示されるならば、それに従うのも道理だ。

「奥平さんは、それでよろしいのですか」

浦本の問いに奥平は黙り込んだ。

「一条さんは幾多の物語を紡いできた巨匠ですが、本造りのプロではありません。改悪に繋がるような修正の指示に対しては『違う』と指摘して代案を示すべきだと、私は思います」

自分が何を言っているか、理解しているつもりだった。お客様に対する提言のつもりだが、ともすれば指図と捉えられかねない発言だ。

「たとえばここの指示ですが、キャプションのフォントはロダンUBで文字のサイズは8級。指示通りに作れば、印刷時に潰れてしまいます」

「そうなるでしょうね。でも、一条さんの思い通りに作ることを最優先にするならば仕方ない。一条さんの信頼を得て、今後も慶談社から作品を出してもらえればいいわけですから」

いいわけがない。奥平自身の表情を見れば分かる。

「私は以前、奥平さんからひとつ大事なことを教わりました。『仕方なく世に送り出される本などあってはならない』と」

「ぼくから教わった？」

淵田シゲルの十周年記念作品『スロウスタート』の目次で漢字の誤変換を修正しないまま刊行した時のことを話した。

「淵田さんは奥様との結婚記念日に間に合わせるべく『仕方なく』そのまま刊行することを選び、奥平さんも『仕方ない』とおっしゃいました。私はあの時のことが申し訳なくて、悔しくて、ずっと忘れることができません」

誕生した本は、携わった人々に祝福されて欲しい。

「とはいえ、一条さんに何を提案したって、また却下されるかもしれませんよ」

「本を仕方なく世に出すよりはマシだと思います。指示通りに造れば、うわべの信頼は得られるかもしれません。でも本当にそれでいいのでしょうか」

印刷会社は本を造っているのだ。浦本はその自負をもう一度、新たに胸に刻んだ。

「浦本さんがそこまで言うなら、やってみますか！　一条さんの指示は作者の希望として取り入れつつ、もう一度ページレイアウトを考え直します」

気持ちは通じた。以前の自分はここで満足しただろう。だが今は違う。もう一歩踏み込む。

「一条早智子さん念願の『本の宝箱』を刊行し、その後も慶談社から小説の単行本を刊行できたあかつきには、印刷を豊澄に発注すると約束していただけませんか」

「浦本さん、そんな不確かな約束はできません」

「奥平さんと私、担当間の口約束で結構です」

ただでさえ利益の薄い案件だ。手戻りの作業を各部署に振るには、手土産が欲しい。印刷会社の選定は編集者の裁量に委ねられているため、口約束でもある程度の武器になる。

理想や使命感だけでは、仕事は前に進まない。

〈印刷機の稼働率を上げろ〉

会社の中で仕事をしている以上、物事を進めるには組織を動かさなければならない。そのためには印刷機の稼働率という実利的な指標が、最も有効であると仲井戸から教わった。

「奥平さんとの口約束を実績に、私は社内に作業依頼を出します。手ぶらで会社に戻って『一からやり直せ』とはとても言えませんので」

「浦本さん、恐ろしい営業マンになりましたね……」

「恐縮です。お褒めの言葉と受け取らせていただきます」

会社に戻る浦本の足取りは重かった。決まったはずの仕様は組み直し、特別対応で作った折見本もボツになった。

奥平の方針に意見してしまったことについても、部内で報告しておく必要がある。

毛利部長は会議で不在。外回りから一旦帰社していた仲井戸に、まずはいきさつを話した。

「勢い余って、またお客様に対して差し出がましいことをしてしまいました。申し訳ありません」

意外にも仲井戸は「なぜ謝る」と笑った。

「明らかに間違っている指示をそのまま見過ごして印刷に回せば、それは印刷会社の怠慢だ」

「でも仲井戸さんは以前、お客様がよいと言うならば、誤りもそのまま印刷するしかないと……」

浦本はまた淵田シゲルの『スロウスタート』を思い出していた。

「指摘した上でなお、作家や編集者が言う通りに印刷しろと言うならば、その時は従うほかない」

そうだ。仲井戸の信条は、毎日の仕事を手違いなく終わらせること。間違った発注をそのまま受けてよいはずがない。

野末にも、折見本の作り直しを告げるため、電話をかけた。

〈時間の許す限り対応する。今回の仕事には、それだけの価値があると思ってる〉

野末は快諾してくれた。少し前までなら「また客の言いなりか」と罵られていただろう。

積み重ねてきた信頼が、浦本の背中を押してくれている。幾多のトラブルに翻弄されながらも、日々の仕事にベストを尽くしてきた結果なのだ。

〈夢は、目の前の仕事を毎日、手違いなく終わらせることです〉

仲井戸が就活生たちの前で口にした、夢も希望もないような言葉が、あの時とは全く違った響きをもって、浦本の目指すものと共鳴していた。


全面変更を言い渡されてから一ヵ月が経っていた。

慶談社の奥平を介して一条早智子からの要求を聴き取り、その都度、臼田がカバーを作り直し、福原がページレイアウトを組み直した。

常に複数の単行本や文庫の受注を同時並行で抱え、モザイク状に入り組むスケジュールの中、『本の宝箱』の飛び込み作業はとてつもなく重たかった。

一条早智子の合意を取り付けた上で、今度こそ満を持してふじみ野工場で折見本を作った。

夏が終わり、九月上旬の雨の夜。『本の宝箱』はようやく校了を迎えた。

週明けは文芸書の印刷スケジュールが立て込むが、浦本には通常業務外でひとつ大役が入っている。

一条早智子の工場見学同行だ。

月曜の朝、一条早智子が慶談社の奥平に連れられて本社にやってきた。

社員たちには常務から「普段どおり仕事をするように」とお達しがあったが、皆そわそわしている。

「はじめまして、一条早智子と申します。よろしくお願い致します」

挨拶を受けた毛利部長は緊張した面持ちで名刺を差し出した。

本社から工場までを一日がかりで案内するのは、浦本と仲井戸の二名。通常業務外の仕事に終日張り付くのは、二人とも正直なところ気が気でない。

「仲井戸さんも浦本さんも今日はとにかく、よろしく頼みますよ」

奥平は笑顔で言ったが、目の奥は笑っていない。失敗は許されない。

「お二人もいらっしゃるのですか」

一条早智子は訝しがるような口調で呟いた。言外に一人で十分ではないか、という疑念が滲む。

二人で同行するのには、実務的な理由がある。

見学のコースは一日がかりで組まれている。午前中に本社のデータ制作部などを案内、午後から社用車でふじみ野の印刷工場へ行き、最後に製本所・報国社を見学するというルートだ。

同行する営業が一人の場合、万が一、担当案件に大きなトラブルが舞い込んだ時、案内ができなくなってしまう。だから二人で同行するのだ。

この見学コースの最後には、自身の新刊『本の宝箱』の製本に立ち会ってもらう。

今日は一条早智子に本造りの現場をその目でしっかりと見て欲しい。豊澄印刷の本造りを丸ごとプレゼンしたい。浦本はそんな想いで案内に臨んでいた。

まずは製版の仕事を見てもらうために、二階フロアのデータ制作部を見学。

DTPオペレーターが机を並べて作業する中、リーダーの白岡絵里子が仕事の流れを説明する。

「こちらの島はコミックの担当、こちらの島は文芸書の担当です」

一条早智子はコミックのレイアウト作業を凝視している。DTPオペレーターが画のレイヤーと文字のレイヤーを重ねる作業を進めていた。

作業の流れについて、一条早智子は細かな質問を投げ、白岡がそれに答える。一条早智子はメモ帳を開き、ボールペンで熱心にメモを取っている。時間配分を考えないと、後が詰まってくる。

「一条さん、次へ行きましょうか……」

奥平に促されて次に進んだが、今度はオペレーターのスケジュール管理画面に興味を示した。

なんとか促し、書籍チームへと案内する。

浦本は、オペレーターの一人を一条に紹介した。

「読書量社内ナンバーワンのDTPオペレーター・福原です。彼女が『本の宝箱』のページレイアウトの作業を担当しました。中学・高校では図書室の本をほぼ読み尽くした本の虫です」

福原は立ち上がって、ペコリと頭を下げた。

「そうですか」

一条早智子は気の無い返事をしながら、福原の机の上のモニターを眺めている。

「『魔法学校シリーズ』は子供の頃から全て拝読しています。いつも素敵な物語を、ありがとうございます」

福原はにこりともせず言った。緊張のせいか、いつにも増して表情が固まっている。

「あの、『本の宝箱』も大変楽しく拝読しました」

一条早智子は「はて」と訝しげな表情を浮かべた。

「『本の宝箱』はまだ発売されていませんが、もうお読みになったと」

「彼女はゲラの組版作業をしながら速読する特殊技術を持っておりまして……」

浦本は補足する。言ってよいものか否かとためらいつつも、少し自慢げな口調になってしまう。うちのオペレーターはすごいんですよ、と。

社内のメンバーを自慢するのも営業の務め、いや、醍醐味だと思った。

「初校の著者校正でいただいた修正を入力したのも彼女です」

リーダーの白岡が横から説明する。

「それはご苦労さま。今あなたがなさっているのは、どのような作業ですか」

「ワードのファイルで届いた長編小説の原稿を、ゲラにしています」

福原はマッキントッシュでインデザインによる編集作業を実演してみせた。ソフトを使いこなす技術のみならず、高い集中力と注意力を要する。

「ひとつの作品をゲラにするのに、どのぐらい時間がかかりますか?」

「作品によって半日、一日、時には二、三日と、ばらつきがありますが、総じてほぼ毎日、違う作品を担当します」

データ制作部の他のメンバーは整然と作業を続けている。

「ご苦労さまです。この先、どのような手順で作業を進めるのですか? それと、どのような作業で苦労するか教えていただきたいのですが」

「だいたいのことは苦にはなりません。この仕事は私の天職なので」

大作家を前に、言い切った。

「あなたにとって天職であるかどうかは、うかがっていません。私がうかがっているのは、今あなたが進めている工程の手順と、どのような作業に労力を費やすかという点です」

一条早智子は険のある声で言った。訊ねたことにだけ答えよという苛立ちだろうか。それにしても、冷たい物言いだ。

「失礼しました。ご説明します」

福原は動じることなく作業の手順を説明した。一条早智子はまたメモ帳に書き込んでいた。

浦本はデータ制作部を後にし、次の工程へと向かった。振り返り、福原に向かって「ありがとう」と小声で礼を言った。

作品のイメージとかけ離れた作者に会って、失望していないだろうか。

「ありがとうございました」

福原は、笑って応じた。これまでに見たこともないような、満面の笑みだった。

※

「笑美りん、かっこよかったよ！」

一条早智子が去った後、データ制作部は興奮状態にあった。

「『この仕事は私の天職なので』。福原笑美、よく言った！　私には言えないなあ！」

リーダーの白岡絵里子までが福原の口真似をしてはしゃいでいる。

「ある意味、そう思えているのは、きっと皆さんのおかげです」

人間が嫌いだった自分が、本を通じてこの人たちと出会うことができた。だから、この仕事は天職なのだ。

「それにしても、神経質というか、ちょっと冷たい感じの人だったね」

白岡が、気遣うような口調で言った。

大好きな『魔法学校シリーズ』の作者・一条早智子と会えるのが楽しみだった。主人公のお茶目な魔女にイメージを重ねて乙女のような淑女を勝手に想像していた。

その勝手な作者像は、五分間程の対話の中で崩れ去った。だが『魔法学校シリーズ』が好きだという気持ちは少しも揺るがなかった。

やっぱり自分は本が大好きなのだ。その気持ちを改めて確認することができた。

今日のことを一生忘れないだろう。忘れずに、これからも本を世に送り出すための天職に喜々として励もう。

※

午後から社用車で埼玉のふじみ野工場へ移動した。工場へ向かう車中、後部座席で一条早智子がポツリと呟いた。

「あんなことを言える人が、世の中にはいるのですね」

「あんなこと、とは？」

隣に座っている奥平が訊き返した。

「この仕事は天職だと言い切れる人なんて、そうはいませんもの」

「おっしゃっているのは、ＤＴＰオペレーターの福原のことですね」

助手席の仲井戸が後部座席に向かって確認する。

「一条さんこそ、天職で四十年も第一線を張ってらっしゃるじゃないですか」

奥平が言うと一条早智子は「さあ」と呟いた。

「私は……天職かどうか分かりませんわ」

浦本は運転していることも忘れて後ろを振り向きそうになった。慌ててハンドルを握り直す。

「そもそも高校生の頃は、詩人になりたかったんですもの。でもいつの間にか、長い長い散文の物語を書いていました」

文芸誌に詩ばかり投稿しては落選。そんな中、十代の終わりに気分転換で書いた小説を文学賞に投稿したら受賞し、デビュー作が瞬く間に大ヒット。考える間もなかったという。

「時々、短い言葉の可能性を追究する、もう一人の自分の姿を想像したりしますわ」

「では、詩を書かれてみてもよいのでは？」

奥平が色めきたつ。一条早智子の初詩集など、思い切った企画に夢を馳せているのだろうか。

「いいえ、詩はもう一切書きません。私は小説家だと言い聞かせて」

フロントミラー越しに見えた一条早智子は、達観したような笑みを湛えていた。

もしかすると、今の仕事を天職だと言い切った福原のことが羨ましいのではないか。だからあのような冷たい物言いをしたのかもしれない。少なくとも、彼女は福原の姿勢に敬意を抱いている。

「皆さんは、どんなきっかけでこのお仕事に？」

「本は昔から好きだったので、何らかの形で本に携われる仕事に就きたいと思い、印刷会社に」

浦本はワールド印刷から豊澄印刷へ移った経緯も話した。

「ご自分の意志で選んだならば、天職ではないですか？」

一条早智子の問いには、試すような思惑が垣間見える。

「どうでしょう。限られた選択肢の中で、より好きなほうを選んだ、という感じでしょうか」

福原のように「この仕事は天職だ」と言い切れる人間は、どれほどいるのだろう。

「仲井戸さんは、どうなんですか」

奥平が仲井戸に話を振った。

「私は……気が付いたらこの仕事をしていましたね。就職氷河期だったもので、豊澄印刷と縁があったとしか言いようがありません」

三十九歳の仲井戸はロストジェネレーションと呼ばれる世代にあたる。就職が厳しい時代だったことは伝え聞いている。

「大変だったんですね。やはり五十社も百社も回られたんですか」

一条早智子が仲井戸に訊ねる。

「いいえ、時代の流れの中で逆境に立つ業界に絞って就職活動をしていました。勝ち馬に乗るよりも、困難な状況で何ができるか考えるほうが面白いという天の邪鬼（あまのじゃく）な思いもありまして」

「奇特な方ですね」

一条早智子は感嘆しながらも、メモの手を動かしている。

「本が売れなくなってゆくご時世、印刷業界は沈みかけの船にもたとえられます。でもたとえいつかは沈むとしても、自分が現役でいる間は絶対に沈ませない。そんな想いで仕事をしています」

浦本は仲井戸の志望動機を初めて聞き、改めて「稼働率を上げろ」という信念の根拠を知った。

「ねえ、浦本君」

急に話を振られて、浦本は「はい、沈ませませんよ！」と応じ、ハンドルを強く握りしめた。

午後二時前にふじみ野工場に到着。管理棟で野末正義が待機していた。

「野末君、ご案内よろしく」

野末は「お待ちしていました」と丁重に出迎えた。

作家が魂を込めて書いた物語を誠実に世に送り出す仕事ぶりを、目に焼き付けてもらうのだ。

まずはＣＴＰ室へ案内し、刷版の実物を見せる。

「こちらが、印刷機にセットするアルミ製の刷版です。片面三十二ページ、両面六十四ページの版をデータ上で組んで、ＣＴＰ、コンピューター・トゥ・プレートでアルミの板に焼き付けます」

「こうやって版を作っているんですね……」

一条早智子は刷版に見入りながら言った。

ひとたび版を確定させたら、たとえ一文字でも修正はできない。修正するならば、もう一度デジタルデータを刷版に焼き直して再作製することになる。書籍の印刷に携わる者にとっては当たり前のことだが、世間一般には「版を確定させる」という感覚すら知られていない。

続いて、オフセット印刷機が並ぶ場内へ。何台も並ぶ印刷機の機械音が交錯する中を歩く。

「まず最初の最初、基本中の基本となるのがこの、紙の手積みです」

一号機の給紙部の前で、若き印刷オペレーターの高野が紙の手積みをしていた。両手で紙の束の両端を摑み、上下にたわませながら空気を入れる。紙の端を整え、給紙部へとセットする。この作業を猛スピードで繰り返す。

その様をじっと見ていた一条早智子は、野末に訊ねた。

「すみません。紙をセットするのは、機械ではなく手作業ですか？」

「はい。紙と紙の間に空気を入れる、紙捌きの作業が必要だからです。この作業を怠ると、紙詰まりや重送の原因になります」

「ジュウソウ？」

一条早智子が首を傾げる。野末が専門用語をそのまま使ってしまったため、分からないのだ。

「失礼しました。二枚くっついた状態で紙が送られることです。乱丁や落丁の原因となります」

浦本はすかさず補足した。一条早智子はまたメモ帳を開き、ペンを走らせている。

「『本の宝箱』は既におととい印刷を終え、製本所へ搬出しました。今日は他の作品の印刷作業をご覧いただきます」

両面で六十四ページ分の巨大な紙が給紙部から続々と飛び出し、滑るように印刷部を流れ、高速で排紙部へ吐き出される。

「作家さんたちによって生み出された物語は、こうして日々紙に刻まれていきます」

浦本は印刷機の稼働音に負けじと声を張った。

「私たち印刷営業は、印刷機の稼働率を一定以上に保ち続けるのが使命です。この機械が何台も稼働しなくなると、会社は立ち行かなくなります」

仲井戸が印刷機の間を歩きながら声を張る。

「次は、特色印刷の職人をご紹介します。その道一筋四十年の、吉崎です」

野末の声が少し得意げになる。ジロさんは紹介を受け、ちょこんと頭を下げた。

「ご存じかもしれませんが、通常、色はプロセスインキと呼ばれるC（シアン）、M（マゼンタ）、Y（イエロー）、K（ブラック）の四色を組み合わせて表現します」

「CMYKというやつですね」

一条早智子は相槌を打った。

「CMYK四色の組み合わせで表現できない色は特色と呼ばれ、職人が手で調合します。ジロさん、お願いします」

「マゼンタを、混ぜんだ……」

駄洒落を合図に、ジロさんは一本のヘラを両手で握って腰を落とし、ステンレス製の箱の中で二色のインキを力強くかき混ぜる。

鬼気迫る様子でひたすらインキをかき混ぜるジロさん。その間、皆無言で作業を見守っていた。

「『本の宝箱』も題字に特色を使っています。吉崎がインキを作りました」

野末がまた得意げに紹介する。

「そうは言っても、最近は機械がインキを混ぜ混ぜする時代になったようで……。我々もそろそろお払い箱かな、なんていう具合ですわ」

インキを混ぜ終えたジロさんが言った。野末が「いいえ」と割って入る。

「吉崎の技術は、システムでは再現できない、年季の入った技術です」

ジロさんは照れ隠しのようにかぶりを振る。

「シアンを混ぜるかどうか、ずいぶんと思案したよ。なんて、駄洒落も、年季が入ってますわ」

腕時計に目をやった仲井戸が浦本に目配せをする。

携帯をチェックしてこいというサインだ。仲井戸と交互に場を外し、携帯電話の着信履歴から折り返し連絡をする手はずになっている。

浦本は建屋の外に出て、胸ポケットから携帯を取り出した。

留守番電話にメッセージが二件残されていた。恐る恐る確認する。

紙の搬入が半日遅れる、東都書房の編集者から入稿予定日変更の連絡……。幸い、現場に駆けつけなければならない程のトラブルはない。

場内へ戻って、仲井戸に「大丈夫でした」と目配せする。仲井戸が頷いた。

それから浦本は、仲井戸と野末にこっそり携帯を手渡して見せた。メーリングリスト宛に、営業第一部の野々宮からメールが届いている。

〈慶談社『アクエリアスの剣』復刻版　全十五巻　新規受注獲得。各三万部、計四十五万部〉

歓喜に沸く本社の様子が目に浮かぶ。コミックの営業も頑張っている。

メールの文面を確認すると、仲井戸と野末は力強く頷いた。

「それでは、製本所へ移動しましょう」

仲井戸の声掛けで、一同は場外へ出る。

浦本は野末に礼を言った。

「野末君、ありがとう」

すると野末は怖い顔で「まだ終わってないぞ」と応じた。

「俺が案内できるのは、工場の中だけだ。本が完成するところまで、しっかりと案内してくれ」

「分かった」

浦本は神妙に答えた。

「いつも全工程を見渡して駆け回っている営業にしかできないことだ」

野末の言葉に背中を押された。技術を身に付けている野末や福原を羨ましく思うこともあった。だが、営業にしかできないこともある。

「後は頼んだ」

「確かに、頼まれた」

浦本は片手を上げて応じ、仲井戸たちの後を追って場外へと小走りで駆けた。

※

浦本たちを見送った後、野末はジロさんと場内の隅のパレットに腰掛けて小休憩を取った。

「なあ、ムツゴロウ。今日はいい日だったなあ」

「どうしたんですか、急に」

「いやあさ、印刷職人ってのは、裏方の仕事だ。世間には知ってもらう必要もない」

「そうですね」

「なにしろ、四十年間も本を出し続けてきた作家先生が、本の出来上がる様をほとんど知らなかった。『紙は手で積むんですか』っていうところから知らない。こりゃ、痛快なことだよ」

「そうですね」

相槌を打ちながらも、ジロさんが言わんとすることがいまひとつ分からない。

「俺たちがいなければ、本は完成しない。そう考えれば、浦本のにいちゃんが言っているように『俺たちは本を造ってる』って、胸を張っていいんじゃねえか」

なるほど、ここまで聞いて合点がいった。

〈パパが造った本、パパが造った本〉

　幸太と陽太の声が、野末の脳裏にこだまする。

「そうですね」

「おい、さっきから『そうですね』しか言ってねえなあ」

　ジロさんが笑う。野末は、今度はわざと「そうですね」と返す。

「ほい、一枚食え。このガムも、誰かがどこかで造ってるんだよな」

　金崎(かねさき)製菓の板状ブルーベリーガム。野末が生まれるずっと前から変わらぬロングセラーだ。

「いやあ、いい日だったなあ」

「そうですね」

　乾いた板ガムを口の中にねじ込み、二回、三回と嚙み締める。ブルーベリーの風味と果糖の甘味が口の中に広がる。

「なんとなく、目がよくなったような気がします」

「おお、どうした？　ムツゴロウが珍しくお愛想なんか言って」

「どうしてでしょう。まあ、いい日だからですかね」

　浦本たちはもうすぐ、板橋の製本所に着く頃だろうか。そんなことを考えながら、野末はブルーベリーガムを嚙み続けた。

※

ふじみ野工場をたっぷり二時間かけて見学した一行は、板橋にある報国社の製本所へ移動した。

報国社に到着すると、いつもお世話になっている若社長・井森泰助が一行を出迎えてくれた。

製本の機器が並ぶフロアには既に、おととい工場で印刷、乾燥を済ませた『本の宝箱』の本文や表紙・カバーの紙が搬入されている。

新刊『本の宝箱』は上製本で、二百八十八ページ。ページ数はさほど多くないが、本文用紙には丈夫な厚手のコート紙を使っているため、束（つか）は厚くなる。

「今から、この紙が本になるまでをお見せします。本社でのデジタル製版、ふじみ野工場での印刷工程、そしてこの製本工程。そのひとつひとつが本を造る工程です」

浦本は、一歩引いた目でこれまでの工程をおさらいし、一条早智子に説明した。

幾多の物語を書き上げてきた一条早智子も、本が生まれ出る瞬間に立ち会うのは初めてだ。

心をこめて本を組み上げている様を見れば、きっと心を動かされるに違いない。

「一条さん、自分の本が完成する瞬間を見られるなんて、とにかくレアですよ！」

奥平が大げさな口調で一条早智子の気分を煽る。

一方、報国社の若社長は緊張の面持ちで最初の工程へと案内する。

「まずは両面六十四ページの紙を四つに断裁し、両面十六ページに小分けします。こちらが突揃え・断裁機です」

若社長が説明する横で、清潔な白い軍手を着けた年配の男性社員が、突揃え機の傾斜面に百枚束の紙を置く。突き当て板を振動させ、その振動により紙と紙の間に空気を入れる。

「この工程は、手作業なんですか」

「はい。印刷された紙は棒積みになって搬送されてくるので、紙と紙がくっついています。次の工程のために、ほどよく空気を入れなければなりません」

断裁機へ紙をセットするのも手作業だ。間髪を入れず巨大な刃が降りてきて、紙を切断する。

ガシャンという乾いた金属音が響く。

「うっかりすると、手が切断されてしまいますね……」

一条早智子は恐ろしげな声で言った。

「安全装置が付いていますが、それでも細心の注意が必要です。断裁の作業をしている間は私語厳禁、他の作業をせずに集中するよう指導を徹底しています」

若社長はそう言って表情を引き締めた。

それから折機と呼ばれる機械で紙を折る。片面八ページ、両面で十六ページの紙を三回折ると、十六ページの小冊子になる。こうして十六ページ毎の折丁を作ってゆく。

「多くの本のページ数は、白紙なども含めて十六の倍数になっています。『本の宝箱』も二百八十八ページ。十六の倍数です」

浦本の説明に一条早智子は淡々と頷く。さすがキャリア四十年超の作家。これは知っていた。

この十六ページの折丁を機械でページ順に積み重ねて丁合する。一〜十六ページ、十七〜三十二ページ、と順に積んで、本の中身を組み上げてゆく。

機械のスピードもさることながら、工程の随所には人による細やかな作業が加えられている。

丁合機に折丁をセットする人、表紙を給紙する人。帯やカバーの断裁は、別の人が作業する。トンボと呼ばれるしるしを頼りに、紙の余白を断ち切る。

「給紙や断裁を一度間違えただけで本は台無しになってしまうので、非常に神経を使う作業です」

若社長が作業着の袖で汗を拭いながら、社員の仕事ぶりを紹介する。

次は積み上げた折丁を糸で縫い合わせるようにして束ねる糸かがりの工程。

「今は機械化されていますが、昔は人の手で一冊ずつ、糸でかがっていました」

一条早智子のメモを取る手が、ますますめまぐるしく動いている。

「余談ですが、五十年ぐらい前までは、ほとんどの製本所が紙折りも丁合も、人の手でやっていたそうです」

仲井戸が補足する。

さらに、折丁と折丁の間を、ボンドで接着して補強する工程。丁合で順番どおりに重ねられた折丁の背を、ボンドにより接合する。

接着された側が、本のノドにあたる部分となる。

この段階で、表紙やカバーをまとっていない裸の本が形造られる。

裸の本はベルトコンベアに載って三方断裁機へと流れてゆく。裸の本を二トンの力で押さえつけ、ノド以外の三方を断裁する。本の天地と小口をきれいに切り揃えるこの断裁工程は化粧断ちとも呼ばれる。

「すごい迫力だな」

浦本はけたたましい機械音の中でひとりごちた。

あっという間に組み上げられてゆく大量の本、そして豪快な化粧断ちの様子。何度見ても圧巻だ。断裁された本は機械のツメでページを開かれ、そこへ黄色い紐が挟み込まれる。しおりの役目を果たすこの紐は、スピンと呼ばれる。

続いて本の背に金属の型で丸みを付ける丸み出しの工程、丸くなった背をいちょう形に整える耳出しの工程を経て、いよいよ最終工程へと入る。

「くるみの作業へご案内します」

ベルトコンベアで送られた裸の本に服を着せる作業だ。背に表紙を接着するためのにかわを塗り、寒冷紗（かんれいしゃ）というガーゼ状の布を貼る。

その上から表紙をかぶせてゆく。製本ラインの上を裸の本が流れてくるタイミングに合わせ、表紙を送り込み、背表紙の裏側と本の背とを糊で接着する。

機械と人による整然たる手順のもと、着々と本の身だしなみが整っていく。

こうして造られた本にカバーと帯をかける。再び自動でページを開かれた本は滑るようにラインを流れる。別のラインから帯とカバーが供給され、本と合流する。下から帯、カバー、本の順に重なったところで、帯とカバーの両袖が表紙を抱き込むようにして折り返される。まるで本が、外へ出掛ける前にジャケットを羽織っているかのようだ。最後に、のど元にスリップと呼ばれる売上票や、読者ハガキなどの付き物を挟む。

「ここから、完成本が出てきます」

工程のゴールへ案内されると、一条早智子は「来た」と弾んだ声を上げた。

次々と産声を上げる本たちは、検査員の検品を経て五冊でひと塊の単位に小分けされ、あっというまに梱包紙にくるまれてゆく。

その様を、皆でしばらく黙って見ていた。

浦本も、これほどまじまじと本の完成に立ち会うことは滅多にない。

「私たちが造りました……」

思わず口を衝いて出た。

横から、仲井戸の刺すような視線を感じる。得意先の編集者や作家本人を前にして何を言っている。そんな視線だ。

浦本は構わず続けた。

「先ほどご紹介した福原や、野末、吉崎。この製本所の方々。みんなで造りました」

「出すぎたことを申し上げて、申し訳ございません」

深々と頭を下げる仲井戸。その横で一条早智子と奥平は、ラインから次々と誕生する本の一冊一冊に、無言のまま見入っている。

「『本の宝箱』の完成本です。どうぞ」

浦本は生まれたばかりの本を一条早智子に手渡した。

一条早智子は両手で我が子を抱き上げるように、生まれたての本を手に取った。

「色々な方々が本に関わっていること、今日はこの目で拝見しました。感謝します」

一条早智子は機械を見つめながら言った。それから、浦本のほうを向いた。

「しかし、本を作っているのはあなた方ではなく私です」

一条早智子は生まれたての本を抱いたまま、昂然と言い放った。

気分を害して慶談社から新作を出す話も破談になるようなことがあれば、取り返しがつかない。

「もちろん、一条先生のおっしゃる通りです。申し訳ございません。ただ、本という形にする部分で皆が力を合わせているということで……」

奥平が間に入る。浦本に向かって「謝ってください」と言いたげに目配せしてくる。だが浦本は、どうしても謝ることができなかった。

なんとも言えぬ気まずい空気の中、一条早智子の見学ツアーは幕を下ろした。

正面玄関の前で、報国社の人たちに見送られ、社用車に乗り込もうとしたその時、若社長が浦本に向かって手招きしてくる。

直近の案件について何か相談事だろうか。厄介なことだったらどうしよう。心配しながら寄っていくと、小声で耳打ちされた。

「うらもっちゃん、よくぞ言ってくれた。俺たちが造った本だ。ありがとう」

右手を差し出され、戸惑いながらも応じた。

若社長の眼には涙が滲んでいた。握り返した手の皮は厚く、指は節くれだっている。何千万冊、何億冊もの本を送り出してきた手だ。

帰りの車内、一条早智子は後部座席で『本の宝箱』の表紙を見つめていた。ハンドルを握る浦本は、その様子をミラー越しに確認した。

怒っているのか、ぼんやりしているのか、表情からは読み取ることができない。仲井戸も奥平も、怖くて何も話しかけられない様子だ。

不気味な沈黙を乗せ、車は環状七号線を南へと走る。

ミラー越しに一瞬、一条早智子と目が合った。一条早智子は再び本に目を落とし、言った。

「今後の話ですが」

車内に緊張が走る。

「今着手しているいくつかの長編を終えたら、慶談社で新作を書くことをお約束します」

他社よりも順番を繰り上げて原稿を出すということだ。

奥平が「それは、本当ですか？」と声を弾ませる。

「ええ。念願だった『本の宝箱』を刊行していただいたので、約束はお守りします。

仕事ですから」

一条早智子はやはり徹底した仕事人だった。

「ありがとうございます！　刊行はいつ頃にしましょうか」

奥平は後部座席ではしゃいでいる。助手席の仲井戸が膝の上で小さくガッツポーズを作った。

池袋駅の西口ロータリーで、一条早智子と奥平を降ろした。打合せを兼ねて食事をするという。別れ際、奥平は運転席側のフロントドア越しに大きく頷いた。浦本は目礼を返しながら「新しい本の種が生まれますように」と願う。

「さて、戻るか」

仲井戸の声は心なしか弾んでいるように聞こえる。浦本はアクセルを踏み、車を発進させる。五叉路の赤信号で一時停止すると、フロントガラスに雨の滴（しずく）がぽつぽつと落ちてきた。

浦本はワイパーを動かし、ヘッドランプを点灯させた。

「余計なことを言って申し訳ありませんでした」

「一条早智子が慶談社で書くと約束したんだ。そして浦本君は奥平さんから発注の約束を取り付けてある。結果オーライだよ」

一作品あたり単行本で十万部、文庫本で三十万部。版を重ねて五十万部、百万部……。頭の中で皮算用してみる。少しだけ未来が明るくなる。

「まあ、次回作云々の話以前に『本の宝箱』が無事に完成してよかった」

「途中の経過を振り返ると『無事に』とは言えないところも多々ありますが」

豊澄印刷としては、仕様変更に伴うオペレーターの工数などを勘案すると、結局利益が出ない案件となってしまった。本来、あってはならないことだ。

「いい出来だったし、人と本との出会いを繋ぐ使命を持って生まれた本だ」

「最後の最後で一条さんを怒らせてしまいましたけどね……」

浦本が反省の弁をこぼすと、仲井戸は苦笑いした。

「『私たちが造りました』か。まあ、口に出したのはまずかったな。でも、俺も心のどこかでそう思っていたいのは確かなようだ」

前を向いたまま、仲井戸は言った。

「本当の勝負はこれからですね」

印刷機を動かし続けている限り、豊澄印刷という船は沈まない。

「もしまた豊澄印刷の会社説明会でぼくが説明に立つことになったら、仲井戸さんの言葉を借りていいですか」

「俺の言葉？」

「夢は目の前の仕事を毎日、手違いなく終わらせること。それと、印刷機の稼働率を保つこと」

「前に言ったことと正反対じゃないか」

「いや、同じですよ」

浦本は確信を持って答えた。

「目の前の仕事を手違いなく終わらせ、印刷機の稼働率を保つ。その積み重ねこそが印刷会社のものづくりの礎(いしずえ)ですから」

遥かな理想を掲げて進んでゆくことと、今目の前にある仕事をひとつずつカタチにしてゆくことは、一本の長い道の上で繋がっていた。

「じゃあ俺は浦本君の言葉を借りて喋るか。『印刷会社は、メーカーだ』『本を刷るのではなく、造っているのだ』って」

「前に言ったことと正反対じゃないですか」

「理想や矜持があってこそ、目の前の仕事に向かう熱量も高くなる」

無事に本が出来てよかった。仕上がりも上々でよかった。作者が喜んでくれてよかった。受注増が見込めてよかった。製本所の若社長が喜んでくれてよかった。仲井戸と認め合うことができてよかった。

今日はささやかながら、色々とよかった。

今の仕事は、天職だ。

そう言い切れる人は、ほんのひと握りで、多くの人は今の仕事ではない別の仕事、今の人生とは違う別の人生にかすかな憧れを残し、ぼんやりと引きずって生きているのかもしれない。

それでも、今目の前にある仕事に全力を尽くす人たちがいる。

たとえ天職でなくてもいい。

この仕事をやっていてよかった。そう思える瞬間が日常の端々、所々にあればそれはきっと幸せなことだろう。

車はもうすぐ音羽の豊澄印刷本社に到着する。

助手席に座る仲井戸は、胸ポケットから携帯電話を取り出し、確認した。

「戻ってから腰を据えて取り掛かるか」

仲井戸はそう言って携帯電話をまた胸ポケットにしまった。

マナーモードにしてある浦本の携帯電話も、着信履歴で埋まっているだろう。それからひとつひとつを片付けた向こうに、また何冊かの新しい本が誕生する。

※

九月の最終営業日、早番の勤務を終えた野末正義は、高野の姿を探した。

「おい高野、どこにいる？」

高野は、ヤレ紙をカゴの中へ片付けていた。最後まで手を抜かないという言葉は本当だった。

「ヤレカゴの置き場がいつもと違うぞ。定物定位の徹底は基本中の基本だ」

「はい、すみませんでした」

「最後の小言だ。十五時になったぞ。おつかれさま」

皆の前で改めて、高野が今日いっぱいで退職する旨を伝える。高野は手短に感謝の言葉を述べた。それから唐突に、ラップらしき旋律に言葉を乗せた。即興なのか予め用意したものかは分からない。野末には、音楽として上手いのか下手なのかも分からない。

皆がとにかく拍手を送った。分からないが故にただ、はなむけのために手を叩いている。

「よっ！　MC与太郎！」

かつての自分ならば、彼がどこかでつまずくことを願ったかもしれない。うすら寒い奴だと失笑のひとつでもくれてやったかもしれない。

今は心から高野に拍手と声援を贈り、快く送り出せる。

「夢が叶うことを願ってるよ。MC与太郎が、生涯の仕事になることを」

「ありがとうございます。ここで働いた一年半のことは、ずっと忘れません。これからの音楽に、これからの人生に必ず活きると思います」

何を仕事とするか、何のために働くかは人それぞれだ。高野は音楽に道を見出し、野末はここに残ることを選んだ。道は違えど、どちらも己の心の声に耳を澄ませ、その声に従って選んだ道であることに変わりはない。

帰り道に駅前の三河屋書店に寄って目当ての品を買い、午後六時に帰宅。野末は三河屋書店の手提げ袋から『本の宝箱』を取り出し、座卓の上に差し出した。

「パパが造った本だ」

野末が告げると、幸太と陽太は真っ先に奥付を開いた。幸太が「印刷所　豊澄印刷株式会社」と記された行に人差し指を置いた。

「パパが造った本……」

陽太が幸太に向かって呟いた。

「いや、違う」

咄嗟に訂正の言葉が口を衝いて出た。子供達が顔を上げ、怪訝な表情で野末を見つめた。

「パパたちが造った本だ」

言い直さなければならないと思った。本は一人では完成しない。たくさんの人と人、人と機械が一体となって作られるものだ。

「パパや会社の友達、その他色々な人たちの力で造った本だ」

こちらに背を向け台所で皿を洗っていた沙織の手が少しの間止まった。

もし色々な意味で許されるのならば、家族に自分たちの仕事を見せてみたい。

翌週、社内のイントラに社員公募の企画が発表された。その中に、野末の提案が候補として掲載されていた。

提案件名：ふじみ野工場　家族見学ツアー
発案者：印刷製造部　野末正義
概要：社員の家族（有志）にふじみ野工場を見学してもらう。
家族にとって、普段知ることのない本造りの現場を学ぶ機会となる。
また、社員にとっては日々の仕事に対する家族の理解が大切である。
この見学ツアーをもって、家族が家族の仕事を知る機会とする。

※

議長である常務から発言を許された浦本は立ち上がり、開口一番言った。

「再考の余地はないのでしょうか」

「経営判断だ。申し訳ないが、仕方がない」

常務が答えた。会議室にまた重苦しい沈黙が流れる。

先日の役員会で、ふじみ野工場一号機は更新しないとの決定が下され、この幹部会議の場で正式発表された。

一条早智子の新作が慶談社から刊行され、その際は豊澄に印刷を発注するという約束を取り付けた。営業第一部も名作コミックの復刻版を受注するなど、十分奮闘を見せた。

印刷機を減らす方針に再考を促せるのではないかと、希望の光を見出していたところだった。

その希望はあっけなく崩れ去った。

〈言いたいこと、訊きたいことを余さずぶつけていい〉

毛利部長が独断で、浦本と仲井戸に幹部会議への同席を許してくれたのだった。

「小ロットの印刷を増やす方針は理解できます。しかし、まだ一号機から五号機の稼働率は前年とほぼ横ばいで維持できています。再考の余地はないのでしょうか」

「慶談社とも協議をした上での判断だ」

紙の本の印刷はデクノを活用しながら極力ロットを小さくし、トゥモローゲート・

デザインによる企画提案や電子書籍の制作、印刷データの管理などの比重を高めてゆくという。

「書籍の印刷以外に事業を展開するのは賛成です。しかし、それと引き替えに今の段階で印刷機を一台減らすのは、時期尚早ではないでしょうか」

役員会の決定が覆ることなどあるはずもない。だが浦本は、問わずにはいられなかった。

「もしかすると君の言うとおり、まだ早いかもしれない。だが早いうちに判断しておかなければならないこともある」

電子書籍制作部長の降旗が「私からもひと言」と挙手した。

「うらもっちゃんが前に言ってくれたように、電子書籍も必要としてくれている人がたくさんいる。きっとこれからだんだん増えていく。印刷機を減らすのは大変な転機だけど、前向きに受け止めてもいいんじゃないかな。電子書籍統括営業担当さん」

降旗は浦本を諭し励ますかのように言った。以前この幹部会議の場で紙の本に対する敵意をむき出しに「工場から印刷機は消える」と息巻いていた時とは打って変わり、神妙な口調だ。

やはり降旗も印刷機が一台なくなるという事態を重く受け止めている。

「業績は上向かないまでも、印刷機の稼働率は前年度並みを維持できているはずです。営業部が仕事を絶やさず持ってきます。今回の判断は、営業部を信頼いただけていないということでしょうか」

仲井戸が冷静な口調で常務に訊ねた。

「営業部が悪い訳ではない。こればかりは、時代の流れだよ」

時代の流れは理解しているつもりだ。右肩下がりのグラフや大所高所から出版・印刷業界の縮小を憂う言説を山ほど見てきた。

だが一冊一冊、誠実に本を造って顧客との信頼関係を築き、印刷機を回し続けることで、本造りの灯火を守ってきたつもりだ。その灯火のひとつが今、消されようとしている。

「私は、もう少し時代の流れに逆らってみたかったです……」

意見でも問いでもない、心の葛藤がそのまま口を衝いて出た。

常務が深い溜息とともに「私も、できることなら逆らいたい」と言った。若い社員を宥めるための、上辺の言葉ではない。その弱々しい響きが、苦渋の決断を物語っていた。

隣に腕を組んで座っている毛利部長と目が合った。毛利部長は深くゆっくりと頷いた。もういい。そんなメッセージを浦本は感じ取った。

幹部会議は重苦しい雰囲気の中、最後は「これまでと変わらず業務に邁進して欲しい」といった常務の言葉で終了となった。

時代の流れを前に、奇跡など存在しないということを思い知った。

印刷機が一台減るという事実は「本がこの世から消えてゆく」という途方もない恐怖を浦本にまざまざと突きつけた。

それは子供の頃に小学校の飼育小屋のうさぎが死んで「みんないつか死んでしまう」ことへの恐怖が実感を伴って押し寄せてきた時の感覚に似ている。百パーセント逆らえないという無力感で、叫び出したくなった。

あの時のように、何をやっても報われる気がしない無力感が浦本を支配した。どんなに力を尽くしても、本はだんだんと消えてゆく。

営業部に戻ると、仲井戸は山積みの封筒をひとつずつ開き、粛々と原稿整理の作業を始めた。

浦本も席に座ってはみたが、思わず溜息がこぼれた。

「沈みかけの船は遅かれ早かれ、沈んでゆくのでしょうか……」

重い荷物を海に捨て、少しでも船体を軽くするほかないのか。だが印刷会社が印刷機のひとつを捨てるのは、エンジンを一基捨てるに等しい。

仲井戸は浦本の問いには答えず、タブレット端末の進行管理画面を指差した。

「目の前にはこれだけの案件が待っている」

文芸単行本と文庫、漫画や雑誌も含め、様々な案件が各々の工程段階で並行して進んでいる。この先、本が減ってゆくという事実がまるで嘘のように、誕生を待つ本が列をなしている。

「本を造り続けるんだろう？」

仲井戸に問われ、はっと我に返った心地がした。

「印刷機が一台減っても、あるいは二台減っても、誕生を待つ本がある限り、本は造り続けられるんじゃないか」

浦本はもう一度、進行管理表に目を落とした。いくつもの本に関わる各工程が時系列の上に淡々と配置されている。

本が消滅する日は記されていない。

「選択肢は限られている。沈むのを待つか、沈む前に脱出するか、沈ませないために力を尽くすか。俺はずっと前から決まっている。浦本君はどうなんだ？」

「本がこの世に残っている限り、逃げ出さずに全力を尽くしますよ。と、言いたいところですが、仕事も給料もなくなったら生きていけませんね」

「俺は実家に頭を下げてあんこ屋に転職すれば家族共々生きていける。だからやれるところまでやって、もし会社が立ちゆかなくなったとしても、最後の一人になるまで見届けるよ」

「ぼくは最後までご一緒できないかもしれません。会社がなくなる前に辞めて、とにかく仕事を見つけて生計を立てないといけませんから」

「辞めた後はどうする」

「厳しいとは思いますが、生活するだけならなんとかなる自信はあります。学生の頃にコンビニ、塾講師、居酒屋とか、アルバイトで色々な仕事を経験しましたから」

いざとなっても生活はできる。だから今は、どう生きるかを自らに問うて、本を造っていたい。

「今日の仕事に取り掛かります」

浦本は重い気持ちを振り払って、机上に積まれた封書に向き合った。ひとつひとつ封を開け、中身を確認していく。ある封筒には折見本が、ある封筒には著者校正後の初校ゲラが……。これらは皆、生まれる前の本の姿だ。それぞれの中身のどこをチェックし、どこの部署へ手渡すか、直近の段取りが頭の中で組みあがってゆく。

遠い将来への不安はいつの間にか頭から消え去り、「色校正を出し直す」「希少な紙を手配する」「誤字や誤変換をチェックする」といった具体的な目標へと意識が切り替わる。

この意識のあり方が正しいかどうかは、浦本には分からない。

ただ事実として、浦本の目の前には「本が消えてゆく」という恐怖よりも前に、完成を待つ本がひしめき、クリアすべき大小の課題が何重にも立ちはだかっている。浦本たちが具体的に動かなければ、本は完成しない。

今はこの場所で本を造っていたい。理屈ではなく、ただこの仕事が好きだから。最悪の事態への覚悟だけは常に胸に留め、誕生を待つ本のために働こう。

「では、出かけます」

仲井戸が席を立ち、毛利部長に告げた。それから鞄を手に取ると、唐突に言った。

「印刷会社はメーカーだ。右肩下がりの時こそ、浦本君の矜持が拠り所になるのかもしれない」

出かけようとする仲井戸の背中に向け、浦本は咄嗟に言った。

「毎日の仕事を手違いなく終わらせること」

仲井戸は立ち止まって、首だけこちらを振り返った。

「行く末を憂いてしまいそうな時こそ、仲井戸さんの矜持が拠り所になるのかもしれません」

ふじみ野工場の面々は落胆していないだろうか。もしかするとオペレーターの削減という具体的な不安に苛まれているかもしれない。

浦本は板橋区の光洋出版を回った後、ふじみ野工場に立ち寄った。

建屋の一番奥にある一号機は、ちょうど刷版の入れ替え作業で停止中だった。

「おお、どうした。暇だから冷やかしに来たってか？」

ジロさんが声を掛けてきた。作業着にインキが付いている。

「結局、だめだったな。残念、ヤレヤレだ」

ジロさんは一号機を見上げて言った。

「営業としては全力を尽くしましたが、力が至らず、申し訳ありません」

「いや、よくやってくれたよ。誰のせいでもないさ」

一号機の向こう側から出てきたのは、キュウさんだった。今日は風邪で休みの柴田機長に代わって一号機の操作にあたっているらしい。キュウさんは停止中の一号機を見上げた。

「こいつと一緒に俺もお役御免だから、無理に人減らしすることもないだろう」

一号機は年度末をもって廃止。今年で還暦を迎えたキュウさんも、一号機と同時に退職する。

「おい、紙は積み終わったか」

キュウさんは給紙部に向かって声を掛けた。

「積み終わりました！」

給紙部から若いオペレーターが声を上げた。

「せっかくだから、動かしてみるか」

野末が冗談のようなことを真顔で言った。浦本はかぶりを振る。

「動かすといってもスタートの掛け声だけだ。意外と気分がいいぞ」

野末に教わり、浦本は腹に息を吸い込んだ。

「一号機、確認ＯＫ。稼働してください」

口々に「ＯＫ」「稼働ＯＫ」「稼働してください」と威勢のいい声が飛ぶ。

一号機は唸りを上げ、紙が印刷ユニットの間を次々と走り抜けてゆく。

「おおっ！　動いた！」

浦本は歓声を上げた。

「動くさ。当たり前だろう」

野末が隣で呆れ笑いを浮かべた。

印刷機は潑剌（はつらつ）と動き、今日も新しい本を世に送り出す。紙の本は消えることはなく、しかし緩やかに廃れてゆくだろう。

浦本は思う。どう仕事するかは、どう生きるかに等しいのではないかと。それを自らに問うた結果、本を造る仕事を選んだ。流行り廃りのある中で、縁の力に導かれて自ら選んだ道だ。

そして、廃れゆくことは敗れることではない。廃れゆく本を造る仕事を選んでこの場にいる限り、負けることはない。

廃れてゆくものを守る人間もまた必要なのだと思う。そんな仕事だからこそ、好きでなければ続けていられないと思うのだ。

そこにあるのは悲壮感ではなく、作り続けることへの誇りや日々の達成感だ。

自分はそういう者になりたいと願う。

本造りは続いていく。浦本の目の前で、確かに続いている。

完成を待つ本が絶えない間は、本が消えてゆく恐怖に慄(おのの)いている暇などない。自ら選びとった場所で縁を得た人たちと、これからも本を造っていくのだ。

エピローグ

年度初めの土曜の朝、ふじみ野工場管理棟の会議室に大勢の社員が集まっていた。主には工場の社員と本社の営業部員。常務や工場長の顔もある。

浦本学は周りを見回し、隣に座る仲井戸に耳打ちした。

「大事になりましたね……」

「ああ。まさかこれほど大きな話になるとは」

仲井戸が苦笑いした矢先、また会議室のドアが開いた。

「おはようございやーす！　全く、とんだ休日出勤だなあ」

特色職人のジロさんこと吉崎次郎が、ぼやきながら私服姿で登場。

「言いだしっぺの野郎はどこへ行った？　まさか寝坊じゃあるめえな」

「野末君なら、先に場内で仕込みの作業をやっていますよ」

「そいつは感心なことだ。と言ってやりたいところだが、言い出しっぺだから当然だよな」

社員の家族たちは、食堂に集まっている。

今日は野末の発案による『ふじみ野工場家族見学ツアー』の記念すべき第一回だ。

小・中学生の夏休みなどを使って平日に実施する方向だったが、営業日に多くの見学者を入れるのは工場への負担が大きい。そこで年度初め四月の繁忙期に土日のどちらかで工場の一部を稼働させ、その日を家族見学ツアーに充てることとなった。

今回の見学ツアーでは、淵田シゲルの家族小説『あっち向いてホイ』の印刷作業の一部を見学する。二年前に『スロウスタート』の目次で誤変換をそのまま世に出してしまったことが昨日のことのように思い出される。

あの後も、淵田シゲルは独自の視点で夫婦や家族を描き続け、読者を増やしている。最新作『あっち向いてホイ』は依存し合い、互いを束縛していた四人家族が巣立っていく、旅立ちの物語だ。最後はみなバラバラになることで家族は互いを認め合い再生してゆく。

今日の家族見学ツアーは著者・淵田シゲルと慶談社の許可も取ってある。

〈そろそろ場内へお通ししていいですか、総合司会者さま?〉

データ制作部のリーダー、白岡絵里子から携帯電話に確認の連絡が入った。見学に先立ち、食堂で社員の家族たちに本造りの工程をガイドしてくれていたのだ。今日は中学生の娘さんも参加し、張り切っている。

「お通ししてください。お願いします」

社員たちはそれぞれの持ち場に散った。

間もなく、三十人ぐらいの一団が場内に入ってきた。

一団の中に由香利の姿を見つけた。目が合い、由香利が胸の前で小さく手を振ってきた。浦本はどぎまぎと黙礼で応じる。

はじめに、刷版の制作が行われているＣＴＰ室へと案内した。

「僭越（せんえつ）ながら、本の版を作る作業について、限られた時間で雑駁（ざっぱく）にはなるかと存じますが、ご案内申し上げます」

福原は声が震えて、ガチガチに緊張している。

「福原さん、本を造る話を、いつもの福原さんのまま説明すればいいので」

浦本が耳打ちすると、福原はこわばった表情で頷いた。今日はお母さんが見学に来ている。

「この薄いアルミの板は、刷版と呼ばれる板です。よく見ると文字がたくさん刻まれています」

福原は使用済の刷版を両手に持ち、社員たちの家族に向けてゆっくりと角度を変えてみせた。光の反射の具合で、刻まれた文字が見える。

「この板はある意味、本のハンコです。ごく簡単に言えば、このハンコのもとになるデータをパソコンの上で作るのが、私の仕事です」

得意のたとえ話も交えながら、子供にも分かるよう簡単に話してくれた。

「私たちは本の助産師。これからも多くの本の誕生を、お手伝いします。以上」

福原が安堵したような笑みを浮かべペコリと一礼すると、拍手が沸き起こった。お母さんらしき女性も、何度も頷きながら拍手を送っている。

この仕事は天職だと言い切れる数少ない人間の一人、福原笑美。浦本は営業担当として、彼女の存在を誇らしく思う。

各所で各社員の見せ場を作り、家族が見守る前で自分の仕事を説明してもらう。

巨大なインクジェットデジタル輪転印刷機『ＤＣＮ５９６３』が設置されているデクノ堂では、キュウさんこと山際久が待っていた。

年度末を迎えた先週、四十二年の勤めを終えて退職したキュウさん。今日は特別講師として参加している。

「キュウさんの奥様、さあさあ、前へ」

今日は稼働していないデクノの前で、キュウさんと奥さんが向き合う。

「ええ、私は大きな病気をやりまして、しばらく動けませんでした。復帰後に任されたのが、こいつとの仕事です。デクノと呼ばれています」

キュウさんはデクノの躯体をポンと叩いた。

「最新鋭の機械に、いちばん年寄りのオペレーター。凸凹コンビでした。印刷機は仕事仲間。皆さん、仕事の道具や勉強の道具を、大切に」

口下手ながら朴訥に、誠実に仕事や道具との向き合い方を語った。

子供たちは紙の大きさに驚き、印刷機の速さに声を上げ、パレットに積まれた紙の柱を見上げては目を丸くする。

本がどのように組みあがってゆくか、その視点を補ったほうがよい。現場を広く見渡す営業の出番とばかり、浦本は本文が印刷されたヤレ紙を一枚手に取った。

「この大きな紙をこうして一回、二回、三回と折り畳みます。そうすると……ページの順番どおりになります」

ページを捲ってみせると子供達が「へえ」「本当だ」と歓声を上げる。

そこへ仲井戸が割って入った。

「重ねていくと、本はこのような形になります」

仲井戸が鞄の中から取り出したのは折見本。折丁を重ねて表紙とカバーでくるんである。この用意の周到さ、やはり一枚上手だ。

小学六年生の娘さんが折見本を覗き込み、拍手している。

「続いては、この道ひと筋四十年、インキ職人、吉崎次郎さんです。会社ではジロさんと呼ばれています。ご家族の方、前へどうぞ」

進み出たのは浦本と同年代ぐらいの青年。ジロさんのひとり息子だ。

「やりづれえなあ」

ジロさんは鬱陶しそうに、だが嬉しさを隠しきれない様子でヘラを握り、腰を落としてインキを練り始めた。二、三分の間、ヘラとインキとステンレスの箱の摩擦音だけが小気味よく場内に響いていた。

二色のインキがマーブル状に混ざり合い、やがて一色になる。

「はい、混ぜるな危険、っと」

ジロさんは訳の分からない決め台詞で作業終了を告げた。

「いかがでしたか、お父さんの勇姿は」

浦本は自分と同じぐらいの歳の青年に、コメントを求めた。

「ちょっとだけ尊敬しました。まあ、ちょっとだけですが」

敬意を表すのにも毒が混じるのは父親譲りか。

「こいつは、俺が納豆混ぜてるところぐらいしか見てねえからなあ」

ジロさんも悪態を吐いて応じた。

社員それぞれが家族の前で自分の仕事ぶりを披露する中、浦本はずっと総合案内に徹していた。時折由香利と目が合うと、彼女は楽しそうに小さく頷いてくれた。

今日のこの仕事は、印刷営業の役目を体現しているような気がした。

次はカバーの印刷作業。今日は五号機での作業となる。

浦本は野末の息子、幸太と陽太をよく見える場所へ来るよう促した。

「ママも、前においでよ」

家族たちの輪の後ろのほうで、ワンピース姿の華奢な女性が首を横に振った。「私はここでいい」という意思表示か。この女性が野末の妻だと知った。

双子の兄弟は二人で母親の手を引いてきた。三人の母子が、野末と五号機の前に進み出た。

〈俺にも、ささやかながら夢らしきものができた〉

野末が酔いつぶれた夜に言っていた言葉は、この瞬間のことだったのだと知った。

「色の濃さや、インキの量をコンピューターで調整し、試し印刷を繰り返します」

今回は刷り出しや事前調整を済ませてあり、印刷にかけるだけとなっている。

作業を進める野末に代わり、浦本が説明にあたる。

印刷機を稼働させると『あっち向いてホイ』の四色刷りのカバーが排紙部に次々と吐き出された。笑顔でそっぽを向く四人家族の絵は意味深で、ユーモアと少しのもの悲しさが垣間見える。

息子たち二人の視線は、調整台のパネルを操作する野末の背中にしっかりと向けられていた。

「パパが造ったカバーですよ」

浦本の言葉に双子の兄弟は無言で頷きながら、排紙部をじっと見つめていた。

「パパがじゃなくて、パパたちが、でしょう?」

弟の陽太だっただろうか。少し眉の太いほうが真顔で浦本に言った。思いがけぬ訂正に一瞬戸惑ったが、すとんと腑に落ちた。

「確かに、パパたちが造った。その通りです」

そのままの流れで、一番奥の一号機跡地へと案内する。

野末は平らになった一号機跡地の真ん中に立った。本来は一号機の元機長である柴田の役目。だが柴田はこの役目を野末に託した。

「ここは豊澄印刷一号機の跡地です。二十年間働いていた印刷機が、先週リストラされました」

リストラという言葉の響きに、一同は静まった。

「印刷機は仕事仲間。一号機がいなくなったのは寂しいことです。しかし、一号機はこれから海を渡り、インドネシアの地で再び活躍することが決まりました」

日本におけるオフセット枚葉印刷機の耐用年数は二十年ほどだが、退役後に海外の印刷会社に買い取ってもらえる場合がある。一号機はオペレーターたちが日々大事にメンテナンスしてきた甲斐もあり、買い取り手が見つかった。

このニュースは豊澄印刷の社内ホームページで報じられ、社員たちは温かな歓喜に沸いた。

「印刷機が一台減ったことで、自分たちの仕事も減り、そのうち仕事が無くなるのではないかと不安に思うこともありました」

一号機の跡地はある意味、本が売れなくなった時代を象徴する空白地でもある。

この厳しい現実を忘れないため、ふじみ野工場は一号機を永久欠番とし、二号機から五号機という変則的な番号で印刷機を管理し続けることとなった。

一号機の件について、常務からは「家族を不安にする話は避けるように」と釘を刺されていた。

「五台あった印刷機は、四台になりました」

野末は容赦なく言葉を継いだ。隣で聞いていた仲井戸が、唇を噛み締めている。

浦本も「一号機を守れなかった」という悔しさに、胸がかきむしられる。

「しかしこうして造られるべき本がある限り、豊澄印刷は誇りを持って本を造り続けます」

ワールド印刷の高待遇を断って豊澄印刷に居続けることを選んだ野末の言葉には説得力がある。

〈金のためだよ〉

かつて「何のために仕事をしている」と問うた時、野末はそう答えた。浦本はあの時、何も言い返すことができなかった。生活のために仕事をしていることは紛れもない事実だからだ。

だが、きっと金のためだけでは毎日の厳しい仕事を前向きに乗り切ることはできないだろう。

ささやかでも、この仕事をやっていてよかったと思える実感が、毎日の仕事を下支えしているに違いない。

「さあ、ムツゴロウ、辛気くせえ話はおしまい！　ご案内だ、ご案内だ！」

ジロさんの合図で一号機跡地の説明は終了。

場内の至るところを説明しているうちに時は過ぎ、その間も印刷機は動き続けた。

全ての本文を印刷し終えたところで、もう一度全員を五号機の前に集めた。

最終の一枚を手に取り、目視確認。そして野末は、その紙を浦本に手渡した。

「説明を頼む」

浦本はうなずいた。

「皆さん、本の終わりのほうにあるこのページ、なんていうか知っていますか？」

浦本は四六判の大きな紙のうちの一ページを指して、社員の家族たちに見せて回った。

野末の双子の息子たち二人が、そろりと手を挙げた。

「はい、どうぞ」

「オクヅケ……？」

二人で左右対称に首をかしげながら、同時に答えた。

「正解！　これは奥付と呼ばれるページです。お話を書いた人、出版社の代表の人、印刷した会社、製本所の名前などが書かれています」

家族見学の最後は、この奥付の説明にたくさんの思いを託したい。

「奥付は、本のエンドロールです。皆さんのお父さんや、お母さん、旦那さんや奥さんの名前も書かれています」

小学校中学年ぐらいの女の子が、紙に顔を寄せてくる。

「うちのお父さんの名前、見えないよー」

「そうです。目には見えません。見えないところで、みんなの力が集まって、本は造られているからです」

浦本は確信を持って言った。すると横から、野末が一歩、皆の前へと進み出た。

「見えないもののひとつひとつを繋いでいるのが、ここにいる営業です。分かりにくいかもしれませんが、彼ら無くして本は完成しません」

野末の言葉に、一同から拍手が起こった。由香利も柔らかい笑みを浮かべ、手を叩いている。今日の仕事はこれだけで報われた気がした。

またひとつ「よかった」という実感を胸に刻む。


午前中で工場をひと通り回り終え、昼休憩に入った。

食堂で、いつもの弁当屋の仕出し弁当が配られる。

浦本は由香利と二人で窓際の席に向かい合って座った。午前の間ずっと社員の家族
一行の案内をしていたが、ようやく落ち着いて話ができる。

「メイ司会者、お疲れさま」

「迷走する司会者のほうかな」

工場の食堂で由香利と向き合うのは、不思議な気分だ。

「そういえばガクちゃん、あれは言わなくてよかったの？」

「あれって？」

「印刷会社はメーカーだ」

浦本は少し考えてから答えた。

「それは自分の心に留めておけばいいと思う」

考え方はそれぞれだ。ただ、一冊の本を造るために、野末も仲井戸も福原も、みな
同じ方向を目指して仕事をしている。その事実だけは揺るぎのないものだから。

「おや、またひとつ次のステージに進んだ感じだね」

由香利はにやりと笑って煮物のこんにゃくを美味そうに食べた。

隣のテーブルでは野末の一家が揃って弁当を食べている。

「いい日だったなあ」

野末がしみじみと呟いた。

「いい日だった。ありがとう」

浦本はこの企画を発案してくれた野末に礼を述べた。

「ちょっとだけ紙の乾き具合を見てくる」

野末は腕時計に目を遣り、席を立った。今、刷り上がった本文とカバーを若手のオペレーターたちがフォークリフトで場内の隅に寄せているところだ。

「大丈夫じゃないか？　今日ぐらいゆっくりしたほうが」

「三分で戻る」

野末は言い残して工場棟へと向かっていった。

双子の兄弟も食堂の隅にある本棚を探り始め、隣の席には野末の妻だけが残った。

「改めまして、同期の浦本です」

挨拶すると、野末の妻は「いつもお世話になっております」と静かに頭を下げた。

「彼は真面目なので、どうしても仕事が気になるんですね」

浦本は窓の外を指差して言った。野末は毎日仕事を頑張っているということを伝えたいだけなのだが、上手い言葉が見つからない。

「見て、パパたちが造った本！」

双子の兄弟が本棚から小説を手にして戻ってきた。奥付を開き「豊澄印刷株式会社」の文字を指差してみせる。

「そうね、パパたちが造った本だね」

野末の妻は柔らかい笑みを湛えて答えた。

それから、本の奥付に目を落としたまま言った。

「奥付は本のエンドロール。会社のトモダチが言った。野末は子供たちにそう話してました。浦本さんの受け売りなんですね」

ほどなく野末が戻ってきた。お茶のペットボトルを両手に二本ずつ持っている。

「ついでにお茶を買ってきた」

「ありがとう」

野末の妻は笑顔でお茶を受け取った。その様子を見て浦本はまたひとつ「よかった」と思えた。

春の陽の光が差す食堂の中、社員たちはそれぞれの家族と昼食後のひと時を共にしていた。

午後は報国社の協力で製本工程を見学する。曾我部瞬が新境地を開くコミカルミステリー『殺され屋の逆襲』が誕生するまでを見届ける。こちらの本も慶談社の奥平と曾我部瞬が二人三脚で手がけた会心作だ。

「工場の生産ラインから完成品が出てくるところって、何度見ても嬉しいんだよね」

由香利が頬杖を突きながら呟いた。お菓子製品の誕生する瞬間を見届けたことはあっても、本が完成するところを見るのは今日が初めてだろう。

「そうだよ。何度見ても嬉しい」

最終工程から完成本が出てくる瞬間に、由香利や社員の家族たちと一緒に立ち会う。それは不思議で、とても幸せな光景だ。

多くの人に祝福され、今日もまた新しい本が生まれる。

謝辞

この物語を書くにあたり、多くの方々にお話を伺いました。

豊国印刷株式会社営業本部の田島洋樹さん、村井文一さんには、取材を開始した二〇一五年五月から約三年にわたってご指導いただきました。本当にありがとうございました。お二人とも奇しくも私と同い年の昭和五十二年生まれ。日々の仕事にまつわる数々の興味深いお話を伺いながら、同世代として、お二人の姿に心励まされました。お会いできて嬉しかったです。

講談社文芸第二出版部の鍛治佑介さんからは、この物語を書くきっかけをいただきました。本がどうやって造られているか、知られてないんですよね。そんな鍛治さんとの何気ない会話からこの物語は始まりました。八年間、共に物語を作ってきた鍛治さんとの集大成が、本造りを描いたこの作品になったことを嬉しく思います。

株式会社 暁 印刷埼玉工場副工場長の佐久間学さんには、紙の手積みから仕事を習得していく過程などを丁寧にご教示いただきました。

株式会社国宝社では、代表取締役社長の林雄一郎さんに製本工程をご案内いただきました。林さんも昭和五十二年生まれの同い年。数えきれぬほどの本を世に送り出されてきた老舗製本所の五代目として会社を背負い、本造りを誠実に守っておられる姿に感服しました。

書き終えた後の改稿期間中も、技術監修や追加取材で多くの方々のご協力を賜りました。

豊国印刷株式会社生産本部の新山忠義さん、関根隆弘さん、関本大介さん、滝浪久美子さん、古郡　弘さん、営業本部の渡邊健治さんにお集まりいただき、座談会の形でお話を伺いました。代表取締役社長の廣田浩二さんにお目にかかり、社内ビブリオバトルの逸話や将来の展望まで幅広く拝聴しました。

講談社業務部の飯嶋佐江子さんには、緊迫した装幀会議の様子や用紙の調達などについてお話を伺いました。

【お話を伺った方々】※社名は取材訪問順、名前は五十音順、取材当時の所属で表記

豊国印刷株式会社

新山忠義様、岡田秀樹様、小久保義成様、清野真史様、関根隆弘様、
関本大介様、滝浪久美子様、田島洋樹様、多田泰生様、谷口博俊様、
廣田浩二様、古郡弘様、眞鍋礼孝様、村井文一様、渡邊健治様

株式会社暁印刷
栗原吉彦様、佐久間学様、柴田麻那様
株式会社国宝社
林克彦様、林雄一郎様
株式会社講談社
飯嶋佐江子様、鍜治佑介様、戸田涼平様

たくさんのご協力を賜り『本のエンドロール』が完成しました。この場をお借りして心より感謝申し上げます。ありがとうございました。

なお、この物語はフィクションであり、本文中の記述は全て著者の責によることを申し添えます。

二〇一八年　三月吉日　安藤祐介

文庫版特別掌編　『本は必需品』

二日ぶりに出社した浦本学は、三階の営業部フロアで原稿整理をしていた。

正午前の営業第二部の島には、浦本の他に誰もいない。仲井戸は外出中で、毛利部長は在宅勤務。外は陽射しが強く、二月中旬にしては驚くほど暖かいのに、人気の少ないフロアは心なしか肌寒く感じる。

印刷業界でもテレワークが推奨され、豊澄印刷も例外ではない。しかし営業部はほぼ毎日のようにゲラの戻しがあり、現物を確認しなければならないため、浦本も仲井戸も在宅勤務は週に一日程度が精一杯だ。

もうすぐ正午になる。作業に区切りをつけ、昼食を取ることにした。

弁当を持って二階のフロアへ下り、データ制作部の横を通り抜ける。ＤＴＰオペレーターの出社率は通常時の六割ぐらいだ。作業に慣れているベテランのオペレーターは交代制で可能な限り在宅勤務をする一方、不慣れな新人は上司や周りの先輩社員に随時相談し、チェックを受けながら作業を進めるため、出社することが多い。

休憩室の入口に備え付けられたアルコールスプレーで手指を消毒して中へ入ると、先客が一人座っていた。アクリル板で仕切られたカウンターの窓際の席で、福原笑美がサンドイッチを食べながら単行本に目を落としている。

邪魔になると悪いので、浦本は二つ隣の席に座り、小さく「おつかれさまです」と声を掛けた。それから弁当の包みを開け、マスクを外す。

「ご無沙汰しております」

福原が単行本から目を離して応答した。

「あれ、そんなに久しぶりだっけ」

「浦本さんとはオンラインの打合わせで三日前にお会いしましたが、直接顔を合わせるのは一週間ぶりですよ」

言われてみれば昨日は浦本が久々の在宅勤務、その前の二日間は福原が在宅勤務だった。

サンドイッチを食べ終えた福原は、隣の椅子に置いてあるトートバッグを開けてマスクケースを取り出す。ケースの中から新しいマスクを一枚引き抜いて、それから丁寧に広げて着けた。

「そのマスクケース、使ってるんだね」

「重宝しています。マスクは今や必需品ですから」

福原のマスクケースには、豊澄印刷のマスコットキャラクター『とよ君』が印刷されている。三年前にノベルティグッズとして作ったものだ。当時はまさか世界がこのような災禍に見舞われるなど誰も想像していなかった。

「マスクは必需品、か……」

必需品という言葉から、浦本はある人に聞いた話を思い出していた。

「本はどうだろう」

「私にとって、幼い頃から本は食べ物と同じぐらいの必需品ですが」

「おっと、福原さんには愚問でした」

世の中が大きく変わってしまうその一年以上前、印刷業界の展示会でゲスト講演に立った東北地方の男性書店員の言葉が、今も浦本の胸に残っている。

〈本は必需品なんです〉

先の東日本大震災の後、避難所で生活する人たちは食べる物や着る物とは別に、本を渇望した。地震で滅茶苦茶になった店から本を段ボールに詰めて届けると、多くの人に喜ばれ、あっという間になくなったという。

本は必需品。決して講演向けに誇張した話でもなく、本を過大評価した訳でもないことは、彼の朴訥で真剣な語り口から明確に伝わってきた。

浦本は弁当を食べながら、福原にその時のことを語った。

「あの書店員さんの話が今になって、実感をもって蘇ってくるよ」

「本は不急ではあっても、不要ではない。すなわちそういうことですね」

非常時には多くの物事が「不要不急」の基準によって振り分けられる。

その度に、娯楽や文化芸術は存在意義を問われているような気がする。ウイルスが世界を脅かす中、SNSでは「いま小説など書いている場合なのだろうか」と自問して揺れる作家の呟きも目にした。

本を読まなくても、人は生きてはゆける。やはり生活のためには衣食住が最優先だ。

昨年四月から五月の緊急事態宣言で、浦本はそのことを痛感した。スーパーに食料品や生活用品を求める人が殺到して欠品が相次ぐ一方、多くの書店は臨時休業の措置を取った。

「書店が休業したあの時は、耐え難いぐらいショックでした」

「本当に……読者としても、印刷会社の社員としても衝撃的だったなあ」

出版社各社は新刊の刊行時期を遅らせ、豊澄印刷への発注もぱったりと止まった。

「このままでは会社が無くなるんじゃないかと、本気で思ったよ」

「それは完全に浦本さんの杞憂でしたね。過去の歴史でも、どんな非常事態であれ、本は読まれ続けていますから。本が読まれ続ける限り豊澄印刷は無くなりません」

る。

「いやあ、福原さんには敵わないや」

今の仕事は天職と言い切るこの人は、やはり強い。本というものを信じ切ってい

福原が信じた通り、緊急事態宣言下の緊迫した日々の中でも、本は売れ続けていた。書店が休業になり、新刊の発売延期が相次ぐ中、多くの人がネット書店や電子書籍で既刊の本を買い求めたのだ。

五月に緊急事態宣言が解除されると印刷機の稼働率は回復し、その後も安定し続けた。二度目の緊急事態宣言下にある今も、本は売れている。

奇しくも、新聞ラックに懸かっていた業界紙『印刷ジャーナル』の見出しが目に留まった。浦本はラックから外して手に取り、見出しを読み上げた。

「慶談社十一月期決算　売上高六・七％増」

十一月が決算期の慶談社は、毎年二月に前期の決算を発表する。外出自粛による巣ごもり需要で売上が伸び、純利益も大幅増となった。

「本は必需品。数字にも表れてるなあ」

「その記事、よく読んでみると、なかなか複雑な気持ちになります」

「なんだ、もう読んでたの」

記事には電子書籍の伸長が記されていた。紙の書籍・雑誌は前期比一・二％減の約

六三五億円、電子書籍は一九・四%増の五三二億円。紙と電子の売上が拮抗している。紙の本が手に入りにくい状況下、電子書籍は大きな役割を果たした。

「書店の休業期間中は、三河屋書店のネット販売で注文して取り寄せていましたが、どうしてもすぐに読みたい衝動に駆られた本は、電子書籍で買った時もあります」

浦本も一人の読者として電子書籍に頼ることが度々あった。電子書籍もまた本である。電子書籍チームの降旗の言葉が、鮮明に思い出される。

「ただ、私はやはり紙の本が好きです。書店のシャッターが開いた時は、自分も息を吹き返した心地がしました」

「確かに、書店に本が並んでいるのが、こんなにもありがたいことなんだって、つくづく感じたね」

平台や棚に並んだ本を再び目にしたあの時、心底嬉しかった。特に福原のように書店を巡ることが生活の一部になっている人にとっては尚更だろう。

福原は「では、そろそろ戻ります」と言って席を立った。それからすぐに立ち止まり、思い出したように浦本のほうを振り返った。

「言い忘れていました。ビブリオバトル、来月からオンラインで再開することになりましたので、浦本さんもぜひ参加してください」

豊澄印刷社内で定期的に開催されていたビブリオバトルは、昨年四月の緊急事態宣言以来、一年近く中断したままだ。オンライン開催の案も出ていたが「集まったほうが楽しい」「そのうち集まれるようになったら」といった声の中、なんとなく延び延びになっていた。

「ついに、オンラインでやるんだね」

「集まった方が楽しいのは同感ですが、集まることに固執しているといつまでも再開できないので。それにオンライン独自の楽しさも発見できるかもしれません」

福原がデータ制作部内に声を掛け、オンラインでの再開に動き出したという。

「福原さんの招集とあらば、必ず参加させていただきます」

「次は浦本さんにリベンジしますから」

リベンジという言葉に一瞬戸惑ったが、すぐに思い出した。一年前のビブリオバトルでは浦本が久々に優勝を飾って福原の四連覇を阻止し、それきり開催されていなかったのだ。

「ディフェンディングチャンピオンとして受けて立ちますよ」

浦本はわざと太々(ふてぶて)しい感じで言い返した。

推薦本のプレゼンで福原や他の社員たちと競い合うのが楽しみだ。そしてやはり、いつの日かこの休憩室に集まって、本のプレゼン合戦を楽しみたいと思ってしまう。

昼食を終えて三階に戻ると、仲井戸がノートパソコンの画面越しに誰かと打合せしていた。画面に映っている相手と、目が合った。

〈おお、浦本さん、お疲れ様です〉

打合せの相手は慶談社の奥平だった。画面に映り込んだ浦本に向かって手を振ってくる。背景の本棚の様子から、どうやら自宅にいるらしい。

〈仲井戸さんは会社が好きですよねえ。ダメじゃないですか、テレワークしなきゃ〉

「いえ、別に会社が好きで来ている訳ではなく、必要だから出社しているだけです」

〈またまた、そうやって理由を付けて会社に来ようとする〉

「奥平さんは、ご自宅からですか？」

浦本が訊ねると、奥平は〈ご自宅ですよ〉と少し寂しそうに答えた。作家との打合せも、ほとんどがオンラインになったという。

〈直に会って話すと、ふとした雑談から違った発想が出たりするんだけどねえ……〉

奥平も昨年までは、あれこれと理由を付けて常に会社にいた。年明け以降、見かねた上司から注意され、週に二、三日は在宅勤務をさせられているらしい。

〈まあ、こうして本は滞りなく作れているから。結果オーライってことですかね〉

「前期決算の売上高も上々のようで」

仲井戸が水を向けると、奥平は〈手放しで喜べる感じじゃないですけどね〉と珍しく謙虚な反応を示した。売上増は漫画の伸長によるところが大きく、文芸書は依然として苦戦を強いられている。

奥平は今、曾我部瞬の新刊『優しい殺し屋』に力を入れている。

〈次の作品で、彼には大作家になってもらいますから〉

曾我部瞬はこの二、三年で多くの読者を獲得し、今や人気作家だ。今回の新刊は、かつてデクノで印刷・製本した『ペーパーバック・ライター』とは打って変わって、ハードカバーで重厚な装丁にする方針らしい。

年明けの配置替えにより、奥平の案件は主に仲井戸が担当するようになった。浦本は奥平の担当を外れて少しほっとする一方で、どこか寂しさも感じた。面倒な編集者だが一緒に仕事をしていて楽しい面もあったということだろう。

〈早くデザインを決めたいのに、臼田さんが散歩に出ちゃったみたいで、仲井戸さんにクレーム入れてたんですよ〉

「それは私に言われても困るのですが……」

デザイナーの臼田も今日は在宅勤務のようだ。奥平とデザインの打合せをする予定だったが、連絡が付かないらしい。臼田はいつ散歩に出てしまうか分からないので要注意だ。

〈じゃあ、臼田さんと連絡が取れたら、ぼくに知らせてくださいね〉

そう言い残して、奥平はミーティングの画面から退出した。

「まったく……理不尽なクレームだ」

仲井戸が溜息交じりに呟いた。臼田の勤務状況は、別部門のトゥモローゲート・デザインで管理しており、仲井戸にはどうにもできない。奥平は仲井戸と話したいだけだったのではないか。

「そうだ浦本君、このメールだけど」

仲井戸が画面を指差す。生産管理部からのメールだ。著者校正の遅れにより、来週の五号機の印刷予定が延期になったという。印刷延期になるのは一条早智子の新刊『魔女のレストラン』。三年前の工場見学後に約束を取り付けた慶談社からの新刊が、ついに実現する。初版は十二万部。延期の穴埋めをしないと印刷機の稼働率に大きく影響する。

「これ、奥平さんの担当ですよね……。スケジュールは守ってくださいって、ガツンと言って差し上げたらどうですか」

「奥平さんにとっては念願の一条早智子作品だからね。それに一条さんが推敲に熱を入れ過ぎて、どうにもならないらしい。他で印刷を前倒しできる案件はないかな」

「あります。諸見沢流一さんの新刊が予定より早めに校了するはずなので。慶談社の村瀬さんに前倒し可能か当たってみますよ」

「さすが。では五号機の穴埋めは浦本君に任せた」

「え、仲井戸さんも、他に当たっていただけないんですか……」

「申し訳ないが、しばらく厄介な仕事が色々と立て込んでいて、そっちの対応に集中したい」

「なんだか我々、前と立場が逆になってるような気がしますが」

　ここ最近、仲井戸は顧客の無理な要求にも応えるようになっている。浦本が指摘したところ、仲井戸は「いい本を造るためだ」と言う。


　午後一番は、ふじみ野工場とのオンライン会議だ。約束の時間にオンライン会議のアプリを起動させると、画面越しに野末正義が怖い顔で待機していた。

　仲井戸が「相変わらずおっかない顔してるな……」と苦笑いする。

「野末君、おつかれさま」

〈九十二、九十八、九十四、九十六〉

「な、なんだよ、いきなり」

〈あんたらが三度の飯よりも大好きな稼働率だよ。前月は二号機から順に、九十二、九十八、九十四、九十六。おかげ様で貧乏暇なしだ〉

　画面の向こうで野末は笑った。その後ろからジロさんが〈お、テレビ会議か。俺にも映らせろ〉とVサインをして画面に映り込んでくる。

野末が「子供じゃないんですから」と呆れた口調で呟くと、ジロさんは突然大げさに畏まる。

〈これはこれは野末課長殿、大変失礼致しました！〉

今年に入って、野末には印刷製造部の品質管理課長という肩書が付いた。本人は嫌がっていて、ジロさんがそれを冷やかすのがお決まりのやり取りになっている。

小一時間の打合せで、直近の特殊印刷などの懸案を情報共有した。オンライン会議が主流になって以降、本社と工場の意思疎通はむしろ密になった。

〈そろそろ十四時だ。ここらで切り上げよう〉

野末が腕時計に目を遣る。彼が機長を務める五号機で、次の印刷作業が始まる。

「五号機は、午後から何の印刷だったっけ」

〈淵田シゲル『猫と話せるおじいさん』三万部だ〉

「おっと、自分が担当した案件だった」

浦本が配置換えの前に奥平から受注した最後の案件だ。

この物語には、悪人は一切出てこない。一人暮らしの老紳士が外出自粛の孤独の中、長年連れ添った猫と話ができるようになる。淵田シゲルが、現在の厳しい世の中だからこそ敢えて冷徹なまでに優しい物語にするという意気込みで書いた作品だ。

「『猫と話せるおじいさん』なら、幸太君と陽太君にも読んでもらえそうだね」

〈そうだな。二人とも最近、家にいる間は本ばかり読んでる〉

野末がマスクの上の目を細めて笑った。その後ろで印刷製造部の社員たちが管理棟のドアを開け、次々と工場棟へ向かってゆく。外に停められた四トントラックのバックミラーに、陽の光が反射する。

時は二〇二一年二月十九日、金曜日。

春を待つふじみ野工場にも、まぶしい午後の陽射しが降り注いでいる。

本は必需品。その言葉を胸に刻む。

巨大な災禍を前にして、無力感に苛まれても、日々の仕事が誰かに必要とされ、何かの役に立っていると信じていたい。

浦本や豊澄印刷の人たちにとってのそれは、本を造ることだ。

本はウイルスを殺せない。本は疫病を治せない。

それでもこの長い非常事態の世界にあって、本を必要とする人が確かにいる。人の心に寄り添うとか、勇気を与えるとか、そういう気負いは抜きにして考えてみる。

そうだ。自分たちは本という必需品を造っているのだ。

STAFF

印刷営業	喜納磨（豊国印刷株式会社）
	宮城聡子（豊国印刷株式会社）
	渡邉拓麿（大日本印刷株式会社）
	北村僚祐（千代田オフセット株式会社）
	佐野大祐（千代田オフセット株式会社）
本文進行管理	関口和代（豊国印刷株式会社）
組版進行管理	黒田豊隆（豊国印刷株式会社）
オペレーター	佐藤恵子（豊国印刷株式会社）
	関口玲（豊国印刷株式会社）
	建部千枝子（豊国印刷株式会社）
校正	三反﨑裕子（豊国印刷株式会社）
	浅賀恵津子（豊国印刷株式会社）
	本田征代（豊国印刷株式会社）
本文面付	高藤光哉（豊国印刷株式会社）
刷版	田辺真純（豊国印刷株式会社）
本文印刷機長	小俣修一（豊国印刷株式会社）
印刷オペレーター	大菅雄太（豊国印刷株式会社）
カバー進行管理	山地弘晃（株式会社 DNP メディア・アート）
	岩船水奈（株式会社 DNP メディア・アート）
装幀校正管理	水上貴由（株式会社 DNP メディア・アート）
	川澄卓三（株式会社フルブリッジ）
色校正	中村泰司（株式会社フルブリッジ）

カバーオペレーター	山下雅代（株式会社フルブリッジ）
校正	人見英也（株式会社 DNP メディア・アート）
刷版	大日本印刷株式会社 生産管理部
カバー印刷	大日本印刷株式会社 生産管理部
表面 PP 加工	小田原正一（日本樹脂工業株式会社）
帯進行管理	小林麻里奈（千代田オフセット株式会社）
帯校正管理	丸山丈彦（千代田オフセット株式会社）
色校正	柴田陸（株式会社八美校正）
下版	小池弘章（千代田オフセット株式会社）
刷版	宮腰和人（明和印刷株式会社）
帯印刷オペレーター	伊藤春信（千代田オフセット株式会社）
製本進行管理	堀澤博之（加藤製本株式会社）
三方断裁	佐久間孝一（加藤製本株式会社）
くるみ	鳥山剛（加藤製本株式会社）
仕上げ	鈴木俊晋（加藤製本株式会社）
断裁	出井信一（加藤製本株式会社）
フィルムパック加工	宮崎敦郎（株式会社フォーネット社）
配本	高橋雅之（株式会社フォーネット社）

※本作品の初版を造り、届けてくださった皆さまです。

◉カバー：OK コート片面 110g/㎡　CMYK+空色（特色）+グロス PP
◉帯：OK トップコート+ 104.7g/㎡　K+M
◉表紙：OK エンボス梨地 157g/㎡　グレー（特色）
◉本文用紙：石巻文庫K 54g/㎡

◉フィルムパック：ラプラー®501
◉価格表記シール：ミラーコートタック紙

この作品は二〇一八年三月に小社より単行本として刊行され、
文庫化に際し、特別掌編『本は必需品』を新たに収録しました。

|著者|安藤祐介　1977年生まれ、福岡県出身。早稲田大学政治経済学部卒業。2007年、『被取締役新入社員』でTBS・講談社第1回ドラマ原作大賞を受賞しデビュー。その他の著書に『六畳間のピアノマン』『夢は捨てたと言わないで』『不惑のスクラム』『テノヒラ幕府株式会社』『一〇〇〇ヘクトパスカル』『宝くじが当たったら』『大翔製菓広報宣伝部おい！　山田』『営業零課接待班』などがある。

本のエンドロール
安藤祐介
© Yusuke Ando 2021

講談社文庫
定価はカバーに
表示してあります

2021年4月15日第1刷発行

発行者――鈴木章一
発行所――株式会社　講談社
東京都文京区音羽2-12-21　〒112-8001
電話　出版（03）5395-3510
　　　販売（03）5395-5817
　　　業務（03）5395-3615

Printed in Japan

デザイン―菊地信義
本文データ制作―講談社デジタル製作
印刷―――豊国印刷株式会社
製本―――加藤製本株式会社

落丁本・乱丁本は購入書店名を明記のうえ、小社業務あてにお送りください。送料は小社負担にてお取替えします。なお、この本の内容についてのお問い合わせは講談社文庫あてにお願いいたします。
本書のコピー、スキャン、デジタル化等の無断複製は著作権法上での例外を除き禁じられています。本書を代行業者等の第三者に依頼してスキャンやデジタル化することはたとえ個人や家庭内の利用でも著作権法違反です。

ISBN978-4-06-523068-8

講談社文庫刊行の辞

二十一世紀の到来を目睫に望みながら、われわれはいま、人類史上かつて例を見ない巨大な転換期をむかえようとしている。

世界も、日本も、激動の予兆に対する期待とおののきを内に蔵して、未知の時代に歩み入ろうとしている。このときにあたり、創業の人野間清治の「ナショナル・エデュケイター」への志を現代に甦らせようと意図して、われわれはここに古今の文芸作品はいうまでもなく、ひろく人文・社会・自然の諸科学から東西の名著を網羅する、新しい綜合文庫の発刊を決意した。

激動の転換期はまた断絶の時代である。われわれは戦後二十五年間の出版文化のありかたへの深い反省をこめて、この断絶の時代にあえて人間的な持続を求めようとする。いたずらに浮薄な商業主義のあだ花を追い求めることなく、長期にわたって良書に生命をあたえようとつとめるところにしか、今後の出版文化の真の繁栄はあり得ないと信じるからである。

同時にわれわれはこの綜合文庫の刊行を通じて、人文・社会・自然の諸科学が、結局人間の学にほかならないことを立証しようと願っている。かつて知識とは、「汝自身を知る」ことにつきていた。現代社会の瑣末な情報の氾濫のなかから、力強い知識の源泉を掘り起し、技術文明のただなかに、生きた人間の姿を復活させること。それこそわれわれの切なる希求である。

われわれは権威に盲従せず、俗流に媚びることなく、渾然一体となって日本の「草の根」をかたちづくる若く新しい世代の人々に、心をこめてこの新しい綜合文庫をおくり届けたい。それは知識の泉であるとともに感受性のふるさとであり、もっとも有機的に組織され、社会に開かれた万人のための大学をめざしている。大方の支援と協力を衷心より切望してやまない。

一九七一年七月

野間省一

講談社文庫 最新刊

今野 敏
カットバック 警視庁FCⅡ
映画の撮影現場で起きた本物の殺人事件。夢と現実の間に消えた犯人。特命警察小説！

大沢在昌
覆 面 作 家
著者を彷彿とさせる作家、「私」の周りはミステリーにあふれている。珠玉の8編作品集。

西尾維新
掟上今日子の婚姻届
隠館厄介からの次なる依頼は、恋にまつわる「呪い」の解明？ 人気ミステリー第6弾！

楡 周平
バ ル ス
宅配便や非正規労働者など過剰依存のリスクを描く経済小説の雄によるクライシスノベル。

安藤祐介
本のエンドロール
読めば、きっともっと本が好きになる。奥付に名前の載らない「本を造る人たち」の物語。

佐藤雅美
敵討ちか主殺しか〈物書同心居眠り紋蔵〉
紋蔵の養子・文吉の身の処し方が周囲の者を翻弄する。シリーズ屈指の合縁奇縁を描く。

創刊50周年新装版

林 真理子
さくら、さくら〈おとなが恋して〈新装版〉〉
理性で諦められるのなら、それは恋じゃない。大人の女性に贈る甘酸っぱい12の恋物語。

新井素子
グリーン・レクイエム〈新装版〉
腰まで届く明日香の髪に秘められた力と、彼女の正体とは？ SFファンタジーの名作！

首藤瓜於
脳 男 新装版
恐るべき記憶力と知能、肉体を持ちながら感情を持たない、哀しき殺戮のダークヒーロー。

講談社文庫 最新刊

石川智健
いたずらにモテる刑事の捜査報告書
絶世のイケメン刑事とフォロー役の先輩が、今日も女性のおかげで殺人事件を解決する！

北森　鴻
螢　坂〈香菜里屋シリーズ3〈新装版〉〉
偶然訪れた店で、男は十六年前に別れた恋人の名を耳にし——。心に染みるミステリー！

瀬戸内寂聴
花のいのち
100歳を前になお現役の作家である著者が、花に言よせて幸福の知恵を伝えるエッセイ集。

千野隆司
銘酒の真贋〈下り酒一番㈤〉
分家を立て直すよう命じられた卯吉は!? 酒×大江戸の大人気シリーズ！〈文庫書下ろし〉

呉　勝浩
バッドビート
頂点まで昇りつめてこそ人生！ 最も注目される著者による、ノンストップミステリー！

日本推理作家協会 編
ベスト8ミステリーズ2017
降田天「偽りの春」のほか、ミステリーのプロが厳選した、短編推理小説の最高峰8編！

岡崎大五
食べるぞ！世界の地元メシ
ネットじゃ辿り着けない絶品料理を探せ。世界を駆けるタビメシ達人のグルメエッセイ。

トーベ・ヤンソン
リトルミイ　100冊読書ノート
大人気リトルミイの文庫サイズの読書ノートです。100冊記録して、思い出を「宝もの」に！

講談社文芸文庫

平出 隆

葉書でドナルド・エヴァンズに

解説=三松幸雄　年譜=著者

「死後の友人」を自任する日本の詩人は、夭折の切手画家に宛てて二年一一ヵ月にわたり葉書を書き続けた。断片化された言葉を辿り試みる、想像の世界への旅。

978-4-06-522001-6　ひK1

古井由吉

詩への小路　ドゥイノの悲歌

解説=平出 隆　年譜=著者

リルケ「ドゥイノの悲歌」全訳をはじめドイツ、フランスの詩人からギリシャ悲劇まで、詩をめぐる自在な随想と翻訳。徹底した思索とエッセイズムが結晶した名篇。

978-4-06-518501-8　ふA11

講談社文庫　目録

あさのあつこ　NO.6beyond〈ナンバーシックス・ビヨンド〉
あさのあつこ　待ってる〈橘屋草子〉
あさのあつこ　さいとう市立さいとう高校野球部(上)(下)
あさのあつこ　甲子園でエースしちゃいました〈さいとう市立さいとう高校野球部〉
あさのあつこ　おれが先輩？〈さいとう市立さいとう高校野球部〉
阿部夏丸　泣けない魚たち
朝倉かすみ　肝、焼ける
朝倉かすみ　好かれようとしない
朝倉かすみ　ともしびマーケット
朝倉かすみ　感応連鎖
朝倉かすみ　たそがれどきに見つけたもの
朝比奈あすか　憂鬱なハスビーン
朝比奈あすか　あの子が欲しい
天野作市　気高き昼寝
天野作市　みんなの旅行
青柳碧人　浜村渚の計算ノート
青柳碧人　浜村渚の計算ノート 2さつめ〈ふしぎの国の期末テスト〉
青柳碧人　浜村渚の計算ノート 3さつめ〈水色コンパスと恋する幾何学〉
青柳碧人　浜村渚の計算ノート 3と1/2さつめ〈ふえるま島の最終定理〉
青柳碧人　浜村渚の計算ノート 4さつめ〈方程式は歌声に乗って〉
青柳碧人　浜村渚の計算ノート 5さつめ〈鳴くよウグイス、平面上〉
青柳碧人　浜村渚の計算ノート 6さつめ〈パピルスよ、永遠に〉
青柳碧人　浜村渚の計算ノート 7さつめ〈悪魔とポタージュスープ〉
青柳碧人　浜村渚の計算ノート 8さつめ〈虚数じかけの夏みかん〉
青柳碧人　浜村渚の計算ノート 8と2分の1さつめ〈つるかめ家の一族〉
青柳碧人　浜村渚の計算ノート 9さつめ〈恋人たちの必勝法〉
青柳碧人　霊視刑事夕雨子1〈誰かがそこにいる〉
青柳碧人　霊視刑事夕雨子2〈雨空の鎮魂歌〉
朝井まかて　花競べ〈向嶋なずな屋繁盛記〉
朝井まかて　ちゃんちゃら
朝井まかて　すかたん
朝井まかて　ぬけまいる
朝井まかて　恋歌
朝井まかて　阿蘭陀西鶴
朝井まかて　藪医 ふらここ堂
朝井まかて　福袋
歩りえこ　ブラを捨て旅に出よう〈貧乏乙女の"世界一周"旅行記〉
安藤祐介　営業零課接待班
安藤祐介　被取締役新入社員
安藤祐介　おい！山田〈大翔製菓広報宣伝部〉
安藤祐介　宝くじが当たったら
安藤祐介　一〇〇〇ヘクトパスカル
安藤祐介　テノヒラ幕府株式会社
青木理　絞首刑
麻見和史　石の繭〈警視庁殺人分析班〉
麻見和史　蟻の階段〈警視庁殺人分析班〉
麻見和史　水晶の鼓動〈警視庁殺人分析班〉
麻見和史　虚空の糸〈警視庁殺人分析班〉
麻見和史　聖者の凶数〈警視庁殺人分析班〉
麻見和史　女神の骨格〈警視庁殺人分析班〉
麻見和史　蝶の力学〈警視庁殺人分析班〉
麻見和史　雨色の仔羊〈警視庁殺人分析班〉
麻見和史　奈落の偶像〈警視庁殺人分析班〉
麻見和史　鷹の砦〈警視庁殺人分析班〉
麻見和史　凪の残響〈警視庁殺人分析班〉
麻見和史　深紅の断片〈警防課救命チーム〉
有川浩　三匹のおっさん

有川 浩 三匹のおっさん ふたたび
有川 浩 ヒア・カムズ・ザ・サン
有川 浩 旅猫リポート
有川ひろ アンマーとぼくら
有川ひろほか ニャンニャンにゃんそろじー
荒崎一海 門前仲町〈九頭竜覚山 浮世綴(一)〉
荒崎一海 蓬萊橋雨景〈九頭竜覚山 浮世綴(二)〉
荒崎一海 寺町哀感〈九頭竜覚山 浮世綴(三)〉
荒崎一海 小名木川〈九頭竜覚山 浮世綴(四)〉
荒崎一海 一色町雪花〈九頭竜覚山 浮世綴(五)〉
朱野帰子 駅物語
東 浩紀 一般意志2・0〈ルソー、フロイト、グーグル〉
朝倉宏景 白球アフロ
朝倉宏景 野球部ひとり
朝倉宏景 つよく結べ、ポニーテール
朝井リョウ スペードの3
朝井リョウ 世にも奇妙な君物語
有沢ゆう希 末次由紀 原作 〈小説〉ちはやふる 上の句
有沢ゆう希 末次由紀 原作 〈小説〉ちはやふる 下の句

有沢ゆう希 末次由紀 原作 〈小説〉ちはやふる 結び
有沢ゆう希 ろびこ 原作 〈小説〉となりの怪物くん
有沢ゆう希 小説 パーフェクトワールド〈君といる奇跡〉
有沢ゆう希 原作:金田一蓮十郎 脚本:徳永友一 小説 ライアー×ライアー
蒼井凜花 女唇の伝言
秋川滝美 幸腹な百貨店
秋川滝美 幸腹な百貨店〈デパ地下おにぎり騒動〉
秋川滝美 幸腹な百貨店〈催事場で蕎麦屋呑み〉
東 芙美子 原作 雲田はるこ 脚本 羽原大介 小説 昭和元禄落語心中
赤神 諒 神遊の城
赤神 諒 大友二階崩れ
赤神 諒 酔象の流儀 朝倉盛衰記
彩瀬まる やがて海へと届く
浅生 鴨 伴走者
天野純希 有楽斎の戦
青木祐子 コーチ!〈はげまし屋・立花ことりのクライアントファイル〉
五木寛之 ソフィアの秋
五木寛之 狼のブルース
五木寛之 海峡物語

五木寛之 風花のひと
五木寛之 鳥の歌(上)(下)
五木寛之 燃える秋
五木寛之 真夜中の望遠鏡〈流されゆく日々'78〉
五木寛之 ナホトカ青春航路〈流されゆく日々'79〉
五木寛之 旅の幻燈
五木寛之 他力
五木寛之 こころの天気図
五木寛之 新装版 恋歌
五木寛之 百寺巡礼 第一巻 奈良
五木寛之 百寺巡礼 第二巻 北陸
五木寛之 百寺巡礼 第三巻 京都I
五木寛之 百寺巡礼 第四巻 滋賀・東海
五木寛之 百寺巡礼 第五巻 関東・信州
五木寛之 百寺巡礼 第六巻 関西
五木寛之 百寺巡礼 第七巻 東北
五木寛之 百寺巡礼 第八巻 山陰・山陽
五木寛之 百寺巡礼 第九巻 京都II
五木寛之 百寺巡礼 第十巻 四国・九州

講談社文庫 目録

五木寛之 海外版 百寺巡礼 インド1
五木寛之 海外版 百寺巡礼 インド2
五木寛之 海外版 百寺巡礼 朝鮮半島
五木寛之 海外版 百寺巡礼 中国
五木寛之 海外版 百寺巡礼 ブータン
五木寛之 海外版 百寺巡礼 日本・アメリカ
五木寛之 青春の門 第七部 挑戦篇
五木寛之 青春の門 第八部 風雲篇
五木寛之 親鸞 青春篇 (上)(下)
五木寛之 親鸞 激動篇 (上)(下)
五木寛之 親鸞 完結篇 (上)(下)
五木寛之 五木寛之の金沢さんぽ
井上ひさし モッキンポット師の後始末
井上ひさし ナ イ ン
井上ひさし 四千万歩の男 全五冊
井上ひさし 四千万歩の男 忠敬の生き方
井上ひさし 司馬遼太郎 新装版 国家・宗教・日本人
池波正太郎 私 の 歳 月
池波正太郎 よい匂いのする一夜
池波正太郎 梅安料理ごよみ
池波正太郎 わが家の夕めし
池波正太郎 新装版 緑のオリンピア
池波正太郎 新装版 殺しの四人 〈仕掛人 藤枝梅安(一)〉
池波正太郎 新装版 梅安蟻地獄 〈仕掛人 藤枝梅安(二)〉
池波正太郎 新装版 梅安最合傘 〈仕掛人 藤枝梅安(三)〉
池波正太郎 新装版 梅安針供養 〈仕掛人 藤枝梅安(四)〉
池波正太郎 新装版 梅安乱れ雲 〈仕掛人 藤枝梅安(五)〉
池波正太郎 新装版 梅安影法師 〈仕掛人 藤枝梅安(六)〉
池波正太郎 新装版 梅安冬時雨 〈仕掛人 藤枝梅安(七)〉
池波正太郎 新装版 忍びの女 (上)(下)
池波正太郎 新装版 殺しの掟
池波正太郎 新装版 抜討ち半九郎
池波正太郎 新装版 娼婦の眼
池波正太郎 近藤勇白書 〈レジェンド歴史時代小説〉 (上)(下)
井上 靖 楊 貴 妃 伝
石牟礼道子 新装版 苦海浄土 〈わが水俣病〉
いわさきちひろ ちひろのことば
いわさきちひろ 松本 猛 いわさきちひろの絵と心
いわさきちひろ 絵本美術館編 ちひろ・子どもの情景 〈文庫ギャラリー〉
いわさきちひろ 絵本美術館編 ちひろ・紫のメッセージ 〈文庫ギャラリー〉
いわさきちひろ 絵本美術館編 ちひろの花ことば 〈文庫ギャラリー〉
いわさきちひろ 絵本美術館編 ちひろのアンデルセン 〈文庫ギャラリー〉
いわさきちひろ 絵本美術館編 ちひろ・平和への願い 〈文庫ギャラリー〉
石野径一郎 新装版 ひめゆりの塔
今西錦司 生物の世界
井沢元彦 義経幻殺録
井沢元彦 光と影の武蔵 〈切支丹秘録〉
井沢元彦 新装版 猿丸幻視行
伊集院 静 乳 房
伊集院 静 遠 い 昨 日
伊集院 静 夢は枯野を 〈競輪躁鬱旅行〉
伊集院 静 野球で学んだこと ヒデキ君に教わったこと
伊集院 静 峠 の 声
伊集院 静 白 秋
伊集院 静 潮 流
伊集院 静 機関車先生
伊集院 静 冬 の 蜻蛉

2021年3月12日現在